甲骨文發現一百周年學術研討會
論 文 集

1999

臺灣師範大學國文學系 編
中研院歷史語言研究所

文史哲出版社印行

甲骨文發現一百周年學術研討會論文集 / 國立
臺灣師範大學國文學系,中央研究院歷史語言
研究所編. --初版. --臺北市：文史哲, 民88
　　面： 公分. --
含參考書目
ISBN 957-549-234-x(平裝)

　1.中國文字 - 甲骨文 2.甲骨文 - 論文,考證,評
論,講詞等
　　792

甲骨文發現一百周年學術研討會論文集

編 輯 者：國立臺灣師範大學國文學系
　　　　　中央研究院歷史語言研究所
出 版 者：文 史 哲 出 版 社
登記證字號：行政院新聞局版臺業字五三三七號
發 行 人：彭　　　正　　　雄
發 行 所：文 史 哲 出 版 社
印 刷 者：文 史 哲 出 版 社
　　　　　臺北市羅斯福路一段七十二巷四號
　　　　　郵政劃撥帳號：一六一八〇一七五
　　　　　電話 886-2-23511028 · 傳眞 886-2-23965656
實價新臺幣七〇〇元
中 華 民 國 八 十 八 年 八 月 八 日 初 版

甲骨文發現一百周年學術研討會
論 文 集

1999

委辦單位：教育部顧問室
承辦單位：臺灣師範大學國文學系
合辦單位：中研院歷史語言研究所
協辦單位：中國經學研究會
贊助單位：中華發展基金管理委員會
會議日期：中華民國八十七年五月十日至十二日

目　錄

序　　　言

師大國文系主任　傅武光

　　《禮記‧禮運》：「天不愛其道，地不愛其寶，人不愛其情。故天降膏露，地出醴泉，山出器車，河出馬圖。」有清之末，甲骨出於河南安陽之小屯，舉世震驚，學者紛紛投入，迄今倏已百年。百年來，甲骨學者考釋文字、研究歷史、探索文化、研討科技，凡有關甲骨之研究如百川匯海，蔚為大觀。謂甲骨之學為百年來之新顯學，洵不為過。

　　臺灣師大國文系名師如雲，小學方面，魯實先先生、高鴻縉先生、林尹先生俱才高學博，望重士林，造就弟子無數，飲譽海內外。史語所則為甲骨學之淵藪，擁有安陽甲骨珍品，自董作賓先生開闢鴻濛，導以康莊；李孝定先生潛心《集釋》，兩易其稿，學界倚重，無出其右；張秉權先生留意《丙編》，綴合考釋，成套卜辭，多所發現；此外，所內諸先生，均為海內俊彥、學界精英。茲值甲骨文發現一百周年之際，蒙教育部之委託，本系得與中研院史語所共同舉辦「甲骨文發現一百周年學術研討會」，海內外甲骨學者群聚一堂，析文研義，批卻道窾，為甲骨文之研究留下記錄，實學術史上一盛事也。

　　盛會既畢，學者紛紛返國，為延續本次會議之成效，本系乃將學者修改完畢之論文付梓，以饗中外。其中許進雄先生之鴻文，因已另外發表，不克收在本論文之中，頗為憾耳。是為序。

八十八年八月八日

甲骨文發現一百周年學術研討會　1998.5.10-12
中央研究院歷史語言研究所‧臺灣師範大學國文系合辦

甲骨文中的見與視

裘錫圭[*]

提要：

　　殷墟甲骨文中既有𥆞字，又有𥅻字，所从人形有跪坐與直立之異，舊皆釋為「見」字。張桂光在八十年代指出二者實為兩字，前者為「見」，後者應為「望」之異體。新出荊門郭店楚墓竹簡《老子》中，「視」作𥅻，「見」作𥆞，可知甲骨文「𥅻」字當釋「視」。釋此字為「視」，有關卜辭可以講通。西周金文中「目」下作立人形之字亦應釋為「視」，這從文例上也可以看出來。

關鍵詞：見　視　獻　望　視日　郭店楚墓竹簡

　　殷墟甲骨文中既有𥆞字，又有𥅻字，前者「目」下人形是跪坐的，後者「目」下人形是直立的，通常把二者都釋作「見」字（見《甲骨文編》367-368頁「見」字條）。張桂光在八十年代提出了它們應該是兩個不同的字的看法。他指出這兩個字的辭例有別，「可確證為見字的『其來見王』，『不其來見王』，『印啟，不見云』（引者案：此條似出《合》20988，原辭應釋爲『戊戌卜：其陰印？翌日啟，不見云。』）等，見字都作𥆞不作𥅻，在稍覺相似的『𥅻方』與『𥆞方』諸例中，作『𥅻方』的幾乎前面都帶『乎』或『令』，作『𥆞方』的則無一帶『乎』或『令』的」。他認爲「𥅻乃是𣌳的異文，以釋『望』爲妥」，其主要證據是「壐」「也有從橫目作𥊽的」（轉引自甲骨文字詁林》606-607頁）。

　　姚孝遂在《甲骨文字詁林》0625「見」字條按語中說：

　　　卜辭「𥅻」與「𥆞」形體有別，用法亦殊。「𥆞」可用作「獻」，「𥅻」則不能。但其餘則可通用。卜辭二者似已出現合併之趨勢，今姑併列（609

---

[*] 裘錫圭，1935年出生，復旦大學歷史系畢業，現任北京大學中文系教授，著有《古文字論集》、《文字學概要》、《古代文史研究新探》、《文史叢稿》、《裘錫圭自選集》及其它古文字學論文多種。

頁）。

又在 0626「見」字條按語中說：

> 考之卜辭，「望乘」之「望」從無作「□」之例。「□」與「□」在卜辭均可為人名，亦均可為動詞，但二者從不相混。而「□」與「□」則可相通，契文「覓」字從「□」與從「□」互作可證（611 頁）。

姚先生指出「『□』可用作『獻』」（引者按：指「卑見百牛」、「見新采」等例），『□』則不能」，完全正確。他說這兩個字「可通用」，並未舉出實例，估計主要是指它們都可用為人名（包括族名），並且都可出現在「方」字或方國名之前而言的。「□」、「□」都可用作人名，就跟姚先生所指出的「□」、「□」都可用作人名一樣，並不足以證明二者為一字。「□方」之辭與「□方」之辭，在文例上仍有區別，張桂光已經指出。所以姚先生說這兩個字「形體有別，用法有殊」是對的，說二者在卜辭中「似已出現合併之趨勢」，則缺乏根據。

　　姚先生所說的「契文『覓』字從『□』與從『□』互作」這一點，也不能證明二者為同一個字。唐蘭先生在《古文字學導論》中早已指出：

> 凡同部（即由一個象形文字裏孳乳出來）的文字，在偏旁裏可以通用，——只要在不失本字特點的時候。……欠、卂、卩、尾、企等字，本是有區別的，在偏旁裏卻常可通用。（235-236 頁，齊魯書社，1981 年增訂本）

「□」、「□」用作偏旁時互作，應是同類的現象。

　　總之，張桂光分甲骨文「□」、「□」為二字，是可以成立的。但是他釋「□」為「望」，卻難以成立，姚先生在上列按語中已經指出來了。甲骨文「望」字寫作從橫目形者極少，而且其人形下端已經加「土」，跟「□」的區別仍是很明顯的。如找不到「□」、「望」用例相同的確證，僅僅根據這種「望」字是不能證明二者為一字的。那麼，「□」究竟是什麼字呢？新出的郭店楚簡提供了重要線索。

　　郭店簡的整理者在考釋簡本《老子》時，發現簡文中上從「目」「下部為立人」的字是「視」字，「與簡文『見』字作□者有別」（《郭店楚墓竹簡》114頁注〔六〕，文物出版社，1998 年 5 月）。例如：《老子》今本 35 章的「視之不足見」，簡本就作：

□之不足□　　　《老子》丙 5 號簡，《郭店楚墓竹簡》9 頁

「見」的這種寫法是楚文字中常見的。「視」的這種寫法過去較少見，但包山楚

簡屢見官名「夕日」（參看滕壬生《楚系簡帛文字編》706頁，湖北教育出版社，1995），過去釋爲「見日」，其實應釋爲「視日」。《史記・陳涉世家》：「周文，陳之賢人也，嘗爲項燕軍視日。」項燕爲楚將，其軍中所設之視日，與包山簡之視日，性質當相類。《史記集解》引如淳說，以「視日時吉凶舉動之占」釋《陳涉世家》的「視日」，恐非是。

我認爲甲骨文的「𥄑」字也應釋爲「視」。這種「視」是形聲字「視」的表意初文。

殷墟卜辭中有以下諸辭（𥄑字以『△』代替）：

> 貞：賢人五千，呼（呼）△舌方。　　《合》6167
> 貞：乎△舌，𢦏戈。　　《合》6193
> 丁未卜，貞：令立△方。一月。　　《合》6742
> ☑△方于架（？）。　　《合》6743
> 貞：乎登△戎。　　《合》7745
> 勿乎△戎。　　《合》7745

把這類卜辭中的△釋爲「視」，是很合適的。

《左傳・僖公十五年》記秦晉二國韓之戰之事說：

> 晉侯逆秦師，使韓簡視師，復曰：「師少於我，鬥士倍我。」

同書《哀公二十三年》：

> 夏六月，晉荀瑤伐齊，高無丕帥師御之。知伯視齊師，馬駭，遂驅之，曰：「齊人知余旗，其謂余畏而反也。」及壘而還。

上引卜辭的「視」，當與《左傳》「視師」之「視」義近，有爲了準備戰鬥而觀察敵軍情況之意。

卜辭中還有「△屮自（師）」之語：

> 丙午卜，𢇍貞：乎自（師）往△屮自（師）……　　《合》17055
> 丙午卜，𢇍貞：勿乎自往△屮自。　　《合》5805

屮師是屬於商王的，並非敵人。「視屮師」之「視」，當與「視舌方」、「視方」等語之「視」有異。《尙書・文侯之命》記王命說：

> 父義和，其歸視爾師，寧爾邦。

3

「視㞢師」之「視」，當與「視爾師」之「視」意近。

其他殷墟卜辭裏的△字，釋作「視」也都是講得通的，不一一贅述。《合》36970 的一條殘辭中有「△史」之文，也許可以讀爲「視事」。

周原卜甲也有「視」的表意初文：

𥄎工于洛　H11:102(王宇信《西周甲骨探論》301 頁，中國社會科學出版社,1984)

龍□乎（呼）𥄎□　H11:92(同上)

《尙書・洛誥》記成王命周公「監我士師工」。「視工」之「視」，用法與《洛誥》「監」字相似。或釋「視工」爲「見工」，讀爲「獻工」，非是。「呼視」的說法與殷墟卜辭相合。

在西周金文中，雖然早已出現個别从「見」「氏」聲的「視」字（參看《金文編》619 頁「視」字），「視」的表意初文仍然時常被使用（下引銘文中此字用△代替，其原形多已收入《金文編》618 頁「見」字條）：

牆盤：方緣（蠻）亡不㺇△。　《集成》10175

斾伯簋：王命益公征眉敖。益公至告，二月眉敖至△，獻貴。　《集成》4331

九年衛鼎：眉敖者膚卓吏（使）△于王大黹。　《集成》2831

㝬鐘：𠬝孳迺遣閒來逆卲王，南夷、東夷具△廿又六邦。　《集成》260

駒父盨蓋：南仲邦父命駒父簋南諸侯，率高父△南淮夷，厥取厥服，家（？）不敢不敬（？）畏王命，逆△我，厥獻厥服　《集成》4464

雁（應）侯鐘：……雁侯△工遺王于周……𤇈伯內右雁侯△工………工敢對揚天子休……　《集成》107

這些△字過去都被釋作「見」。牆盤銘既有此字，又有下部人形呈坐姿的「見」字（見「敚史剌祖迺來見武王」句）。結合殷墟卜辭和楚簡中「△」、「見」有别的現象來看，西周金文的「△」無疑也應釋爲「視」，而不應看作「見」的異體。

應侯鐘的「△工」是應侯之名，不知是否即取義於見於上引周原卜甲的「視工」。其他各例所說之事，都跟周王朝與蠻夷之邦間的關係有關。《周禮・春官・大宗伯》：「時聘曰問，殷覜曰視。」同書《秋官・大行人》：「王之所以撫邦國諸侯者，歲徧存，三歲徧覜，五歲徧省……。」《說文・八下・見部》：「諸侯三年大相聘曰覜。覜，視也。」段注：「鄭（引者按：指鄭玄《周禮注》）說殷覜，不用三年大聘之說。許則以《周禮》之覜即三年大聘。故《大行人》曰：

『王之所以撫邦國諸侯者，歲徧存，三歲徧覜，五歲徧省。』省與覜同。間歲而舉，所謂三年大聘。下於上，上於下，皆得曰覜，故曰相。許說與《周禮》不相違也。」又說：「《小行人》曰：『存、覜、省、聘、問，臣之禮也。』按：五者皆得訓視。」上引牆盤等器銘中的「視」，應即「殷覜曰視」的「視」，其義與覜、省、聘、問等相近。「下於上，上於下，皆得曰覜。」故駒父盨蓋銘中既有駒父「視南淮夷」之文，又有南淮夷「逆視我」之文。

時代不出春秋戰國之間的侯馬盟書，有「覼」、「見」二字（分別見於《侯馬盟書》字表 337 頁和 309 頁），前者各家皆釋「視」。盟書「見」字下部人形已作直立形，看來當時晉國已不用「視」的表意初文了。不過，盟書中「明殛視之」一語中的「視」字有少數作「見」，不知是同義相代，還是使用「視」字表意初文的殘跡。戰國中期偏晚的中山王墓銅器中，兆域圖有從「目」「氏」聲的「視」字（參看《金文編》233 頁「眡」字條，戰國時代的三晉璽印文字等也有這種「視」字）；中山王𧧽壺「則臣不忍見囗」句中的「見」字，下部人形也已作直立形（參看《金文編》619 頁「見」字條）。中山國開始不用「視」字表意初文的時間，應在此之前。郭店楚簡的時代與中山王器相近，可見楚國使用「視」字表意初文的時間拖得比較晚。不過郭店楚簡中也出現了少量下部人形作直立形的，與「視」字表意初文無別的「見」字，如《五行》篇第 23、29 等號簡的「見」字（見《郭店楚墓竹簡》32、33 頁）。可見在當時的楚國，「視」字表意初文的地位已經開始動搖了。

追記：

西周早期的匽（燕）侯旨鼎說匽侯旨初見事于宗周，王賞旨貝廿朋，用作姒寶尊彝。」（《集成》2628）玟方鼎說：「己亥，玟𠬝事于彭，車叔賞玟馬，用作父庚彝。」（《集成》2613）楊樹達《書康誥見士于周解》指出，康誥「見士于周」的「士」應讀爲「事」，「見事于周」的文例與「見事于宗周」同，「見事猶言述職」（《積微居小學述林》卷六）。其言甚是。但楊氏將玟方鼎的「𠬝事」也釋作「見事」，現在看起來是錯誤的。此二字應釋爲「視事」。「視事」爲古代常用語，如《左傳‧襄公二十五年》說：「崔子稱疾不視事。」從銘文看，玟當是奉車叔之命視事于彭地，故受其賞。玟方鼎之「視事」初未曾注意，雷神父提醒，謹誌謝意。

歷史語言研究所購藏甲骨選釋（二）

中研院史語所　鍾柏生

前言

　　歷史語言研究所（後簡稱史語所）收藏著一批由民國三十六年至三十七年，傅斯年先生購買，高去尋、李光宇兩位先生運送至南京的甲骨[1]。總數約一九九片，有字的爲一九四片。這批古物在購買前出土流傳的情形，因爲前輩先生的去逝，無法得知。只是在核對重片時，發現若干片子著錄在《戰後寧滬所獲甲骨集》卷三中，此書爲胡厚宣先生摹寫本。先生於序言云：

> 「此外數年以來，往還寧滬，於商肆藏家，三五偶見兼收並畜，細大不捐，計其所得，亦二三百片。於是編之爲卷三。」

由此可略知這批甲骨部分來源。筆者在所的資歷不深，加上機緣不巧，所藏甲骨沒有徹底清理，陰錯陽差耽擱了這批材料的研究與發表。

　　這批材料購進所後，經過初步的編號和整理，在此工作之前，有部分甲骨上有更早的編號—（簏某），這類編號的甲骨原先有六十六件，如今標貼有些脫落只剩四十四件；大部分甲骨最早無任何編號。今天所看到的編號，是直接墨書於甲骨之上，依其來源、質材不同，將其編號分爲二類：一爲P.0開頭，由P.0.0005至P.0.0163；一爲P.2開頭，由P.2.003至P.2.039。P字代表購買品，P字後的0代表龜版；2則是代表骨版。核校原物後，其材料的判定，筆者作了若干修正。至於P.0.0005及P.2.003之前甲骨的蹤影，筆者並不清楚。號碼重復者，釋文中自有說明。

　　本文體例，圖版部分有拓片及照相本，背面有文字者才附拓本及照相本。釋文及說明部分，先標明有字甲骨編號，再列原始編號，質材、斷代、釋文及說明（包括重片）。最後是綴合圖版。

　　以下所選錄的二十七版，是來自編號P.0.0005至P.0.0163，以字數較多，或有可取的內容爲原則，如：例三卜辭出現「侯豹」之名；例四爲狩獵卜辭。卜辭雖殘缺不全，但知獵獲物相當豐富；例五爲骨面刻辭，可與《合集》三一三五版綴合；例七、例十出現了「牧子𢀖」與「𢀖」之名；例十三爲先寫後刻之例；例十四爲「王田于𨸏」之田獵卜辭；例十五爲

---

[1] 這批甲骨的來源，乃由筆者訪問石璋如老師及參閱資料得知。這批甲骨分貯於兩個木盒，本
　盒邊貼紙有下列記載，其中之一：
　「卅六年十月高去尋先生由平運京購品未拓共有大小壹佰貳拾陸塊」。
　其中之二：
　「字甲卅二塊由P2.3～P2.39　卅七年八月李光宇先生交來」。

「宜羌」先王少見的文例；例十六吐露了「方」興亂的消息；例二十為「彡祭且丁奭妣己」的卜辭；例二十二是相當令人惋惜的殘缺卜辭；「伐王臣的目的不明；例二十三「徉」貞人中罕見；例二十四為「王宜報乙」的卜辭；例二十五「于大方征夷」此類卜辭少見；例二十七則是在地占卜是否舉行肜戠祭祀的記錄；雖然殘片不少，但從上面所介紹的例子，多多少少可看出這批甲骨的價值。

歷史語言研究所購藏甲骨選釋（二）

一　　（P.0.0009　龜版　一期）

釋文及說明：

甲、正面

（1）戊子卜…帚…𠂤…　　　　　　　二　　　　　（塗朱）

（2）…㕚子（？）…囚王…㞢…帚…𠂤…　　　　二　（塗朱）

柏案：「戊」「子」「㞢」皆爲殘文。「囚」字，諸家考釋不一：1.丁山、董作賓、胡厚宣、李孝定釋爲「死」；2.商承祚、葉玉森釋爲「囚」；3.羅振玉釋「囙」爲因，無說。魯實先釋爲「因」，推其義爲「親」；4.孫詒讓釋爲「𠬪」；5.唐蘭釋爲「併」；6.屈萬里釋爲「困」[2]；7.張政烺釋「困」爲「薀」，即是「埋」，引伸出「死的意思」[3]；《類纂》隸釋爲「因」，認爲與「殨」、「曀」同義[4]。以諸家考釋解讀卜辭，以《類纂》之釋較爲合適。本版二例文句不全，難以瞭解卜問之事。

乙、反面

鑽鑿四，一完整，其餘皆殘。骨版中鑽一孔。有文字：

（1）貞… ⹀（？）…

（2）王囗曰……㞢羊 …

二　　（P.0.0011　骨版　一期）

釋文及說明：

甲、正面

（1）癸巳卜，亘貞：勿𪐧…

（2）　小告

柏案：例（1）「勿𪐧」之義，眾說紛紜，抄錄如下：

1. 孫詒讓釋爲「苜」。引《說文》苜部：「苜，目不正也。从丫目，讀若末。」[5]

2. 羅振玉釋爲「羊」[6]。

3. 郭沫若云：「案此當是𥅀，若瞿之古文。象鷹瞵鶚視之形。此二辭以"勿𪐧彭河"及"乎言酺河"爲對貞。細審其意，蓋"𪐧"與"言"均當爲虛辭，"𥅀"用爲"遽"，"言"讀爲"爰"也。」[7]

4. 金且同、李孝定、饒宗頤贊同羅氏所釋之形，申其義爲「祥」，「勿羊」即「勿祥」。[8]

---

[2] 以上諸說見《集釋》。

[3] 見《古文字研究》第十二輯〈釋因薀〉。

[4] 見《類纂》三十五頁。

[5] 見《契文舉例》下九葉下。

[6] 見《殷虛書契考釋》中，二十七頁（增訂本）。

[7] 見《殷契粹編》考釋十二頁。

5. 張秉權認爲"𧵎"同《楚辭》"羗內恕己以量人兮"之"羗"。王逸注"羗，猶乃也。"《廣韻》："羗，發端語也。"在卜辭中"𧵎"與"言"又有通用之例，其爲沒有意義的語詞。[9]

6. 連劭名釋此字爲"苜"（同孫詒讓說）。分析其字在卜辭語法中的位置，言其「用法與否世做虛字用的"蔑"相同。"末"與"蔑"古音也可相通。經典中末、蔑二字經常混用。」又云：「甲骨刻辭中副詞性否定詞有"不、弗、𢎹、弓、勿、母"等，現在可以補充說："甲骨文中的"苜""丫"與上述各詞性質相同，應當歸入同一詞類。」[10]

7. 張政烺以爲"勿𦥑"二字在動詞前，明顯是個副詞…郭老以"均當爲虛詞"解之，義不可通。張氏以爲"𦥑"之字當從孫詒讓釋爲"苜"，又云：「苜和蔑讀音相同，義亦相近。卜辭中的苜字可讀爲蔑…用否定詞"勿"或"不"擺在苜前，否定的否定而產生積極的意思。…蔑有輕易、怠慢之義，勿苜就會有重視、尊敬、嚴肅對待之意。蔑有細心、拭滅之義，勿苜就會有不要減少，不要取消，保證質量之意。」[11]

8. 湯余惠認爲「𦥑」（《合集》一八二九七）从二立目相背，古文字立目即臣字，隸寫當作"𦥑"。此字及由丫、𦥑兩部分組成，《說文繫傳》："𦥑、乖也。从二臣相違、讀若誑。"𦥑很可能是从丫、𦥑會意，兼從丫聲的一個字。所以卜辭中的𦥑應讀爲"乖"，"勿𦥑"猶言"勿違"。[12]

9 管燮初釋"𦥑"字字形從孫詒讓之說。分析苜字在卜辭一二〇例中可分爲八類；它們是a."苜日"連用，用作動詞謂語的主要成分。b."苜"單獨用作動詞謂語。c."苜"位於謂語的主要動詞之前，作修飾語。d."不"與"苜"連用，位於謂語的主要動詞之前修飾語。e."勿"與"苜"連用，位於謂語主要動詞之前，作修飾語。f."勿"和"苜"連用，在謂語中用作修飾語，中心語省略。g."亡"與"苜"連用，位於謂語主要動詞之前，用作修飾語。h."弗"與"苜"連用，位於謂語主要動詞之前，用作修飾語。"勿苜""不苜""亡苜""弗苜"是兩個否定副詞構成的並列詞組。"否定加否定"反映了殷商語法中的一種獨特方式。[13]

---

[8] 見《殷虛卜辭講話》十八～二十頁；《集釋》第四冊一三一九～一三二〇頁；《巴黎所見甲骨錄》〈附釋𦥑〉。

[9] 見《丙》上二輯九八版考釋。

[10] 見《北京大學學報》一九八一年六期（甲骨文"苜、丫"及相關的問題）。

[11] 見《古文字研究》第十期〈殷契苜字說〉。

[12] 見《考古與文物》一九九二年一期〈卜辭"勿𦥑"釋義〉。

[13] 見《中國語文研究》第十期〈甲骨文苜字的用法分析〉。

10.《詁林》的按語：「﹁"萑"多與否定詞連言，是一種加強的肯定語
　　氣…至於其字形的演變，則尚有待於進之探索。」[14]

柏案：從目前學者的探索看來，此字在卜辭中語法上的位置是相當清
楚，其字形及其意義的確定，是否能不能與後來類似的文字（功用），
取得演變上的聯繫都有待將來進一步研究。

　　乙、反面

鑽鑿三，皆殘。未見文字。

三　　　（P.0.0012　骨版　一期）

　　釋文及說明：

　　甲、正面

（1）…□受…

（2）…曰…豹（？）𩵋…　　　　二

例（2）可以參考的辭例：

（a）貞：王曰：侯豹（？）𩵋 女史𠳿…　　（《合集》三二九七正）

（b）…曰：侯豹（？）𩵋 女史𠳿 受…　　（《合集》三二九八）

　　乙、反面

鑽鑿二，皆殘。未見文字。

四　　　（P.0.0014　骨版　一期）

　　釋文及說明：

　　甲、正面

（1）…𤔲（？）…一麋一…二百九𢎨…　　　　（字塗朱）

　　乙、反面

鑽鑿二，皆殘。未見文字。

五　　　（P.0.0015　骨版　一期）

　　釋文及說明：

　　甲、正面

（1）辛酉子…

此為骨面刻辭，"子□"為人名，其例如：

　　（a）…子𠬪𢎨香牡 三牛（？）…　　（《合集》三一三九）

　　（b）壬戌子𡨥…　　（《合集》三一五二）

　　乙、反面

未見鑽鑿及文字。

　　丙、綴合

本版可與《合集》三一三五版綴合，見綴合圖版1。綴合後釋文：

「辛酉子𡨥𠬪…」

六　　　（P.0.0019　龜版　五期）

　　釋文及說明：

---

[14]見《詁林》第一冊六○三頁。

　　甲、正面

（1）癸丑卜，貞：王旬亡𡆥。　三

（2）癸丑卜，貞：王旬亡𡆥。　三

（3）癸巳卜，貞：王旬亡𡆥。　三

（4）癸丑卜，貞：王旬亡𡆥。

（5）癸丑卜，貞：王旬亡𡆥。　三

（6）癸巳卜，貞：王旬亡𡆥。

本版字跡細小，加上土鏽，拓本模糊不清，但細看照片文字依稀可辨。
本版讀法，由內而外，由下而上。

　　乙、反面

鑽鑿六組，三組完整，三組殘損。未見其他文字。

七　　（P.0.0025　骨版　一期）

　　釋文及說明：

　　甲、正面

（1）…岳𡕥（未）…

柏案：其參考文例：

（a）貞：岳𡕥年。　　　（《合集》一〇〇七一）

（b）勿于岳𡕥。　　　（《合集》一〇〇七九）

（2）…牧（？）子𡥈…

柏案：「牧」字字殘，暫時隸定如此。「子」與「𡥈」連用的例子不
多，如：

（c）貞：翌…子𡥈其…𢆷子十…羌十牢…　　　（《合集》三三五）

　　乙、反面

未見鑽鑿及文字。

八　　（P.0.0029　龜版　一期）

　　釋文及說明：

　　甲、正面

（1）…囗甲（或七）…癸（？）酉光…羌係…　　　　　（塗朱）

柏案：可供例（1）參考的文例如：

（a）…羌。王囗…𡆥二日癸酉…十羌係…十兩（內）𡆥…

　　　　　　　　　　　　　　　（《合集》一〇九七）

"光"為人名，出現在卜辭一、三期。例如：

（b）甲辰卜，𢀈貞：今三月光乎來。王固曰：其乎來。乞至隹乙。旬𡆥
　　　二日乙卯，允𡆥來自光，以羌芻五十。

　　　　　　　　　　　　　　　　　　　（《合集》九四正）

（c）貞：光隻羌。　　　（《合集》一八二）

（d）甲午卜，𡧊貞：光其𡆥囚。二月。　　　（《合集》六五六六正）

（e）乙未卜：今日王獸〔字〕，禽。允隻嫌（？）二，兕二，〔字〕廿一，豕二，〔字〕一百廿七，虎二，〔字〕廿三，雉廿七。十一月。

（《合集》一○一九七）

（f）…乎〔字〕光勢… 　　　（《合集》一三八○）

（g）丙寅卜，王貞：侯光若…〔字〕束〔字〕…侯光…六月。

（《合集》二○○五七）

（h）丁未卜，貞：令戍、光。〔字〕隻羌勢五十。

（《合集》二二○四三）

（i）王其比望〔字〕冊。光及伐望。王弗每。又〔字〕。大吉。

（《合集》二八○八九正）

例（g）及（h）《合集》斷代歸於"一期附"，我們暫訂這些都是一期的片子。研讀上舉諸例，可以看出"光"是武丁重要人物，他負責"勢"的任務，亦貢"勢"信殷王朝。有時貢羌給殷王朝作爲人牲。殷王也巡行至光之領地，捕獵相當多的動物。排除異人同名的考慮，（g）例告訴我們"光"在武丁時曾任"侯爵"。第三期中"光"受殷王命"伐望"，彼此君臣關係十分明顯。因此二十五版卜辭可能是"光"伐羌後以羌俘及戰利品回殷朝廷留下來的記錄。

乙、反面

鑽鑿一。文字皆殘。

（1）…〔字〕（？）…帝…（？）　　　　　　　　（塗墨）

（2）…〔字〕…帝（？）…　　　　　　　　　　　（塗墨）

九 　　（P.0.0036 龜版 五期）

釋文及說明：

甲、正面

（1）癸卯〔字〕〔字〕：且甲丁〔字〕牢… 　一

（2）〔字〕□〔字〕〔字〕。

（3）…卜，貞…丁其〔字〕〔字〕用

（4）…貞…丁…牢…

乙、反面

鑽鑿五，皆殘。無文字。

十 　　（P.0.0049 龜版 一期）

釋文及說明：

甲、正面

（1）…貞……步…方…

（2）貞：乎〔字〕射。　一

柏案："〔字〕"是武丁時期重要人物，其從事的工作多而雜，此地不詳論。令人注意的是"〔字〕"在武丁時期，若連其官名及其他名銜合稱有"子〔字〕"（《合集》三三五）、"小臣〔字〕"（《合集》五五七一反）等

13

稱謂，這意味是一人有不同稱謂或三種稱謂代表三個不同的人，這都值得將來仔細推究。

乙、反面

鑽鑿二，皆殘。未見文字。

十一　　（P.0.0066　龜版　一期）

釋文及說明：

甲、正面

（1）…卯卜，�貞：㞢于且乙。

（2）癸…�（？）…舍（？）…

乙、反面

鑽鑿二，皆殘。見殘字一：

（1）舍（？）…

十二　　（P.0.0070　龜版　一期）

釋文及說明：

甲、正面

（1）丙辰卜，�貞：㞢于丁牢。　　　　　（塗墨）

乙、反面

鑽鑿一，殘。未見文字。

十三　　（P.0.0092　骨版　一期）

釋文及說明：

甲、正面

（1）…若…　　　　（塗朱）

柏案："𢁇"字中"𠂤"仍見殘留墨跡，其他筆劃已刻並塗朱。此爲部分甲骨文字"先寫後刻"之証。

乙、反面

不見鑽鑿及文字。

十四　　（P.0.0131　龜版　二期）

釋文及說明：

甲、正面

（1）乙亥…旅貞：王其田于陸，亡𭅹。

（2）…田于…𭅹。

乙、反面

未見鑽鑿及文字。

十五　　（P.0.0132　龜版　二期）

釋文及說明：

甲、正面

（1）甲戌卜，尹貞：王宦𫑡自報甲至于…乙。亡尤。

（2）…尹…其田…在…

柏案：例（1）「宇🔲自報甲至于…」，此例辭例相當罕見。卜辭有下面的例子：

（a）癸卯卜，貞：生🔲自唐。　　　　（《合集》一三三二）

（b）甲申卜，貞：王宇小乙🔲。亡尤。　　（《合集》三五八〇二）

可供參考。

乙、反面

鑽鑿二，皆殘。未見文字（泥所掩）。

十六　　（P.0.0133　龜版　一或四期）

釋文及說明：

甲、正面

（1）戊寅卜，🔲貞：方🔲今日…

乙、反面

未見鑽鑿及文字。

十七　　（P.0.0134　龜版　二期）

釋文及說明：

甲、正面

（1）甲辰卜，尹貞：王宇🔲甲夕亡田。

乙、反面

鑽鑿二，皆殘。未見文字。

十八　　（P.0.0137　龜版　二期）

釋文及說明：

甲、正面

（1）乙亥卜，何貞：王不冓雨。　一

柏案：本版摹本見《寧》三、二二八。

乙、反面

鑽鑿二，一完整一殘缺。未見文字。

十九　　（P.0.0138　龜版　一期）

釋文及說明：

甲、正面

（1）貞：告于母庚宇。

柏案：本版從字體及母庚稱謂斷代爲一期之物。其摹本見於《寧》三、
　　　三八。

乙、反面

鑽鑿二，皆殘。未見文字。

二十　　（P.0.0139　龜版　二期）

釋文及說明：

甲、正面

（1）…尹…且丁奭妣己🔲亡尤。在十二月。

（2）…三月。

乙、反面

鑽鑿一，殘。未見文字。

二十一　　（P.O.0141　龜版　一期）

釋文及說明：

甲、正面

（1）乙卯卜，貞：㞢于寧。三月。　一

（2）貞：勿。　一

柏案：「㞢于」下省去先祖名。

乙、反面

鑽鑿二，皆殘。未見文字。

二十二　　（P.O.0144　龜版　一期）

釋文及說明：

甲、正面

（1）…倗（？）冊土（？）…彳王臣…

（2）…彳…冊…

柏案：本版摹本見於《寧》三、七。

乙、反面

未見鑽鑿及文字。

二十三　　（P.O.0147　龜版　一期？）

釋文及說明：

甲、正面

（1）庚申卜，彳貞：今夕亡田。　一

（2）…夕…

柏案："彳"的貞人，在卜辭中罕見。摹本見於《寧》三、二三四。但貞人之名摹寫失眞且缺"夕"字。

乙、反面

鑽鑿三，一完整二殘缺。未見文字。

二十四　　（P.O.0151　龜版　二期）

釋文及說明：

甲、正面

（1）乙丑卜，尹貞：王賓報乙明亡尤。

（2）……

柏案：摹本見《寧》三、一八九。例（2）皆殘字。

乙、反面

鑽鑿二，皆殘。未見文字。

二十五　　（P.O.0152　龜版　一期）

釋文及說明：

甲、正面

（1）貞：于大𠂤征 夷。　　　　　　（塗墨）

柏案：摹本見於《寧》三、七七。可供參考的文例為：

（a）貞：于大𠂤征 夷。　　　　（《合集》八三〇）

張玉金釋"𠂤"為"宁"，"丙"為其聲符。"𠂤"如同"寢"，是人居住的房子[15]。

乙、反面

鑽鑿四，皆殘。未見文字。

二十六　　（P.0.0154　龜版　一期）

釋文及說明：

甲、正面

（1）貞：弗其古王囚…。

柏案：摹本見於《寧》三、八八。

乙、反面

鑽鑿六，皆殘。未見文字。

二十七　　（P.0.0160　龜版　一期）

釋文及說明：

甲、正面

（1）貞：勿酚哉。九月。在敔（鮫）。

柏案：類似的文例見於：

（a）貞：勿酚哉。九月。在敔（鮫）。　　　（《合集》八一〇五正）

（b）…敔…　　　　　（《合集》八一〇五反）

筆者懷疑本版與《合集》八一〇五不是一版之折便是成套卜辭之一部分。

乙、反面

鑽鑿三，皆殘。有字一：

（1）…敔（鮫）…

---

[15] 見《古漢語研究》一九九六年第二期〈論甲骨金文中的"賓"字及相關問題〉。

引用書目及其簡稱

 1. 羅振玉　殷虛書契前編　　　　　　　　　　　　前
 2. 羅振玉　殷虛書契後編　　　　　　　　　　　　後
 3. 羅振玉　殷虛書契續編　　　　　　　　　　　　續
 4. 郭沫若　殷契粹編　　　　　　　　　　　　　　粹
 5. 董作賓　小屯殷虛文字乙編　　　　　　　　　　乙
 6. 胡厚宣　戰後寧滬新獲甲骨集　　　　　　　　　寧
 7. 張秉權　小屯殷虛文字丙編　　　　　　　　　　丙
 8. 饒宗頤　巴黎所見甲骨錄　　　　　　　　　　　巴
 9. 胡厚宣　甲骨文合集　　　　　　　　　　　　　合集
10. 羅振玉　增訂殷虛書契考釋
11. 金祖同　殷虛卜辭講話
12. 李孝定　甲骨文字集釋　　　　　　　　　　　　集釋
13. 姚孝遂　殷墟甲骨刻辭類纂　　　　　　　　　　類纂
14. 屈萬里　書傭論學集
15. 于省吾　甲骨文字釋林　　　　　　　　　　　　釋林
16. 裘錫圭　古文字論集
17. 于省吾　甲骨文字詁林　　　　　　　　　　　　詁林
18. 第三屆國際中國古文字學研討會論文集

一　　　（P.0.0009　龜版　一期）　　　　（P.0.0009反）

二　　　（P.0.0011　骨版　一期）　　　　（P.0.0011反）

三　　　（P.0.0012　骨版　一期）　　　（P.0.0012反）

四　　　（P.0.0014　骨版　一期）　　　（P.0.0014反）

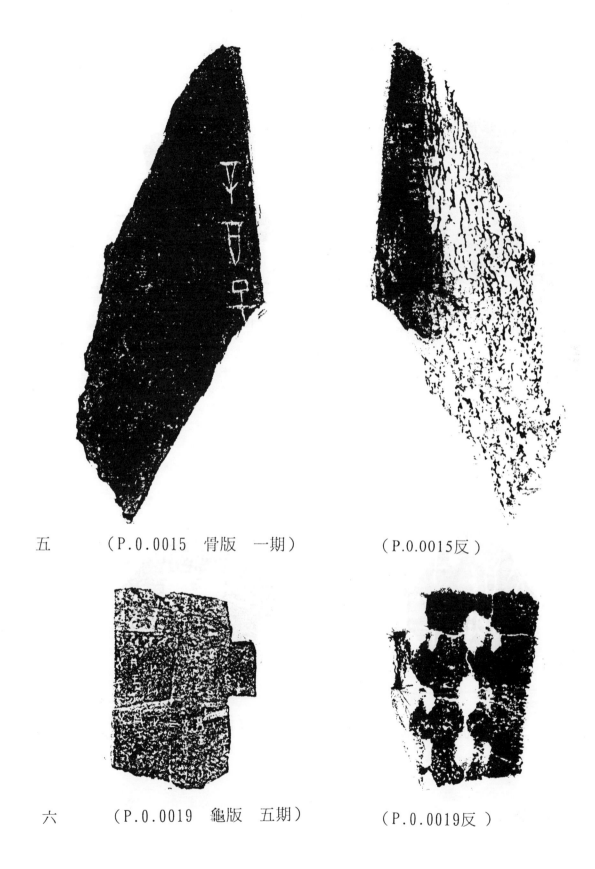

五.　　　（P.0.0015　骨版　一期）　　　　（P.0.0015反）

六　　　（P.0.0019　龜版　五期）　　　　（P.0.0019反）

七　　　（P.0.0025　骨版　一期）　　　（P.0.0025反）

八　　　（P.0.0029　龜版　一期）　　　（P.0.0029反）

九　　　（P.0.0036　龜版　五期）　　　（P.0.0036反）

十　　　（P.0.0049　龜版　一期）　　　（P.0.0049反）

十一　　（P.0.0066　龜版　一期）　　　（P.0.0066反）

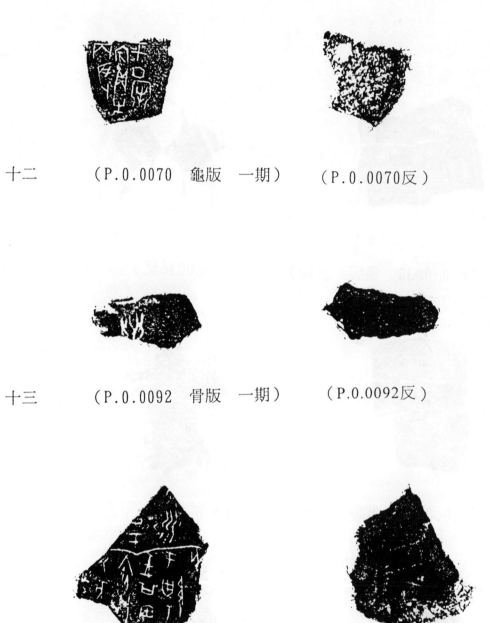

十二　　　（P．0．0070　龜版　一期）　　　（P．0．0070反）

十三　　　（P．0．0092　骨版　一期）　　　（P．0．0092反）

十四　　　（P．0．0131　龜版　二期）　　　（P．0．0131反）

十五　　　（P.0.0132　龜版　二期）　　　（P.0.0132反）

十六　　　（P.0.0133　龜版　一或四期）　　　（P.0.0133反）

十七　　　（P.0.0134　龜版　二期）　　　（P.0.0134反）

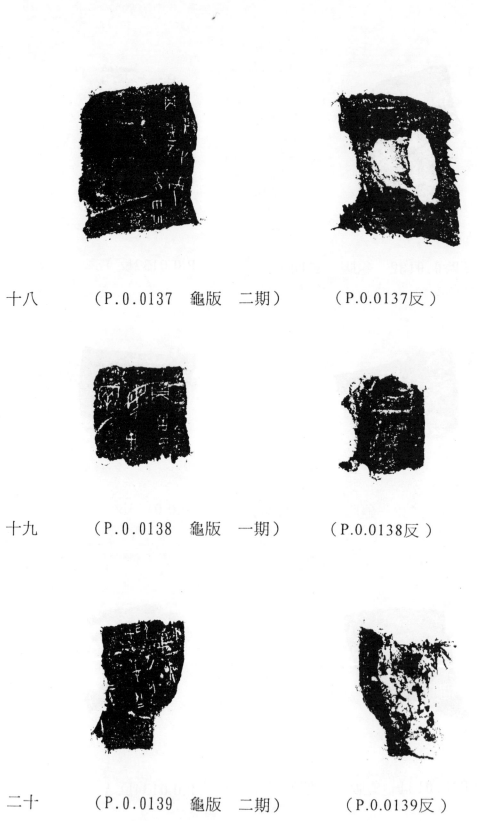

十八　　　　（P.O.0137　龜版　二期）　　　　（P.O.0137反）

十九　　　　（P.O.0138　龜版　一期）　　　　（P.O.0138反）

二十　　　　（P.O.0139　龜版　二期）　　　　（P.O.0139反）

二十一　　　（P.0.0141　龜版　一期）　　　（P.0.0141反　）

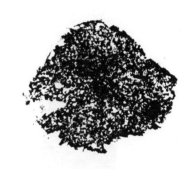

二十二　　　（P.0.0144　龜版　一期）　　　（P.0.0144反　）

二十三　　　（P.0.0147　龜版　一期？）　　　（P.0.0147反　）

二十四　　　（P.0.0151　龜版　二期）　　　（P.0.0151反）

二十五　　　（P.0.0152　龜版　一期）　　　（P.0.0152反）

二十六　　　（P.0.0153　龜版　一期）　　　（P.0.0153反）

二十七　　　（P.0.0160　龜版　一期）　　（P.0.0160反）

P.0.0015 + 合集　3155

綴合圖版一

甲骨文發現一百周年學術研討會　1998.5.10-12
中央研究院歷史語言研究所・臺灣師範大學國文系合辦

殷墟卜辭的微細斷代法

——以武丁時代的一次戰役為例[1]

夏含夷

提要：

　　董作賓提出殷虛卜辭斷代法以後，甲骨文學者辯論幾十年，指出重要的修正，諸如七十年代小屯南地甲骨出土後李學勤、裘錫圭和林澐諸氏證明了董氏所謂四期卜辭大多數實屬一、二期的武丁與祖庚時作。可是斷代法仍然拘於以祖先稱呼為基礎，以王世為期代，難以作出更細微的分期。本文提出一種以卜辭裏的曆法記載作曆譜的微斷代法，又以一批武丁時代戰爭卜辭作試驗，得到兩個不同的結論。第一個結論是這個微斷代法應該可以實用在一些特別情況之下，尤其是於一批親密相關的卜辭。第二個結論是，假如此實驗不誤，那麼可以供給歷組卜辭作於武丁時代的斷代又一種鐵證。

關鍵字：微斷代法　分期斷代　武丁　祖庚　歷組卜辭

　　在此小文裏我將探討殷商歷史上的一個範圍非常窄的問題，並嘗試重建商朝一次軍事征伐的曆表。雖然我將給出這一曆表所在的絕對年代，但我的本意是提供一種研究方法和展示一種特別的史學方法論的意義。我的研究僅集中於少量的甲骨刻辭。我以為這些刻辭的時間跨度僅有六個月。它們是用於占卜幾次攻擊商朝西方敵對力量的軍事行動的刻辭。雖然我有必要依靠歷組卜辭進行研究，這些刻辭大部分在形式上都很相似，屬於武丁早期或中期的賓組卜辭。關於最近甲骨

───────────────

[1] 本文初稿曾在 1988 年於舊金山召開的亞洲研究協會第 40 屆年會及 1990 年在洛杉磯召開的夏文化國際研討會上宣讀。我將在此感謝陝西師範學院黃天樹教授、加州大學柏克萊分校吉德煒教授（David N. Keightley）和北京大學裘錫圭教授對本文提出的寶貴意見。

斷代研究，特別是對於賓組與歷組卜辭關係研究的新進展是眾所周知的，這裏無需贅述。[2] 我所首先要談的是微細斷代一詞的定義[3]。

一、微細斷代法

大多數的商代甲骨卜辭，特別是賓組卜辭，都始於干支紀日，有的卜辭還記有月份。這些月份一般是一至十二月，當有閏月出現時，還會有十三月。由於在賓組卜辭刻成時期內有閏月的記錄，大多數的學者都認為商代的月份是根據月亮週期而定的。又由於月亮的一個週期平均是約 29.5 日，學者們假設商代的月份基本上是以三十日大月和二十九日小月輪流排列的[4]。

基於以上假設，根據某一卜辭中所含某日某月的記載，我們就有可能確定這一月份第一日的參數。例如，如果卜辭記日為癸亥，也就是干支記日表中的第六十日，那麼這個月的第一天就至少是既不能早於甲午日，也就是干支記日表中的第三十一日，也不能晚於所記之癸亥日。如果一年中有兩個或者更多這樣的記日，那麼第一日參數的變動範圍就有可能會大大縮短。

為了說明微細斷代的方法，讓我們先來討論一版包括五條不同旬卜辭的龜甲(見圖一)。

　　1a·癸亥卜爭貞 :旬亡囚，一月
　　1b·癸未卜爭貞 :旬亡囚，二月
　　1c·癸卯卜……旬亡囚，二月
　　1d·〔癸〕卯……貞：……亡……五月
　　1e·癸未卜爭貞；旬亡囚，三日乙酉夕月坐食，聞，八月

---

[2] 有關文章請見李學勤〈小屯南地甲骨與甲骨分期〉，《文物》1981.5:27-33；裘錫圭〈論歷組卜辭的時代〉，《古文字研究》6（1981）:262-320；林澐〈小屯南地發掘與殷墟甲骨斷代〉，《古文字研究》9（1984）:111-54，夏含夷（Edward L. Shaughnessy），〈Recent Approaches to Oracle-Bone Periodization:A Review.〉*Early Chian* 8（1982-1983）:1-3；黃天樹《殷墟王卜辭的分類與斷代》（北京大學博士論文 1988，臺北；文津出版社，（1991）。

[3] 對於微細斷代法的建立發展，我特別得力於董作賓先生的《殷曆譜》（四川：國立中央研究院歷史語言研究所專刊，1945）。我的完善工作主要在於將他的分析方法系統化，并使之與甲骨斷代的最新發展相結合（參見注釋 2）。

[4] 本文分析的第一個例子足以證明商代曆法確有大月小月的互換。但是每月的平均長度是 29.53 天，這使得這種互換在一個長期內會有一些不規律的變化。對於這種不規律性，後代所做的調整是在十五個月中，出現一次大月相接的現象。我猜想商人大概也有這樣的調整。在本文的分析中，由於所討論的時期不超過十五個月，所以我將不考慮可能存在的大月相接的情況。

（《合集》11485＝《甲編》圖版 55；ⅠⅠ賓）[5]

　　由於這五條卜辭具有所謂的「同版關係」，因此它們很有可能刻成於同一年之內。如果這一假設不錯，我們就有可能大致不差地確定這一年的曆表。現在我們已有五個記日。如將#1a 的一月癸亥（第 60 日）這一日期簡化成 1/60，則其它四日當爲：2/20(#1b)，2/40(#1c)，5/40(#1d)，及 8/20(#1e)。如上所述，假設商代曆法中每月不超過三十日，則據記日 1/60，可知當年的一月一曰只能在從甲午(第 31 日)到癸亥（第 60 日）之間。這一參量可表示爲 1：31-60。同理可證，據記日 2/20 可知當年二月一日只能在 2：51-20 之間。或者，同理也可換算出當年三月朔日既不能早於癸未次日的甲申（第 21 日）也不能晚於癸丑（第 50 日），亦即三月一日的參數爲 3：21-50 (換算的目的將在下文中表明)。如此，則據其它三日（2/40，5/40，及 8/20）可得出另外三個參量：3：41-10，5：11-40 及 9：21-50。

　　爲了比較這些不同月中的參量，我們必須將它們全部換算到一個相同的月份中去。最方便的辦法是將其全部換算到當年的正月之中。如前所述，陰曆中的月份明顯地是由有三十日的大月和有二十九日的小月有規律地交替組成，則向一月的轉換可極方便地表現爲由單月前推若干二個月(即五十九日)的時段。五十九日正好是六十日一個干支週期減去一日，因此每前推一個時段就要求在那個參量的首尾各加一日。例如，由記日 2/20 推出的參量 3：21-50 換算兩個月以前的正月，其參量就成爲 1：22-51。以上五個記日向一月推換的全部步驟可由下表表明。

表一

卜辭編號	記日	單月第一日所在參量	正月一日所在參量	比較結果
1a	1/60	1：31-60	1：31-60	
1b	2/20	3：21-50	1：22-51	
1C	2/40	3：41-10	1：42-11	1：42
1d	5/40	5：11-40	1：13-42	
1e	8/20	9：21-50	1：25-54	

由上表可見，在換算所有記日的一月參量後，只有一個日子共存於五個參量中，

---

[5] 在引用甲骨卜辭時，除了給出其《合集》以及原來出版之處以外，還指出其斷代（按照董作賓的五期說，即Ⅰ指武丁，Ⅱ指祖庚、祖甲，Ⅲ指康丁、廩辛，Ⅳ指武乙、文丁，Ⅴ指帝乙、帝辛）和貞人組屬（即賓、出、歷等）。雖然賓組卜辭平常屬於董氏第一期，此片上所顯現的書法乃是賓組卜辭裏最晚的書法，裘錫圭已論定這種卜辭很可能涉及祖庚時代，因而即指定爲Ⅱ賓。

即第 42 日,也就是說當年一月一日是干支週期中的第 42 日 (即乙卯)。這一日可表示為 1:42。

　　極為幸運的是,在這五條卜辭中我們還有另一條資料來驗證由此微細斷代法得出的曆表。1e 號卜辭還記載了一次發生於八月乙酉 (干支表第 22 日) 的月食。由於月食只能發生在陰曆十五滿月的時候,我們可以推測這一八月的第一天諒必是一個辛未日(第 8 日)[6]。如果我們再將此朔日根據大小月交替的準則上溯八個月,我們就可以發現,這一年的正月朔日只能是第 41 日或者第 42 日 (見表二)。由於不能斷定此年正月是大月還是小月,所以我們不能得到一個最終確定的日子。但是這一結果幾乎與我們由微細斷代法所得結論完全一致。

表二

月份	第一	日
1	41	42
2	11	
3	40	41
4	10	
5	39	40
6	9	
7	38	39
8	8	

　　有了這一相當精確的關於正月朔日的參量,我們還有可能將這些參量與一個包括干支記日以及注明新月之日的曆表(如董作賓的《中國年曆總譜》或者張培瑜的《中國先秦史曆表》) 加以比較以求確定其可能的絕對年代。[7]我們所討論

---

[6] 吉德煒教授認為,「聞」字加在月食記錄之後,說明這次月食在安陽是見不到的,因此這一記錄可能是錯誤的 (見吉德煒,〈Shang China is Coming of Age--A Review Article,〉*Journal of Asian Studies* 41 no.3 (1982):551 。儘管這一意見有可能是對的 (可是公元前 1181 年 11 月 25 日的一次月食有可能就是這一卜辭所記載的。這一點已由 Homer Dubs 和范毓周所指出。見 Homer H. Dubs,〈The Date of the Shang Period.〉《通報》40 (1951):332 ;范毓周〈甲骨文月食記事刻辭考辨〉,《甲骨文與殷商史》2 (1986);323;又見下注 9),我不認為它能否定這一記載的價值。雖然那裏沒有月食,我覺得商代貞人不會認為除了滿月之日外月食還會發生在其它時間。

[7] 目前可使用的商代曆表有董作賓《中國年曆總譜》 (香港:香港大學出版社,1960)及張培瑜《中國先秦史曆表》 (濟南:齊魯書社,1987)。儘管這兩個曆表總的來說是一致的,但由於兩者都是一種理想化的曆表,因此在使用時多少要打一些折扣,例如閏月的安排及大月小月的不同安排等。當允許一個誤差範圍在一天或陰曆的一個月之內時,我認為這兩個曆表都是可

的這一年的正月朔日是一個乙卯日(第 42 日)。從中國古代歷史的各種因素可略推商王武丁在位的時間,亦即賓組卜辭的年代,最可能是從公元前 1225 至 1175 年這五十年的時期。[8]在這一時期中以乙卯日(第 42 日)開始的年份有公元前 1217、 1212、1186 和 1181。可以看出基本相同的曆表是每隔五年或者三十一年之後重複出現的,所以僅僅根據董氏或張氏的曆譜不足以確定某一絕對年代。但如果能發現像卜辭中的月食之類的其它信息,絕對年代的選擇範圍就可大大地縮小。譬如,因為公元前 1181 年在安陽曾出現過一次可見的月食,我們很有可能確定這版龜甲的卜辭是在該年刻的[9]。

二. 商朝一次戰役的曆表

我認為上述對五條卜辭的分析可以說明微細斷代法的實用性,若能確定某些記日記月的卜辭都屬於一年之內(或者在某些情況之下,在相連的兩年之內)就有可能得出範圍相似或接近的曆表上的參量。當然我們并不可能總是如此幸運地

以信賴的。

[8] 如上所述,至少大部分賓組卜辭是屬於武丁時期的。根據大多數文獻的記載,武丁在位五十九年(至於其是否真能在位如此之久,不在本文討論範圍之內)。關於其在位年代,我們目前有兩種證據能夠提供較為廣泛的參量。一種是推延法,是根據每一代人的平均壽命從周人滅商時上推。另一種辦法是確定見於賓組卜辭的其它四次月食的具體日期(《合集》11483 a〔=《丙編》59〕,《合集》11484 a〔=《丙編》57〕,《英藏》886 b =《庫方》1595 b,《合集》11482 b〔=《簠殷》「天」2〕)。兩種證據需要遠遠超出本文許可的詳細討論。不過,這兩方面的研究都證明,武丁時期很可能結束於公元前 1200 年以後的十幾年中。周人滅商的日期無疑是研究中國古代史中最重要的問題。關於我將這一日期定於公元前 1045 年的原因,請見夏含夷,*Sources of Western Zhou History : Inscribed Bronze Vessels* [Berkeley : University of California Press ,1991],217－87)。 如果武丁之後的六代商王都有一個二十五年的平均在位數(這個數字同於雷海宗根據以後各朝代數據得出的平均在位年數(見雷海宗〈殷周年代考〉,《武漢大文哲集刊》2,1(1913):1－14),則從這樣一個滅商日期上推,就得出武丁在位時期結束於公元前 1195 年的結果。關於賓組卜辭中月食記載的研究有很多,其中包括注釋 6 所提到的三項研究。這三項研究的成果基本一致。它們顯示出卜辭所記的月食分別發生於公元前 1201、1198、1192 和 1189 年。記載了公元前 1189 年那次月食的卜辭具有與以上第一例卜辭(即《合集》11485)相似的書法風格。正如注釋 5 中所述,這種書法是賓組卜辭中最晚的。它或者屬於武丁時期的最晚階段,或者甚至可能晚到武丁之子祖庚在位的時期。

[9] 正如以上(注 6)所簡述的,將《合集》1148 所載的月食確認為發生於公元前 1181 年的研究並非沒有問題。公元前 1181 年的月食發生於十一月二十五日,相對於卜辭所載的八月實在有些太晚。雖然有的方法或許能協調這一不合(而沒有其它的月食與之更相合),我願意在此僅僅指出 1181 年是一種可能。

發現可能屬於同一年內的具有同版關係的一系列卜辭，但是我認為若能找到一系列有關某一具有高度獨特性的歷史事件的卜辭，我們就可以在一定程度上克服這一局限性。在這一方面，我認為有些關於征伐某一或某些互相關聯的特定敵對力量的卜辭就特別重要。當這些卜辭在形式上相似，並且共同記載了在征伐中同一的參加人物，我認為我們就可以假設這些戰役必定是在極有限的一段時期內發生的，而不會是在一長時期內間斷地發生的。如果我們可以獲得有關這樣一次戰役的刻辭中的完整記日，我們就可以通過比較進而從中得出這一戰役所在的一年或幾年內的曆表。

我要研究的這次戰役是商代所有戰役中最著名的之一，因為它記載於於《小屯第二本：殷墟文字丙編》中發表的第一塊龜甲板中(圖二)。[10]這一刻辭是關於商朝攻擊敵對的㠱國的。[11]它不僅包括了前辭和命辭，還包括了占辭和驗辭，其驗辭更證明這一攻擊確實發生了，這一刻辭的全文是：

2a. 癸丑卜爭貞：自今至于丁巳我戈㠱。王固曰：丁巳我毋其戈；于來甲子戈。旬中一日癸亥車弗戈；之夕向甲子允戈。

(《合集》6834a＝《丙編》1：Ⅰ，賓)

雖然這一刻辭在商代卜辭中已算是非常詳細的了，但它幾乎不能回答諸如戰役發生時間、地點之類的最基本的歷史問題。至於此戰役是如何進行的則更不得而知。　然而幸運的是，該甲版出土於安陽殷墟遺址中的 YH127 號灰坑之內。此灰坑共出土了一萬七千多片龜甲的殘片。這一共存關係使得《殷墟文字丙編》的作者得以將有關占卜內容的龜甲殘片復合成完整的一版，甚至是成套的數版。　這一種復合工作在進一步探討有關上述刻辭的其它歷史問題中極其重要。

上述刻辭所在之龜版，即《合集》中之第 6834a 號或《丙編》中之第一號龜版，即是由十塊殘片復合成幾乎完整的一塊的。這塊龜版上共刻有二十二條不同的卜辭。其中的三條提供了關於這次戰役時間和人物的進一步信息。

2b · 庚申卜王貞：余伐不。三月
2c · 庚申卜王貞：雀弗其隻缶
2d · 乙丑卜㱿貞：子商弗其隻缶

這三條卜辭與攻擊㠱的卜辭具有同版關係。因此我們可以假設它們刻於大致相同

---

10 《小屯第二本：殷墟文字丙編》三卷，張秉權編（南港：中央研究院，1957－1972）。《丙編》目前被《甲骨文合集》取代，但張秉權先生所做的釋文及評注仍有價值。

11 張秉權先生將㠱字釋為胄（《殷墟文字丙編》考釋，1，3）。這一考釋為吉德煒（《Sources of Shang History》，43），高島謙一（《Negatives in the King Wu Ting Bone Inscription》〔博士論文：University of Washington，1973〕，110）及其他學者所接受。然而胄字在其它契文寫作 ☒（見高明《古文字類編》〔北京：中華書局；1980〕，143），與此字明顯不同。我試將此字寫為㠱，并按其下部之 ☒ 讀如西。

的時間內。由這三條卜辭可知商王曾考慮進攻不國和缶（從下列卜辭 7 和 8 可知爲基方國之首領[12]），并計劃讓商朝重要將領雀和子商率領這次進攻。此外，進攻不的卜辭說明這一占卜發生在某年三月。

另一塊發現於同一灰坑的龜版（《合集》6830 或《丙編》558）刻有一條與上述卜辭非常相似的卜辭（圖 3）：

3．壬子卜㱿〔貞〕：……戔西。王固曰：吉；戔旬屮三日甲子允戔。十二月

（《合集》6830＝《丙編》558；Ⅰ，賓）

鑑於形式及書法上的相似性，這一卜辭當與上述 2a 號卜辭同時刻成并共屬於使用一套龜版占卜中的兩條刻辭。這一推論再次證實，對西的攻擊的確發生在一個甲子日。此外我們還可以知道，這次占卜發生在一個十二月。[13]我們可以認爲 3 號卜辭中的十二月距 2b 號卜辭中的三月並不很久，但我們至此還無法確定這個十二月是先於還是後於上述的三月，或者是否這兩個月屬於同一年或相接的兩年。只有在這一問題解決以後，我們才能進行微細斷代的分析。

幸運的是，同出於第 YH127 號灰坑的另一塊龜板上也有攻擊西和缶的刻辭，其中兩條關於缶的刻辭刻於一月。

4a·戊午卜㱿：我韋西戔
4b·己未卜㱿貞：缶不我嬌族，一月
4c·己未卜㱿貞：缶其來見王，一月

（《合集》1027a＝《丙編》124；Ⅰ·賓）

以上刻辭清楚地說明,這一戰役始於十二月中對西的攻擊并繼續到下一年一月中對缶和三月中對不的攻擊。根據第 3 號刻辭中的記日 12/49 和第 4b、4c 號刻辭中的記日 1/56,第二年的一月一日似乎必須開始於從第 50 日到第 56 日的時間內,但是其它幾條記月記日的卜辭（包括另外三條刻於從灰坑 YH127 中出土的殘片上的卜辭）說明這一簡單的結論是錯的。下面就按照月份的前後列出這些卜辭：

---

[12] 關於這次攻擊的卜辭有時將敵方寫爲基方（《合集》6570、6573），有時爲基方缶（《合集》6572、13514a），有時在同一龜版上既寫爲基方又寫爲基方缶（《合集》6571a），有時單寫爲缶（《合集》6834a、6860），缶明顯爲一人名而非另一國名（如陳夢家《殷墟卜辭綜述》〔北京：科學出版社；1956〕，288 中所認爲的）因爲卜辭記載了缶曾去見商王（《合集》1027a），曾去狩獵（《合集》10241）特別是卜辭還記載了他的死（《合集》17100）。

[13] 我們不清楚這一所記月份到底指的是占卜之日，壬子（第 49 日）；還是攻擊之日，甲子（第 1 日）。然而記月通常存在於只有敍辭、命辭的卜辭中。我將在下面的微觀分析中假設月份都是指占卜之日的。如果假設月份是指驗辭之日的，就會給微細斷代法帶來不同的結果，但這裏，我不認爲這會給關於這次戰役的研究帶來影響。

5．丁卯卜𣪸貞：王羍缶于蜀。二月

>　　　　　（《合集》6863＝《後編》1.9.7；Ⅰ·賓）

6．丁酉卜𣪸貞：王由……羍缶。三月

>　　　　　　　　　（《人文》364；Ⅰ·賓）

7．乙酉卜丙貞：子商戋基方。三月

>　　　　　（《合集》6570＝《前編》5.13.1；Ⅰ·賓）

8．〔辛〕卯卜𣪸貞：勿熏基方缶作郭，子商戋。三月。

>　　　　　（《合集》13514a＝《合編》121；Ⅰ·賓）

9．辛丑卜𣪸貞：今日子商其 𢦏 基方缶。五月。

>　　　　　（《合集》6571a＝《丙編》302；Ⅰ·賓）

假設所有這些帶有記月記日的賓組卜辭（同時包括第 2b 號卜辭）刻於同一年，則我們可以據此得出微細斷代結果如下：

表三

編號	記日	單月第一日	一月一日	結果
4b-c	1/56	1:27-56	1:27-56	
5	2/4	3:5-34	1:6-35	
6	3/34	3:5-34	1:6-35	
2b	3/57	3:28-57	1:29-58	1:31-35
7	4/22	5:23-52	1:25-54	
8	4/28	5:29-58	1:31-60	
9	5/38	5:9-38	1:11-40	

由上表可知，這七個記日都適合於一個其一月一日開始於第 31 至第 35 干支日的曆表。這一關於一月一日的參量範圍並不大，因此這一結果是令人滿意的。但是我們還應該注意，只有當前一年出現一個閏十三月的時候，這一推出的曆表才能與第三號卜辭中的記日 12/49 相合。這一推論可見下表：

表四

編號	記日	單月第一日	一月一日(下一年)
3	12/49	1:50-19	1:50-19
		13:50-19	1:19-48

我們知道，在武丁時期，商人確曾使用過在歲末加閏月的曆表。一個陰陽曆相結合的曆表要求每五年加入兩個閏月。因此在第 3 號卜辭中的記日 12/49 和第 4b-c 號卜辭中的記日 1/56 之間加入一個閏十三月的可能性大約是百分之四十。此外，關於這一閏十三月可能確有歷史證據，就是歷組卜辭中所記載的幾條

資料。

　　關於歷組卜辭的年代是最近幾年激烈爭論的一個問題。我不打算在這裏再討論圍繞歷組卜辭斷代問題所進行的爭論。十多年來我一直撰文支持認爲歷組卜辭與賓組卜辭同時的觀點。由於兩組卜辭曾共同記載了發生於同一天的某些具有高度獨特性的事件，因此我們有足夠的證據證明兩組卜辭是同時的。裘錫圭先生已經發表了一些這樣的證據。[14]我認爲我們還可以補充一條記載了十二月癸丑（第 50 日）進攻𠭯的歷組卜辭（這一記日與上述第 2a 號卜辭中的記日是同一天）。

　　10.癸丑卜：王𡉈𥄫十二月

（《合集》33083；I，歷；見圖 4a）

雖然這裏的𥄫字與賓組第 2a 號卜辭中的𦥑字多少有些不同，但是此類的差異經常發生在那些對外國國名的稱謂上。此外，除這兩個字都由一個西字組成外，兩者不同的不和宀也有一些字義上的聯繫，即兩者表示頭上所戴的東西。因此這兩個字無疑指的是同一個國家，而分屬於兩組的這兩條卜辭無疑記載了同一事件。[15]

　　根據第 2a 和第 3 號卜辭的記載可知，儘管商王曾於壬子(第 49 日)和癸丑(第 50 日)爲進攻𠭯而占卜，但商的軍隊直到癸亥（第 60 日）的晚上和甲子(第 1 日)的早晨才實際發動了對𠭯的進攻。另一條有十二月辛酉(第 58 日)記日的歷組卜辭說明商王在鄰近發動這場重要的攻擊時還在爲此而占卜。對於我們的微細斷代來說，更爲重要的是這塊甲骨上還刻有其它兩條卜辭，而這兩條卜辭都記有「十三月」。

　　11a・辛酉卜：王翌壬戌戈𠭯。十二月。
　　11b・才尢，十三月
　　11c・令𠕋先，[16]氏侯步。十三月

（《合集》33082；I・歷 ；見圖 4b ）

　　以上歷組卜辭證明了進攻𠭯的那一年年末有一個閏十三月。這與我們用微細斷代法由分析以上賓組卜辭中的八個記日所作的預測完全一致。如果這一結論屬

---

[14] 裘錫圭〈論歷組卜辭的時代〉，特別見 277－80。

[15] 李學勤在其《殷代地理簡論》（北京：科學出版社，1959），87－88，中曾將這兩個字（還有一個𤞤字）釋爲同一國名。其中一個（即《合集》20530＝《拾掇》2.170）屬於歷組卜辭的寫得極像賓組卜辭中的𦥑。當然，在李學勤先生寫作該書時，他仍認爲歷組卜辭屬於文丁時期，因此沒有將這個國名認作賓組卜辭中的那個。

[16] 卜辭中涉及的𠕋是證明歷組卜辭與賓組卜辭同時的又一證據。例如，𠕋與雀（第 2c 條卜辭中提及）在一條貞卜攻擊基方的賓組卜辭中被一起提及。

　　壬寅卜殼貞：共雀重𠕋隻基方

（《合集》6571a；I.丙 ）

實，那麼這一論證既能證明微細斷代法的價值，又能再次證明賓組和歷組卜辭產生於同一時期。無論下面對這些卜辭所測定的絕對年代是否精確，我相信上述微細斷代法能對歷組卜辭的斷代這一甲骨學方法問題作出如此結論已能說明此種斷代法的重要性。

三、 一個問題

下面我將測定這一曆表的絕對年代所屬，可是在進行斷代和編年的研究中，新的證據總會使人們對自己的結論做出重新考慮。我們關於進攻㘚、缶和不的戰役的研究也不例外。

在上述兩條關於商人進攻㘚的歷組卜辭之外，[17] 還有一塊刻有幾條歷組卜辭的殘片。在這幾條卜辭中，一條是關於商人進攻缶的；另一條又提到第 11c 條卜辭中曾記載的向這個人物。許進雄將這兩條卜辭釋讀如下：[18]

> 12a・庚寅卜：羣缶于蜀戋又旅。才……。 一月
> 12b・甲午卜：王重向配。

（《懷特》1640；見圖 4c）

如果這一釋讀是正確的，那麼第 12a 條卜辭中的記日 1/27 將與由微細斷代法分析得出的商人攻缶之年的一月一日參量 1:31-35 不合。是否這意味著我們應當拋棄這一方法呢？我認爲不是。很多學者一旦遇到不合之處，往往會過於輕易地放棄年代分析的結果。但是有些不合甚至可以導致突破性的解釋。我認爲這裏的不合也許會進一步完善我們的微細斷代法。

在重新檢查微細斷代法之前，我們應考慮這一新證據是否與我們的研究有關。舉例來說，第一，這些刻辭所記載的也許不是同一戰役，或發生在不同的年份裏。然而，第 12a 條卜辭和第 5 條卜辭中都有「羣缶于蜀」。兩者之間的這一共同點似乎說明它們應該是同時的。其次第 12a 條卜辭中所記的月份也許有誤，或其釋讀有誤。從這條卜辭拓片上觀察，在「一月」中「一」的一橫劃上還有一道豎線。因此這一數字可能是一個合文的十一。然而商代「十一月」的合文總是將「十」字的一豎道寫在「月」字旁邊。並且，儘管歷組卜辭中很少有月份的記載，我們畢竟沒有證據證明歷組在數字合文上與其它組有不同的寫法。此外，承蒙許進雄教授的告知，在他最近觀察這塊卜骨時，他並沒有看到「一」字上有

---

[17] 另一條有完整記日的卜辭也是關於伐㘚的（於此即寫作𤞤）。李學勤《殷代地理簡論》中的釋文爲：

> 甲〔辰〕…王…伐…才𥅫。一月。八日辛亥允戋伐。二千六百五十六人，隊貓。

（《後編》2・43・9）

如果這一釋文不誤，而且貓即指㘚和𥅫，則這條卜辭將提供比第 2a 條卜辭更多的信息。然而，不幸的是，《後編》中這條卜辭的拓片極其模糊，我僅能識讀不到一半的文字。

[18] 許進雄，《懷特氏等所藏甲骨集》（多倫多：加拿大皇家安大略博物館・1979）93。

一道豎線。[19]因此，我們也許應當承認第 12a 條卜辭所記的月份就是一月。第三，理論上講，卜辭也可能誤刻了占卜的月份。但是我很難接受這種假設。正如美國學者倪德衛在談西周銅器年代學時所指出的那樣，「當我們不得不考慮一個銘文或刻辭有誤時，我們應當回頭質問自己的假設。」[20]

我們或許還應當質問其它方面的假設。是否在刻辭的釋讀方面存在著問題，或者說，是否在刻辭劃分上存在著錯誤？在許進雄先生第 12a 條卜辭的釋文中，「才」被放在「戈又旅」之後。「才」的後面有一殘字。許先生大概假設這個殘字當為地名。地名後置的用法常見於第五期黃組卜辭中。然而，在歷組卜辭中至今還未能發現一個與此相同的例子。[21]如果這不是一個後置地名的用法，「才」這個字就很難被包括進「戈又旅」這一命辭中了，因為命辭「彙缶于蜀」中已有了一個表示位置的「于」了。

對於「才」後殘字的釋讀，當會得出其語句聯係的線索。雖然許先生很慎重地未對這個殘字加以釋讀，其殘存部分足以說明這個字就是見於第 11b 條卜辭中的「尤」字。認識了這個殘字後，我們應當注意，在與第 11b 條卜辭有明顯聯係的第 11c 條卜辭中記有對㐭的命令（即：令㐭先，氏侯步。十三月），而㐭同時又見於第 12b 條卜辭之中。

根據許先生的釋文，在第 12b 條卜辭中，商王貞卜配合㐭的行動。這一命辭與商王「比」某某將領的用法相似。但在「比」的用法中，其後常接有攻擊某某敵人的從句。因此，這裏的命辭很可能是「王重㐭配戈又旅才尤。」「戈又旅才尤」這一短語並列在第 12a 條卜辭之旁，表面上似乎應該屬於該辭中，但是歷組卜辭的「版面設計」常常是草率混亂的，所以在劃分卜辭時，我們不能把這一並列關係看得過於重要。[22]

如果這一短語的確屬於 12b 條卜辭，則「一月」也當屬於這條卜辭。這樣一來，這個「一月」就與第 12a 條卜辭中的庚寅日（第 27 日）分離了。從而，原先第 12a 條卜辭中的記日 1/27 與我們從其它卜辭中得出的一月一日參量 1:31-35 之間的不合就被排除了。此外，在重新釋讀的第 12b 條卜辭中的記日現在就變成了一月甲午（第 31 日）1/31 了。 這一新計日不僅與上述一月一日參量 1:31-35 相合，而且進一步幫助我們把這一參量確定為一天，即 1:31。

---

[19] 1992 年 11 月 23 日與許進雄先生的個人通信。

[20] David S. Nivison，〈The Dates of Western Chou，〉*Harvard Journal of Asiatic Studies* 43.2 （1983），494。

[21] 有一些歷組卜辭帶有地名後置的用法，但這些地名可以讀為命辭的一部分，如：「癸亥貞：旬亡囚。才彎。」（《合集》33145；I·歷）

[22]「版面設計」（page design）一詞來於吉德煒。他注意到歷組卜辭的安排十分混亂，「好像刻辭者無法確知刻辭的位置及其與其他刻辭的關係。」（《*Sources of Shang History*》，108 ）

配合干支記日及月朔的曆表(諸如董作賓《中國年曆總譜》或張培瑜《中國先秦史曆表》)，在武丁在位期間以 1/31 爲一月一日的年份有公元前 1215、1210 和 1179。要最後確定該戰役進行於哪一年，還有許多工作要做，但我認爲商人攻擊咼、不、缶的這場戰役很可發生在公元前 1211 至 1210。[23]

---

[23] 關於這一年代，我要特別慎重，因爲我知道很多編年研究的讀者都只注意到具體的年代而忽略了研究的方法。正如以上所述（本文第 3 頁及注 8），屬於武丁時代的這些卜辭可能刻於公元前 1225 至 1175 年的五十年內。如同我在注 8 中解釋的，四條卜辭記錄了發生於公元前 1201、1198、1192 和 1189 的月食。其中記錄公元前 1201（《合集》11483 a〔＝《丙編》59〕）和 1198 年（《合集》11484 a〔＝《丙編》573〕）的卜辭都出土於ＹＨ127 號灰坑。同出於這一灰坑的還有大量關於商人進攻咼、不、缶的卜辭。關於這些戰役的卜辭，其書法和形式特徵都早於記載這兩次月食的卜辭（而被林澐、裘錫圭、黃天樹先生〔見注 2〕稱爲「師賓間組」）。因此略早一些的公元前 1215 或 1210 年是比較可能的年代。又因爲我認爲從ＹＨ127 號灰坑出土的卜辭僅刻成於相對有限的一段時間內，所以我選擇了與公元前 1201 年較爲接近的一年，即 1210 年。

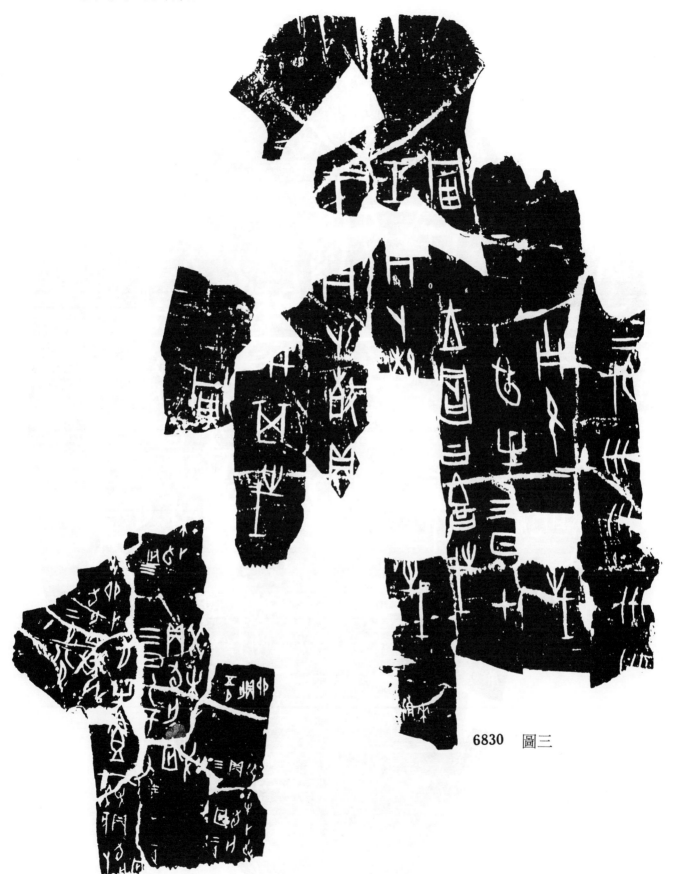

6830　圖三

圖一

11485

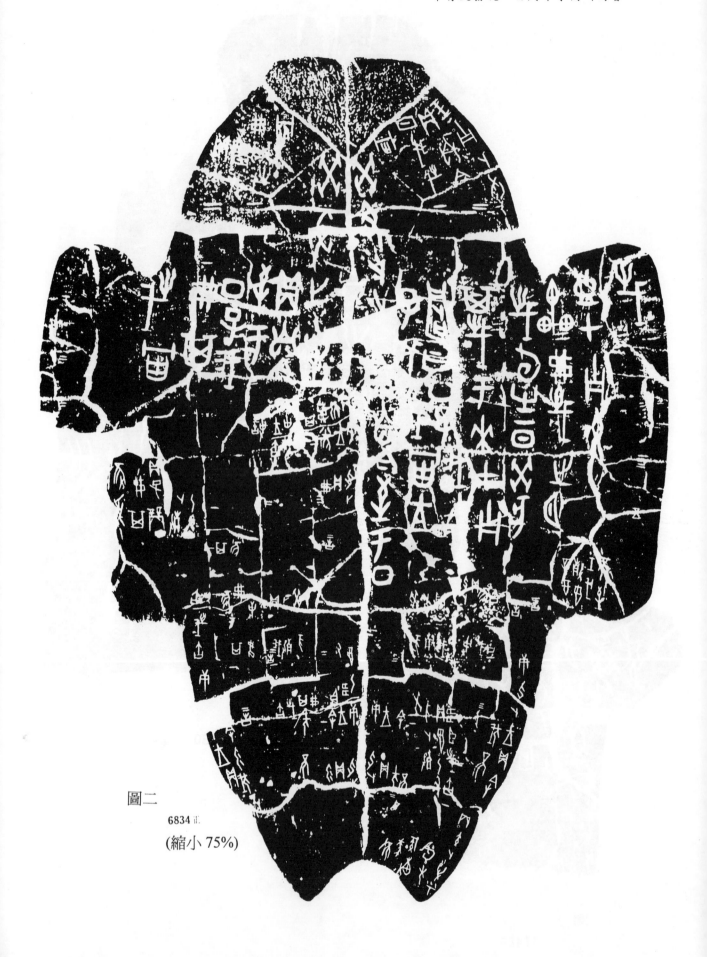

圖二

6834 正.

(縮小 75%)

圖四 A

33083

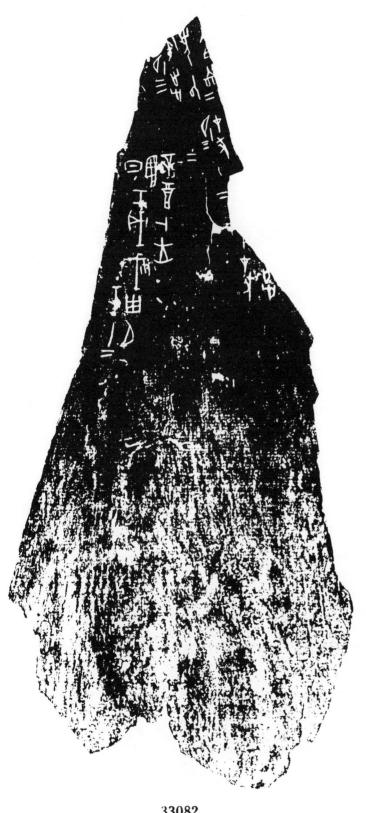

33082

圖四 B

B1640

x129.620

圖四 C

甲骨文發現一百周年學術研討會　1998.5.10-12
中央研究院歷史語言研究所・臺灣師範大學國文系合辦

兩個不同類別的否定詞 "不" 和 "弗"與甲骨文中的 "賓" 字

雷煥章

提要：

1、甲骨文中的賓字寫法
2、有關"丂"不同的闡釋
3、賓字十五種不同的字形與用法

- 前六種含括"万"的字形，除用作貞人名字外，時常當動詞用，意為"儐"。
- 其他字形，可當地名或人名，但亦可當動詞用。

4、當動詞用時，前置於賓字之否定詞的特別用法：

- "勿" 和 "弜" 位於前面時，表不應該、不必須之意。
- "弗" 和 "不" ── "弗" 前置於下方有 "止" 之賓字，而 "不" 位於下方無 "止" 之賓字前面；然此種說法並不妥。
- "弗" 前置於致使直接受詞產生改變之作用力強的及物動詞，而 "不" 前置於不及物動詞前。
- 有時 "弗" 和 "不" 可互用。只用在對直接受詞產生微弱影響力之及物動詞前，賓是為此例。
- 賓字前如有 "弗" 或 "不"，非指不應該舉行儐儀，而是不儐禮祖先，即是不向祖先儐儀。

關鍵詞：賓　儐　甲骨文

兩個不同類別的否定詞 "不" 和 "弗"

與甲骨文中的 "賓" 字

"賓" 字在甲骨文中是一非常特殊的字，因其在所有甲骨文中有最多不同的寫法，故值得我們深入的探討。有些學者認爲 "丂" 意指我們所祭拜的祖先，原由爲 "丂" 亦可寫作 "万"，因此說明 "万" 與 "元" 是有關係的。"万" 非指一般人，而是讓後代敬崇的祖先，然此種說法並不普爲現代學者所接受。"內" 用作真人名字時，也可寫爲 "內" (見《合集》7772 正—《丙編》165)；當動詞用時，意即舉行儐儀(見《合集》22417。此外，於《合集》2203《乙編》7262)中的 "內" 字作 "內"，可見 "万" 並不指被祭拜的祖先，而是指祭祖之人。而唐健坦則認認爲："內" 乃象舞者在某建築物下舞蹈，目的是爲迎接祖先之臨在 "("《Shang Musical Intruments》"，見《Asian Music》15-2 卷，135 頁)。欲證明 "万" 是舞者並不容易，然而卻顯見 "万"、"丨" 與 "丨" 三者間之關係，由此證明其應爲祭祖之人。以下將依據 "賓" 字在甲骨文中不同寫法與法，而做一簡表，並附註其各別參考資料之編號，以資便於各位對照參閱然此表並不列舉細小迥異之處，例如："万" 與 "丂" 不同方向之寫法。

簡 表

一	丂 (丂) 內	貞人之名 地名：《合集》21029 儐：《綜類》275-6 頁；《類纂》766-768 頁 貞人：《合集》7772 正(《丙編》165) 儐：《合集》22417
二	內，內 (窀)	儐：《綜類》276-277 頁；《類纂》768-770 儐：《合集》2203(《乙編》7262)
三	內 (窂)	儐：《合集》15161(《誠齋》412)
四	內，內 (窪)	儐：《合集》14421(《金璋》595) 儐：《合集》13871(《續編》3-47-7)
五	內，內 (窈)	儐：《乙編》5642 儐：《合集》10040 正(《丙編》180)： 《合集》15175 正(《鐵雲》270-2)
六	內 (窒)	儐：《合集》1248(《丙編》592)
七	內，內 (宁)	地名：《合集》7772(《丙編》165) 人名(子)：《合集》14787(《丙編》475)

		儐：《合集》9523(《丙編》37)
八	⿱(字形),(字形),(字形),(窚)	人名(子)：《合集》3169(《卜辭》288)
		儐：《合集》9520-9523(《丙編》34-37)
九	(字形),(字形),(字形),(帘)	人名(子)：《合集》709 正(《丙編》334)
		儐：《合集》11018(《丙編》201)
十	(字形),(字形),(帘)	人名(子)：《合集》3151(《鐵雲》78-4)
十一	(字形),(字形),(安)	地名：《合集》33550(《京津》4436，《擴佚》68)
		人名(子)：《合集》905(《丙編》631)
		人名(祖先)：《合集》22094(《乙編》6690)
		儐：《合集》5373(《續編》5-6-1)
十二	(字形) (窒)	人名(子)：《合集》924(《丙編》182)
		儐：《合集》9524(《丙編》38,385)
十三	(字形),(字形),(㝉)	人名(子)：《合集》3159(《京津》2083)
		人名( )：《合集》3333(《丙編》189)
		儐：《合集》18610(《擴續》334)
十四	(字形) (窋)	地名：《英國》593
		人名(子)：《合集》13890(《後編》下 37-5)
		人名(侯)：《合集》3333(《丙編》189)
		儐：《合集》19558(《佚存》163)
十五	(字形) (㝉)	儐：《合集》20278(《乙編》9072)
		儐：《合集》333071(《佚存》604,《綴新》477)

由簡表中可了解到 "賓" 字在甲骨文中的寫法有 15 種。前六種寫法均含括 "万"：除 "宁" 用作貞人名字或貞人地名外(見饒宗頤在《甲骨文通檢》(一)中所寫之前言一(貞人問題與坑位))，此六種寫法之 "賓" 字，經常當作動詞用，其意爲舉行儐禮。第七種至第十五種之 "賓" 字，均可作地名或人名用；亦可當作舉行儐儀之意的動詞，然除了第十種之 "(字形)" 字之外。

　　俾使對 "賓" 字用法有更深入的認識，我們需要對否定詞與 "賓" 字間之關係來加以分析。否定詞 "勿" 或 "弜" 多次出現在 "宁" 字前面，其所表示該舉行儐儀。有關此種論點，學者們均無任何爭議。

　　然在 "宁" 字前之否定詞，不僅有 "勿"、"弜"，亦有 "不"、"弗"；而有關 "不" 和 "弗" 二否定詞在 "宁" 字前，則引起學者們多方的討論。有些學者認爲位於 "宁" 字前之 "不" 與 "弗"，有其相異之含意。爲分析此二否定詞在甲骨文中的一些用法，Keightly 教授在其論文中 "Royal Shanmanism in the Shang Archaic Vestige of Central Reality(Workshop on Chinese Divination and Portent Interpretation)，Berkeley 柏克來, 1983)，引用高島謙一與 Serruys 的例證：

　　大甲不宁于咸　　(《合集》1401=《京津》674)

大甲不宁于咸　　（《合集》1402 正=《丙編》39)

大甲不宁于帝　　（《合集》1402 正=《丙編》39)

大甲不宁于帝　　（《合集》1402 正=《丙編》39)

咸不宁于帝　　　（《合集》1402 正=《丙編》39)

下乙不宁于咸　　（《合集》1402 正=《丙編》39)

父乙不宁于祖乙（《合集》1657 正=《丙編》338)

　　於上述刻辭中，這三位學者指出下方無"止"之"宁"字前所使用之否定詞爲"不"，而非"弗"；且他們認爲在這些文例中同時出現一個高位與一個位卑之神祇，而在高位神祇名之前有一介系詞"于"字。再者，出現於否定詞"不"後面而下方無"止"之"宁"字是屬被動、情態性的、靜態性的，意指卑位之神祇不似高位之神祇受到同等的奉祀。相反地，否定詞"弗"則經常前置於下方有"止"之"寇"字，此時"寇"字則表主動的、非靜態的、非情態性的。然，在若干刻辭中"不"亦前置於下面有"止"之"寇"，例如：

　　王不寇 (《合集》23050=《遺珠》850)

此外，下方無"止"之"宁"字前，亦出現否定詞"弗"，例如：

　　王弗宁(《合集》27107=《甲編》2616)

　　　亦見(《合集》30949=《佚存》925)

　　在《德瑞荷比所藏一些甲骨錄》一書中，本人亦提及此問題："……只能說下面有"止"之"寇"字，大都屬主動的、非情態性的、非靜態性的；但，偶而亦爲被動、情態性的、靜態性動詞。"(212~213 頁)然目前此種說法並不妥，而需再進一步探討之。

　　曾於民國 81 年 5 月參加中央研究院歷史研究所所舉辦之會議的法國學者羅端(Redouane Djamouri)，雖未在會議中談及此論題，然在其 1987 年 E.H.E.S.S 之博士論文中，則是以探討甲骨文中否定詞之不同用法爲主題。又於 1911 年發表一篇論文〈Particules de Negation dans les Inscriptions sur Bronze de la Dynastie des Zhou〉〈周朝金文中之否定詞〉(見《C.L.A.O 學報》，第 20 集，75~76 頁)，專門研究否定詞之問題。雖此篇著作中以探討金文中之否定詞爲主，然每次均以甲骨文中之用法爲前導。他指出"不"基本上是置於不及物動詞或形容詞前，而"弗"則是用於及物動詞前，然亦有些例外：如有一及物動詞，而其直接受詞未被表明時，在此情形之否定詞可用"不"替代"弗"。又提及有些特殊的及物動詞，如："遘"、"受"，在直接受詞被表明時，亦可用"不"。

　　1996 年羅端在澳洲墨爾本所舉行之國際會議中所發表的論文——此論文尙準備印行中，仍再一次談到此主題。他認爲原則上"弗"是前置於使直接受詞產生改變之及物動詞，且如果直接受詞清楚地表明於此類動詞後時，表否定之否定詞，則必須用"弗"字。反之，否定詞"不"置於不及物動前。但有些及物動詞前，在直接受詞被表明情形下，亦可用"不"，其原由是這些及物動詞對受詞所產生的影響力較薄弱。動詞的作用力微弱，受詞不受到任何效應，在甲骨文中的"遘"，"受"二動詞，即是此例：

－"弗"其受年

兩個不同類別的否定詞"不"和"弗"與甲骨文中的"賓"字

　　　－"不"其受年

　　此外，他又注意到"弗"和"不"均可前置於不使直接受詞產生改變之及物動詞。直接受受詞清楚表明時，必須用"弗"；反之，則須用"不"，例如：

　　　　黃尹不害（《續編》1-47-7=《合集》3480 正）

然"黃尹不害王"則是不正確之用法，應為：

　　　　黃尹弗害王（《丙編》104=《合集》3418 正）

　　在前述情形中，"不"後面之及物動詞，無動詞之意味，而是含有形容詞之意："不害"即為"無害的"（見〈Markers of Predication in Shang Bone Inscriptions〉〈商代甲骨文中之謂語標記〉，54～66 頁）。

　　援引學者們對"賓"字與"弗"、"不"之間關係的闡釋後，接著我們來探討其在甲骨文刻辭中之相關用法：

（一）亏：下方無"止"

　　1. "不"－前置於亏

　　　貞咸不亏于帝

　　　貞大甲不亏于咸

　　　貞下乙不亏于咸

　　　貞下乙不亏于帝

　　　貞大甲不亏于帝（《合集》1402 正=《丙編》39）

　　　貞大甲不亏于咸（《合集》1401=《丙編》674）

　　　父乙不亏于祖乙

　　　父乙不亏于祖乙

　　　父乙不亏于祖乙

　　　父乙不亏于祖乙　五月（《合集》1657 正=《丙編》338）

　　　亥不亏（《摭續》322）

　　2. "弗"－前置於亏

　　　甲戌卜彭貞酯乡大乙王弗亏（《合集》27107=《甲編》2616）

　　　富似冈王弗亏（《合集》30949=《佚存》925）

　　　弗亏日（《合集》32181=《佚存》871）

（二）窚：下方有"止"

　　1. "不"－前置於窚

　　　貞不窚（《合集》23050=《遺珠》850）

　　2. "弗"－前置於窚

　　　弗其窚（《合集》29713 正=《庫方》1602）

　　　弗其窚（《英國》199 正=《金璋》595）

　　　其弗窚三□日其□亡……（《鄴一》40.11）

（三）閭：下方有止

　　　　"弗"－前置於〔字〕
　　　　……弗〔字〕于父乙　二告（《合集》2203=《乙編》7262）
（四）窕：下方無止
　　　　"弗"－前置於窕
　　　　婦好弗其窕（《合集》15174=《掇一》296）
（五）窆：下面有止
　　　　"弗"－前置於窆
　　　　貞弗其窆婦好（《合集》2638=《前編》7.24.4）
（六）窋：下面有止
　　　　"弗"－前置於窋
　　　　貞王弗窋亡〔字〕（《合集》15178=《林》2－1－12 ）
　　　　弗窋　　　　　（《合集》15177=《京津》1025 ）
　　　　弗其窋　　　　（《合集》2178 ）
（七）宁：下面無止
　　　　"不"－前置於宁
　　　　乙巳卜中貞卜若茲不宁其大不若（《合集》23651）
（八）宼：下面有止
　　　　"弗"－前置於宼
　　　　貞婦好弗其宼〔字〕（《合集》2644=《遺珠》523）
（九）安：下面無止
　　　　"不"－前置於安
　　　　癸酉卜爭貞王腹不安無延（《合集》5373=《續編》5－6－1）

結論：

　　在甲骨文刻辭中，"勿"和"弜"表示含有"必須、應該"之否定詞，而"弗"和"不"則未含前述之意的否定詞。一些學者認為如果"賓"字下方有止，否定詞"弗"置於前面時，"賓"字為及物動詞；反之，"賓"字下方無止，否定詞"不"置於前方時，"賓"字為不及物動詞。然此種說法並不完全吻合刻辭中的用法，因為"賓"字下方無止時，亦有"弗"置於其前面；而下面有止時，亦有"不"位在賓字前。

　　如詳細分析刻辭中賓字前"弗"和"不"之用法時，即可發現：否定詞"弗"使用於致使直接受詞產生改變之作用力強的及物動詞前；而不及物動詞前之否定詞則使用"不"。然而刻辭中"弗"和"不"均可互用，但是只用於不使直接受詞產生改變之作用之微弱的及物動詞前，例如"遘"和"受"即屬此類動詞。作動詞用之"賓"字亦是如此。"勿"或"弜"表一種禁止，即是不應該儐儀之意；而"弗"和"不"前置於賓字，只表示不儐儀之意。

書籍簡稱表

《鐵雲》：劉　鶚、《鐵雲藏龜》、1903

《前編》：羅振玉、《殷墟書契前編》、1913

《後編》：羅振玉、《殷墟書契後編》、1916

《林　》：林泰輔、《龜甲獸骨文字》、1921

《續編》：羅振玉、《殷墟書契續編》、1933

《卜辭》：容　庚、《殷契卜辭》、1933

《佚存》：商承祚、《殷契佚存》、1933

《鄴一》：黃　濬、《鄴中片羽初集》、1935

《庫方》：白瑞華、《庫方二氏藏甲骨卜辭》、1935

《遺珠》：金祖同、《殷契遺珠》、1939

《金璋》：方法斂、白瑞華：《金璋所藏甲骨卜辭》、1939

《誠齋》：孫海波、《誠齋殷虛文字》、1940

《摭佚》：李旦丘、《殷契摭佚》、1941

《甲編》：董作賓、《殷虛文字：甲編》、1948

《乙編》：董作賓、《殷虛文字：乙編》（上、中、下輯）、1948

《摭續》：李亞農、《殷契摭佚續編》、1950

《掇一》：郭若愚、《殷契拾掇》（一）、1951

《京津》：胡厚宣、《戰後京津新獲甲骨集》、1954

《丙編》：張秉權、《殷虛文字：丙編》（上、中、下輯）、1954-1972

《綜類》：島邦男、《殷虛卜辭綜類》、1967

《綴新》：嚴一萍、《甲骨綴合新編》、1975

《合集》：中國社會科學院歷史研究所、《甲骨文合集》、1978-1982

《英國》：中國科學院歷史研究所、School of Oriental and African
　　　　　Studies(London)、《英國所藏甲骨集》、1985

《摹釋》：姚孝遂、《殷墟甲骨刻辭摹釋總集》、1988

《類纂》：姚孝遂、《殷墟甲骨刻辭類纂》、1989

甲骨文發現一百周年學術研討會　1998.5.10-12
臺灣師範大學國文系·中央研究院歷史語言研究所合辦

湯亳地望與歷史教學
——殷商史尚待解決的問題之一

台灣師大　王仲孚

（一）

自從清末發現甲骨文以後，迄今已近百年，在這百年的歲月中，甲骨文不僅發展成為獨立的學術領域，同時也促進了殷商史研究的開展，尤其以甲骨文印證了《史記·殷本紀》所載殷代帝王的譜系，使殷商時代的史事，得到以地下材料印證紙上材料的「二重證據」[1]、殷商時代也因而被認為是中國的「信史」，而不再受到任何懷疑。

雖然甲骨文的研究取得許多豐碩的成果，殷商史的研究獲得很大的開展，但隨著考古材料的增加，殷商史舊的問題未得解決，新的問題不斷增加，例如商族的起源問題、殷都屢遷問題、商王朝的國家結構和社會性質問題、青銅農具問題等等皆是顯例。即以甲骨文而言，不可識之字仍不在少數，釋字的工作似正遇到瓶頸難以有很大的突破，《史記·殷本紀》所載王亥上甲以上的先公的辨識，至今也陷於停滯的狀態。而湯亳的地望問題的不能解決，更使殷商史的著作及歷史教學受到直接的影響。本文擬對此一問題提出一些淺見，就正方家。

（二）

古籍一致記載商湯都於亳，《尚書·序》云：「自契至於成湯，凡八遷，湯始居亳，從先王居。」《逸周書·殷祝解》：「湯放桀而復薄（亳）」，《孟子·

---

[1] 王國維，〈古史新證〉原刊《國學月報》第二卷第 8.9.10 號合刊，1925，《王觀堂先生全集》第六冊，台北文華出版公司，1968。

滕文公》下篇：「湯居亳，與葛爲鄰」，《史記·殷本紀》：「自契至湯八遷，湯始居亳，從先王居」。但是「湯亳」究位於何地呢？古代文獻沒有指實，自漢代以來，學者對於湯亳的地望，約有以下幾種說法：

一、杜亳說：《史記·六國年表》稱：「夫作事者必于東南，收功實者常于西北。故禹興于西羌；湯起于亳；周之王也，以豐鎬伐殷；秦之帝用雍州興；漢之興自蜀漢。」太史公的意思，明顯的認爲「亳」在西北地區。東漢許慎的《說文解字》「亳」字條說：「京兆杜陵亭也」，其地在今陝西省長安縣，此爲「杜亳說」。

二、西亳說：《漢書·地理志》：「河南郡偃師縣」下，班固自注云：「尸鄉，殷湯所都」，鄭玄也說：「亳，今河南偃師縣有亳亭」（《尚書·胤征篇》孔疏引）。由於 1983 年在偃師縣發現了尸鄉溝「商城」，因此「西亳說」受到學者的重視。

三、北亳說：《漢書·地理志》卷二十八「山陽郡薄縣」條，顏師古注引臣瓚曰：「湯所都」，《詩經·商頌·玄鳥篇》，孔疏引《漢書音義》曰：臣瓚案：「湯居亳，今濟陰亳縣是也」。「亳」與「薄」通。濟陰在今山東省曹縣境。

四、南亳說：《史記·殷本紀》集解引皇甫謐云：「梁國穀熟爲南亳」。《殷本紀·正義》引《括地志》云：「宋州穀熟縣西南三十五里，亳故城，即南亳，湯都也。」《尚書·立政篇》：「三亳阪尹」，正義引皇甫謐云：「三處之地，皆名爲亳，蒙爲北亳，穀熟爲南亳，偃師爲西亳。」

以上是有關「湯亳」問題的主要文獻記載。

（三）

近代學者對於湯都亳問題的討論可分兩個方面，一是從文獻記載加以考證，一是根據考古遺址加以推測，分述於下：

一九一五年，王國維著〈說亳〉一文[2]，認爲漢代山陽郡之薄（亳）縣，爲

---

[2] 《觀堂集林》卷十二、史林。〈說亳〉一文的著作時間，係根據王德毅先生著《王國維年譜》

湯都之亳,其地在今山東省曹縣。王氏主張之「曹亳」,長期以來深受學者相信。

一九四三年,董作賓先生出版《殷曆譜》,在「帝辛十祀譜」,及其後所著〈卜辭中的亳與商〉一文裏,根據甲骨文的資料,排列出帝辛十年征人方的每日行程和路線,計由安陽殷都出發往東南行的路程,經過商(大邑商),再往南行二日,便到了亳。「商」就是今日河南省商丘縣,「亳」的地望在今安徽省亳縣內。而在甲骨文中所見的「亳」,董氏認為只有一個,也就是湯都的南亳,在殷代並無北亳或西亳之名。[3]

陳夢家先生於一九五六年出版《卜辭綜述》一書,根據帝辛征人方路程,認為「卜辭之亳應在古商丘之南,可能在今穀熟縣的西南方,地名高辛集或與湯從先王居之傳說有關」。[4]

趙鐵寒先生〈殷商群亳地理方位考實〉一文,對於湯都的亳,則從董作賓氏之說,認為南亳為「殷商原始之亳,湯所都,卜辭言亳,指此一處」。[5]日本島邦男著《殷墟卜辭研究》,對於湯都亳的地望,亦從董氏之說。[6]

丁山先生在《商周史料考證》一書中,認為「學者必須探尋成湯的故居,由『韋顧既伐,昆吾夏桀』兩句詩的方位測之,疑即春秋時代齊國的博縣」[7]。岑仲勉先生著《黃河變遷史》一書(一九八二年),認為各地之亳「皆與商代之亳無關」,「以古史勘古跡,認湯都在現時內黃,實比其他各說最為可據」。[8]

以上係根據文獻材料或對照卜辭,考證湯亳地望的幾種說法,以下再略述根據考古發掘所推測的湯亳地望:

一九五九年徐旭生(炳昶)先生率考古隊至豫西調查「夏墟」,在偃師縣二里頭村發現了著名的「二里頭文化遺址」,徐氏的調查報告認為這處遺址是商湯

一書之考證—中國學術獎助委員會叢書。

[3] 董作賓〈卜辭中的亳與商〉,《大陸雜誌》第 6 卷第 1 期。

[4] 陳夢家《卜辭綜述》,頁 259,1956 年初版,1971 年台北大通書局影印。

[5] 收入趙鐵寒著《古史考述》,頁 159,台北正中書局印行,1965。

[6] 島邦男著《殷墟卜辭研究》,頁 359,溫天河、李壽林中譯本,鼎文書局印行,1975。

[7] 丁山著,《商周史料考證》,頁 27,香港龍門聯合書局,1960 年初版,中華書局重印,1988。

[8] 岑仲勉《黃河變遷史》,頁 102,人民出版社 1959 年初版,台北里仁書局重印,1982。

建都的西亳[9]。

一九五二年，在河南鄭州發現了一座早商時代大型的城址，一般稱為「鄭州商城」，推測它是商王朝的一個重要城邑。鄒衡教授力主「鄭州商城」就是湯都的亳，是為「鄭亳說」[10]。

「鄭亳說」發表後，學者意見頗為分歧，有人同意此說，有人不以為然，也有人主張「鄭州商城」應是仲丁（商湯後第九王）所遷的囂都（隞）[11]。一九八三年，考古工作者在河南偃師二里頭遺址東方約五六公里的塔莊村，發現了一座商代城址，總面積約為一百九十萬平方公尺，城址東西北三面有夯土建築的城牆，城內發現兩座宮城，及縱橫交錯的十一條大道。發掘報告指出，根據已發現的遺跡，顯示這一座城址決非一般村落，而是一座王都[12]。

偃師商城遺址所在地的塔莊村，村人世代相傳為尸鄉溝，符合班固在《漢書·地理志》裏所說，偃師尸鄉為殷湯所都之地，由於得到文獻資料和考古資料的雙重支持，因此偃師商城即被一部分學者認為是商湯所都的「西亳」[13]。

李民先生認為夏商時期有兩都或數都並存的現象，與後世一都獨尊的情況有別，「南亳為商湯最早的都城」、「北亳時為商湯的軍事大本營」、西亳「是在

---

[9] 徐旭生〈一九五九夏豫西調查「夏墟」的初步報告〉，《考古》1959 年第 11 期。

[10] 鄒衡〈鄭州商城即湯都亳說〉，《文物》1978 年第 2 期；〈論湯都鄭亳及其前後的遷徙〉《夏商周考古學說論文集》，頁 184-202，文物出版社，1980；〈綜述早商亳都之地望〉，《中國商文化國際學術討論會論文》，頁 153-156，中國社會科學院考古研究所編印，1995。〈綜述夏商四都之年代和性質〉，《殷都學刊》1988 年第 1 期，頁 2-16，收入《夏商周考古學論文集》（續集），科學出版社，1988。同意「鄭亳說」的學者如鄭杰祥〈商湯都亳考〉，《中國史研究》1980 年第 4 期；彭邦炯，《商史探微》頁 50，重慶出版社，1988；宋新潮《殷商文化區域研究》，頁 209，陝西人民出版社，1991。分別支持「鄭亳說」，本文略舉其要，無法逐一列出。

[11] 安金槐〈試論鄭州商城遺址—隞都〉，《文物》1961 年第 4、5 期。

[12] 中國社會科學院考古所：〈偃師尸鄉溝發現商代早期都城遺址〉，《考古》1984 年第 4 期；中國社會科學院考古所河南二隊，〈1983 年秋季河南偃師商城發掘簡報〉，《考古》1984 年第 10 期。

[13] 方酉生〈論偃師尸鄉城址為商都西亳〉，《中國商文化國際學術討論會論文》，頁 1-8，中國社會科學院考古研究所編印，1995；趙芝荃、徐殿魁〈河南偃師商城西亳說〉，《全國商史學術討論會論文集》，殷都學刊增刊，1985。

商湯滅夏後，在南亳、北亳之外又建立的一個"亳"都」。[14]

高去尋先生在〈商湯都亳的探討〉一文中，認爲「三亳說中，湯都南亳最爲可信」。而「偃師商城」的發現可說是西亳的證實，但是《逸周書·殷祝解》、《尚書·序》、《史記·殷本紀》都說湯滅夏後，復歸于亳（即南亳）也是可信的。高先生認爲：

> 成湯最初所都的亳是後世所謂南亳，湯滅夏以後為了鎮撫新征服的夏土，才在偃師尸鄉修築了一個城池，被後世傳稱為西亳。這種情形與西周初年平定東方殷人後，在今日的洛陽建立了東都洛邑，為鎮撫東方的一個前進指揮所的情形相同。

主張「西亳說」的學者，認爲商湯滅夏之後，即建都於偃師商城，高先生強調的是：文獻記載商湯滅夏之後，「復歸于亳」，所以考古發掘的「偃師商城」，即使印證了文獻記載的西亳，也不能以此否定湯都南亳的史實[15]。

(四)

湯亳地望問題，在學術的討論上至今既還得不到一致的結論，反映在歷史著作及歷史教科書中，也就呈現了紛雜的現象，例如郭沫若先生著《中國史稿》，以「河南商丘」爲湯亳之地[16]，其他歷史著作及歷史教科書似受此書影響者頗多，如張傳璽《中國古代史綱》[17]，王文明、聶玉海主編《中國古代史》[18]，林建法、黎心祥主編《中國古代史》[19]，大陸地區義務教育三年制、四年制初級中學教科書《中國歷史》第一冊[20]，上海高級中學選修課本《歷史》[21]，皆探「河南商丘」

---

[14] 李民，《夏商史探索》，頁96-98，河南人民出版社，1985；又見《殷商社會生活史》頁13，河南人民出版社。

[15] 高去尋〈商湯都亳的探討〉，《董作賓先生九五誕辰紀念集》，頁88，董氏家屬自印，1988。

[16] 郭沫若《中國史稿》第一冊，頁159，人民出版社，1976。

[17] 張傳璽著，《中國古代史綱》，頁42，北京大學出版社，1986。

[18] 王文明、聶玉海主編，《中國古代史》，頁34，河南大學出版社，1988。

[19] 林建法、黎心祥主編《中國古代史》，頁41，上海社會科學院出版社，1987。

[20] 人民教育出版社歷史編輯室編著，《中國歷史》第一冊（試用本），頁25，人民教育出版社，1990。

之說；但亦有採「山東曹縣」之說者，如王明閣《先秦史》[22]，白壽彝主編《中國通史綱要》[23]，上海復旦大學編《中國通史》[24]，楊檀等編《中國古代史》等書[25]。自五十年代以來，在台灣地區出版的歷史著作及中學歷史教科書，則多採董作賓「安徽亳縣」說，如傅樂成《中國通史》[26]，陳致平《中華通史》[27]，以及國民中學（初中）、高級中學《歷史》教科書可爲代表[28]，另外，蕭璠《先秦史》除了採「安徽亳縣」說之外，還略及了「鄭州商城」[29]。

以上各書對於湯亳地望的態度，其共同的特點就是採用文獻考證的說法，除蕭璠先生外，皆未涉及考古發掘的新說。

歷史著作須採納考古新材料，及學者研究成果已成爲各界人士的共識，對於先秦史而言，尤爲需要。但就湯亳地望的考定而言，考古發掘的「鄭州商城」與「偃師商城」的規模，皆似一代王都，兩派學者各自堅持其爲湯亳的理由而相持不下，因此從事商史寫作的學者爲了調合二說，認爲商湯滅夏後先建「偃師商城」，即後世所謂的「西亳」，「此後不久，又在鄭州建立一座規模更大的『鄭州商城』，這一座大城建立後不久，其統治中心則移到『鄭州商城』，其地名仍稱『亳』。」[30]

有些歷史著作則除了採「河南商丘」之外，亦兼採「鄭亳說」及「偃師西亳說」。例如詹子慶編《先秦史》，對於湯都亳問題作如下的處理：「成湯建立了

---

[21] 中小學課程教材改革委員會編，《歷史》（實驗本），頁 11，上海教育出版社，1997。

[22] 王明閣《先秦史》，頁 108，黑龍江人民出版社，1983。

[23] 白壽彝主編《中國通史綱要》，頁 61，上海人民出版社，1994。

[24] 上海復旦大學編《中國通史》，頁 18，復旦大學出版社出版，1986。

[25] 楊檀、蔣福亞、田培棟主編《中國古代史》，頁 29，光明日報出版社，1988。

[26] 傅樂成《中國通史》，頁 14，大中國圖書有限公司，1963 年再版。

[27] 陳致平《中華通史》第一冊，頁 149，黎明文化事業股份有限公司，1974 年初版。

[28] 國立編譯館主編、王仲孚編輯：高級中學《歷史》第一冊，以湯居之亳作「安徽亳縣」，但加註釋云：「關於亳都的地理位置，各家看法不一致。董作賓主張在安徽亳縣，王國維則主張在山東曹縣。近年來，考古學家更有主張在河南鄭州及河南偃師等不同的意見。」見該書頁 12-14，1984 年初版。

[29] 蕭璠《先秦史》，頁 51，長橋出版社，1979；眾文圖書股份有限公司，1985 年再版。

[30] 孫淼，《夏商史稿》，頁 344-355，文物出版社，1987 年；又，張國碩有〈鄭州商城與偃師商城並爲亳都說〉一文，亦意在調和二說，見《考古與文物》1996 年第 1 期，頁 32-38。

商朝，定都於亳（今河南商丘，或說今鄭州），亦說建都於西亳（今河南偃師）。」
[31]又如余天熾主編的《中國古代史》一書，說「成湯定都于亳（今河南商丘，或
說今鄭州），亦說建都於西亳（今河南偃師）。」[32]可見學者在面對這個問題時，
由於沒有最後的結論，爲了顧及新說，又不能放棄舊說，因此不得不做如此的處
理，這種苦心固値得諒解，但並無助於問題的解決。

（五）

由於古代文獻記載湯亳的地望，不夠明確，而近代學者的研究，不論依據文
獻材料或考古材料，至今都沒有得到最後一致的結論，因此，有關殷商史的著作
或歷史教科書的編輯，也就缺少具體的材料可資依據，學者不得已，只好在眾說
紛紜中選擇其中一種，或兼採數說，甚至也有略而不提似有刻意迴避的現象。

商湯都亳在先秦史、中國通史以及中學歷史教科書中雖然只佔三言兩語的位
置，但卻無法避而不談，在研究生的教學中，還可以把各家之說並列作爲討論的
基礎，暫不作結論，但在大學中國通史、或中學歷史教科書中，必須以明確的態
度，採取一說，這就面臨了極大的困惑，而根本的原因是由於這一問題並沒真正
的解決。

在甲骨文發現正達一百周年之際，殷商史的研究有待解決的問題仍多，但對
於一個歷史教學工作者而言，湯亳地望的確定，尤感迫切。[33]

---

[31] 詹子慶編《先秦史》，頁 79，遼寧人民出版社，1984。

[32] 余天熾編《中國古代史》，頁 30，廣東高等教育出版社，1985。

[33] 筆者在十年前即甲骨文發現九十週年時，曾撰短文一篇，〈商湯都亳的地望〉即已提及此一
問題，參見《國語日報》1989 年 9 月 27 日《史地周刊》，收入《歷史教育論文集》，頁 543-
549，臺北商鼎文化出版社，1997。

（二）

甲骨文發現一百周年學術研討會　　1998.5.10-12
中央研究院歷史語言研究所‧臺灣師範大學國文系合辦

關於「甲骨文被動式」研究的檢討

陳昭容[*]

提要：

　　本文檢討近年來對「甲骨文被動式」的研究，認為甲骨文中存在一些「于字式」被動式，這些「于」字結構常跟動詞「若」、「在」結合形成被動句，說明福禍的來源。在卜辭中，「于」字式被動句並不多，與「于」字結合形成被動句的動詞也十分有限，被動句式在甲骨文時期應仍屬發軔時期。甲骨文較多受事主語句，或能傳達被動意念，但不能得出「賓動」表示被動的結論。至於「見」字式，「為」字式被動句，在卜辭中是不在的。

關鍵詞：甲骨文　被動式

壹、前言

　　被動式的起源與發展，一直是漢語史上重要的課題之一。王力在《漢語史稿》第四十八節〈被動式的發展〉中指出：

　　　　在遠古漢語裡，在結構形式上沒有被動和主動的區別。直到甲骨金文裡也還是這種情況。真正的被動式在先秦是比較少見的，而且它的出現是春秋以後的事。[1]

---

[*] 陳昭容，中央研究院歷史語言研究所副研究員。著有博士論文《秦系文字研究》、古文字材料中的第一人稱代詞〉〈說” ”〉、〈古文字中的「芈」及從「芈」諸字〉等。
[1] 王力《漢語史稿》1980修訂版，頁420。

陳夢家在《殷虛卜辭綜述》中也有類似的看法：

> 卜辭沒有如後世「衛太子為江充所敗」的表示被動的句子，也沒
> 有如後世因施受關係而分別「授」與「受」為二字（卜辭一律作
> 「受」），也沒有利用介詞表示被動的。主動被動之不分，在西周金
> 文猶如此，如以「令」為「賜」為「受賜」[2]。

這樣的看法已隨著學術研究的深入而部份受到批評與修正。

先秦漢語句式的研究，以先秦典籍爲基礎，已取得不錯的成績，[3]以甲金文材料爲研究對象也是不可或缺的一環。早在一九五六年，周法高先生就已舉麥尊「作冊麥賜金于辟侯」等例，說明西周金文中有「于字式」被動句。[4]楊樹達也在一九五九年出版的《積微居金文說》中舉趞曹鼎、麥尊、鬲尊、中鼒等被動用例。[5]其後楊五銘在一九八〇年發表〈西周金文被動式簡論〉，正式提出西周金文中有被動式的主張。[6]管燮初、李瑾也在此前後提出相同的看法。[7]唐鈺明、周錫馥在一九八五〈論上古漢語被動式的起源〉中提出六例十句卜辭，說明「先秦漢語被動式的起源，應上溯至商

---

[2] 陳夢家《殷墟卜辭綜述》（北京：科學出版社，1956），頁103。

[3] 唐鈺明、周錫馥〈論先秦漢語被動式的發展〉（《中國語文》1985年4期），指出西周時期的典籍《尚書》、《詩經》、《周易》三書中共有十八個「于字式」被動句（以下簡稱唐鈺明1985a）。魏培泉〈古漢語被動式的發展與演變機制〉（《中國境內語言暨語言學》第二輯，1994，頁293-319）對古漢語被動式的類型、歷史與興滅機制有很細緻的討論。

[4] 周法高〈古代被動式句法之研究〉（《史語所集刊》二十八本，1956），頁137。

[5] 楊樹達《積微居金文說》（北京：科學出版社，1959），頁26、128。

[6] 楊五銘此文發表於一九八〇年九月在成都召開的中國古文字學研討會，並正式刊載於《古文字研究》第七輯（1982），頁309至317。楊五銘又在〈西周金文聯結詞「以」「用」「于」釋例〉中又補充于字式被動句三例，見《古文字研究》第十輯（1983），頁376。

[7] 管燮初《西周金文語法研究》（1981），頁160；李瑾〈漢語殷周語法探討〉《中華文史論叢》增刊《語言文字研究專輯》上（1982），頁83。

代」。[8]趙誠也在此前後出版的〈甲骨文虛詞探索〉及一九九一〈甲骨文動詞探索〉等文中討論甲骨文的被動式。[9]此外還有周清海〈兩周金文裡的被動式和使動式〉，[10]這個問題也在一些語法研究的論著中被提出。[11]

在這些以古文字為材料的研究中，西周金文被動式研究取得較好的成績，[12]甲骨文被動式研究也頗有突出的進展。不過，由於研究者提出的論述，在觀點及例句釋讀等方面，都還有些出入。本文中，筆者試著檢視已有的研究，並藉由對商晚期及西周早期金文被動式的觀察，檢討諸家所舉卜辭中被動式的例句及相關問題，至於商人是否以變換語序的方式有意識的表達被動的意念，也會在文中約略提及。

貳、商晚期及西周早期金文被動式略述

目前研究漢語史的學者，一般都將先秦古漢語被動式分為兩大類：第一類是有形式標誌的被動式，第二類是沒有形式標誌的被動式。沒有形式標誌的被動句是指：某些句子中的受事者被提前到主語的位置，結合上下文知其語意為被動，但在形式結構上卻與主動句無別。例如「蔡賜貝十朋，對揚王休，作宗彝」（蔡尊），「蔡」是受事者，施事者是「王」，「蔡」被「王」賜予貝十朋，「蔡」賜貝于「王」，在意念上是被動，但其表面結構卻與施事主語句如「王錫金百守，禽用作寶彝」（禽簋）沒有區別。

---

[8] 唐鈺明、周錫馥〈論上古漢語被動式的起源〉《學術研究》1985年5期，頁98-100（以下稱唐鈺明1985b）。

[9] 趙誠〈甲骨文虛詞探索〉《古文字研究》十五輯（1986），頁286；趙誠〈甲骨文動詞探索（二）——關於被動式〉《中國語言學報》第四期（1991），頁185至195。

[10] 周清海〈兩周金文裡的被動式和使動式〉《中國語文四十週年紀念刊文集》（北京：商務印書館，1993），頁215-219。

[11] 如管燮初（1981），頁60-65；沈培《殷墟甲骨卜辭語序研究》（台北：文津出版社，1992），頁132；張玉金《甲骨文虛詞辭典》（北京：中華書局，1994），頁295-296。

[12] 唐鈺明〈古文字資料的語法研究述評〉（《中山大學學報》1988年4期，頁61）指出楊五銘該文「將被動式產生於『春秋以後』的原有結論推進了一大步」。

有形式標誌的被動式又可大致區分為三小類：

第一類：「見」字句，用助詞「見」表被動，如「年四十而見惡焉」（《論語‧陽貨》）。

第二類：「為」字句，用助詞「為」引出施動者，如「不為酒困」（《論語‧子罕》）。

第三類：「于」字句，用介詞「于」引介出施動者，如「憂心悄悄，慍于群小」（《詩經‧北風‧柏舟》）

戰國晚期又出現了「被」字式。各式被動式及其混和變化式（如「為V」「為某V」「為V于某」「為V於某」「為某所V」等）在先秦漢語中出現的頻率，請參看唐鈺明（1985a）文中附表。「被」字式被動句較上述三類晚出，大約在戰國後期才出現少數的例子，商代及西周、春秋時期是看不到的。

商代晚期到西周時期銅器銘文多記載賞賜的恩寵，這些賞賜銘文必記錄賞賜者、受賜者、賞賜物品，正好作為我們觀察與分析施受關係及主客關係，討論主動、被動句式的最佳材料。西周金文中有形式標誌的被動式，皆為于字式，用「于」字引介施事者。多數的賞賜銘文皆以主動句表達。以下略舉商晚期至西周初期數例如下：[13]

王易小臣艅夔貝，隹王來正人方，隹王十祀又五。（小臣艅尊，帝乙時期）

王商（賞）乍冊般貝，用乍父己尊。（作冊般甗，帝乙、帝辛時期）

王易小臣邑貝十朋，用作母癸尊彝。（小臣邑斝，帝辛時期）

周公易小臣單貝十朋。（小臣單觶，成王時器）

公賞堇貝百朋。（堇方鼎，成王時器）

王易德貝廿朋。（德方鼎，成王時器）

王賜金百守，禽用作寶彝。（禽簋，成王時器）

另外一種方式是把受事者提前到主語的位置，如

何賜貝卅朋（何尊）

---

[13] 為與殷代卜辭作對比討論，本文此處舉例多以商代及西周早期銘文為主。

還有一種是施受雙方都不出現在這個小句中，無法判斷屬於前述二者的哪一種，如：

> 庚申，王才喬，王各，宰梡從，易貝五朋，用乍父丁尊彝。（宰梡角，帝辛時期）

有可能是「王賜貝五朋」，也可能和何尊一樣，是「宰梡賜貝五朋」。下列兩組銅器銘文值得特別注意，一組是二祀邲其卣、四祀邲其卣、六祀邲其卣，三件器物銘文中涉及的主要人物相同，唯年代稍有先後。另一組是「麥器」，包括麥方尊、麥方鼎、麥方彝、麥盉，作器者亦相同，作器年代可能稍有先後。邲其卣三器是殷晚期帝辛時器，[14]四件麥器是西周早期的器物[15]。先看邲其卣：

> 丙辰，王令邲其兄（貺）䰚于夆田，䰔賓貝五朋。（二祀邲其卣）
> 己酉，王才梌，邲其易貝。才四月，隹王四祀，羽日。（四祀邲其卣）
> 乙亥，邲其易乍冊𡏇𣪘一珷一，用乍祖癸尊彝。（六祀邲其卣）

其中二祀邲其卣的王命邲其貺賜䰚以夆地之田，在施受關係中，邲其是施動者，是以主動方式表達的，「䰔賓貝五朋」可能是䰔賓贈邲其貝五朋，以主動方式表達，省略間接賓語「邲其」。四祀邲其卣「邲其賜貝」是「邲其賜貝于王」，將受事者移到動詞前，施動者「王」省略，受動者是邲其。六祀邲其卣中，施受關係並不清楚，如以邲其是施事者，受事者是乍冊𡏇（同作冊般甗「王賞作冊般貝」），依照銅器稱名慣例，這件器物應叫「作冊𡏇卣」；若以邲其爲受事者，施事者爲乍冊𡏇，就近似後來的「于」字式被動句，只是在動詞「賜」與施事者「乍冊𡏇」之間少了介詞「于」以引介施事者。三件器物製作年代相近，郤以不同方式表達施受關

---

14 邲其三器曾有疑僞之說（見魯實先〈殷契新詮〉之六，頁57-58，71-72），近來較多數學者不接受此觀點。

15 郭沫若定麥器爲康王時期，見《兩周金文辭大系考釋》頁40-43。唐蘭定爲昭王時期，見〈論周昭王時代的青銅器銘刻〉《古文字研究》第二輯(1981)頁55-65。

係。而「𠃬賓貝五朋」和六祀𠨘其卣之所以讓讀者感到施受關係不清楚，也傳達出這樣的表達方式確有不足。這是殷晚期的情況。

再看四件麥器中共六句賞賜銘文的表達方式：

1. 王以侯內（入）于寴（寢），侯易玄周戈。
2. 雩王才㡿（岸）。已夕，侯易者𢦚臣二百家……。
3. 乍冊麥易金于辟侯，麥揚，用乍寶尊彝。（以上麥方尊）
4. 邢侯延嗝于麥，麥易赤金，用作鼎，用從邢侯征事，……。（麥方鼎）
5. 邢侯光厥正吏，嗝于麥宮，易金，用作尊彝，……。（麥方彝）
6. 邢侯光厥吏麥，嗝于麥宮，侯易麥金，作盉，用從邢侯征事，……。（麥盉）

以上；1、2、4相似，受事者（侯和麥）都置於動詞「易」的前面，傳達出被動的意念，可以認爲是沒有形式標誌的被動式；第3句是標準的「于字式」被動句，以「于」字引介施事者「辟侯」。第6句是主動句，施事者邢侯，受事者是麥。第5句和前述的宰椃角相似，是「侯賜金」或「麥賜金」不太清楚。這是西周早期四件麥器的情況。

西周金文中表達賞賜褒揚的施受關係，多以主動式，或將受事者提到謂語動詞前，真正有形式標誌的被動式都是「于字式」。

西周金文中有兩個常被引用爲証明當時有「見」字式被動句的例子：

嗚呼，乃沈子妹克蔑，見厭于公，休沈子肇、斁、狃貯積。（沈子簋）

隹公大史見服于宗周年，才二月既望乙亥，公大史咸見服于辟王，辨于多正。（作冊虢卣）

楊五銘、管燮初、李瑾、鄧宗榮等人，都據此例以爲西周金文中有「見V于×」式的被動句。[16]潘允中《漢語語法史概要》引沈子簋之例說：「令人

[16] 楊五銘〈西周金文被動句式簡論〉，頁315至316。管燮初《西周金文語法研究》，頁60。李謹〈漢語殷周語法問題探討〉，頁83至844。鄧宗榮〈古漢語被動表示法中的幾個問題〉《南開學報》1983年2期，頁75。

驚異的是：這種較完善的被動式，竟然早就產生于西周的金文。」[17]這種看法實有未安，因爲這兩句銘文的釋讀仍有問題。郭沫若將「見厭于公」的「厭」字釋爲「滿足」，[18]吳闓生、于省吾則將「厭」字釋爲「合也」。[19]周法高先生讀此句爲「見，厭于公」解作「朝見公，並合於公的心意」。[20]作冊虒卣的「見服于宗周」「見服于辟王」兩句，楊樹達的解釋是「見事蓋猶言述職」。[21]此說甚爲通達。唐鈺明（1985a）認爲：

> 「見×于×」式是「于」字式與「見」字式相結合的，比較完善的綜合型被動式，這種形式是「于」字式與「見」字式廣泛流行之後，亦即戰國後期才出現的，何以西周早期會孤零零的冒出一例呢？⋯⋯查甲骨文、金文以及《尚書》《詩經》《周易》，「見」字通作實詞用，並未虛化，單純型的「見」字式尚無以產生，更遑論綜合型的「見×于×」式了。[22]

這個看法是正確的。

就我們看到的例子言，殷晚期的金文在表達施受關係時，多以主動方式呈現，四祀卹其卣「卹其賜金」是唯一將受事成分提到動詞前的例子。西周早期也以上述兩種方式居多，如德方鼎「王賜德貝廿朋」、何尊「何賜貝卅朋」，並開始出現「于字式」被動句，如中𣪘「茲𠧧人納使，賜于武王」、叔𧽚方彝「叔𧽚賜貝于王」、麥尊「作冊麥賜金于辟侯」等例。有些學者不把沒有形式標誌的被動式當成被動式看待，那麼，金文中的被

---

[17] 潘允中《漢語語法史概要》（河南：中州書畫社，1982），頁251。。

[18] 郭沫若《西周金文辭大系·考釋》，頁142-143。

[19] 吳闓生《吉金文錄》、于省吾《雙劍誃吉金文選》卷上之三，頁2下。

[20] 周法高〈沈子簋「見厭于公」解〉《東海大學中文學報》第八期（1988），頁2。

[21] 楊樹達《積微居小學述林》頁219，〈書康誥見士于周解〉，文中引匽侯旨鼎「匽侯旨初見事于宗周」及巩鼎「己亥，巩見事于彭」與《書》「見士于周」同，《說文》「士，事也」，「見事猶言述職」。馬承源主編《商周青銅器銘文選》三，頁28讀匽侯旨鼎之「見」爲「覲」，引賈公彥《疏》「覲之言勤也，欲其勤王之事」，「見事」意爲勤勞王事。

[22] 唐鈺明（1985a），頁282。

動式須待西周早期的「于字式」出現才算正式開始。「見字式」的被動句在商晚期及西周金文中是看不到的。

參、甲骨文中的被動式

這一節中要討論的問題是甲骨文「有形式標誌」的被動式。

由於甲骨文的性質特殊，它是王室及其主要成員的占卜記錄，內容以卜問福禍和祭祀（包括祭時、祭法、祭牲、祭祀對象）爲主，福禍的施予者多是有能力施予福禍的天神地祇及先公先王，還包括一些自然及人爲因素（如風雨及軍事行動），接受福禍者不外是王室及其主要成員（包括王室的領地及友好關係的方國等）；就祭祀而言，發出祭祀動作的是王室及其主要成員，祭祀的終點接受者當然是有禍福能力的各種神祇。大致言之，這些施受關係是相當清楚的，對於我們分析句中動作的起點和終點，施事及受事，是有利的。另一方面，卜辭簡省的性質卻是分析時的妨害，尤其成套卜辭，多數只在占卜的某一次記錄較詳細，多卜以後，除了卜問的焦點之外，一般都會或多或少的省略，當卜骨未成套出現的時候，我們看到的是一個孤伶伶的簡省句，較難瞭解其前因後果，這時候就必須靠相類似的文例作對比。

唐鈺明（1985b）曾舉出甲骨文六句十例「于字式」，趙誠也指出「甲骨文時代的漢語已經形成了真正的被動式，共有兩個類型：第一類是『見字句』；第二類是『隹字句』。但是這兩種句式卻用得很少。」[23]以下分別討論。

一、關於「見」字句

「見」字在卜辭中出現次數甚多，除了殘斷片外，絕大多數作實詞用，用其本義或引申義者如：

（1）己未卜，殼貞：奋其來見王？一月。

己未卜，殼貞：奋不其來見王？ （《合集》1027正）

---

[23] 趙誠（1991），頁185。

（2）己酉卜，王貞：自不余其見？二月。　　（《合集》20391）

（3）貞：乎見自般？　　（《合集》4221）

（4）戊戌卜，其陰🦴？翌欣，不見雲。　　（《合集》20988）

（5）□己🦴？□不見雲。　　（《合集》19786）

（6）□屮祟，娌，屮見□。　　（《合集》7189正）

（7）王固曰：屮祟，屮見□其隹丙不□。　　（《合集》584甲反）

（8）癸酉□旬亡□曰□屮祟□見，五日□寅□。

（《合集》16941）

例（1）至例（3）皆「進見」「來見」之意。例（4）是問是否陰天，至第二天天晴，沒有「出現」雲，例（5）同。例（6）至例（8）的「見」字接在「屮」字下是名詞特指前文之「祟」有所「顯現」。卜辭中的「見」字也有假借為「覘」及「獻」之例，如：

（9）貞：登人五千乎見舌方？　　（《合集》6167）

（10）辛巳卜，㱿貞：乎見方？六月。

辛巳卜，㱿貞：勿乎見□？　　（《合集》6740）

（11）☑戌卜，貞：𤉲見百牛🦴用自上示？　　（《合集》102）

（12）丁巳卜，其見牛一？　　（《合集》33577）

（13）帝見三牛？　　（《合集》974正）

（14）庚申卜，見麁？

庚申卜，見豰？　　（《合集》22436）

例（9）和例（10）的「見」字假為「覘」，即窺視、偵伺之義。[24]例（11）至（14）為「進獻」「奉獻」之義。

　　卜辭中的「見」字多用為實詞，趙誠指出以下兩例為「見字式」被動句：

（15）己酉卜，𡧊貞：今日王步□見雨亡災？一月。

---

[24] 此從姚孝遂說，見〈殷契粹編校讀〉《古文字研究》第十三輯（1986），頁22至23。

（《續》6.10.4，《合集》12500）

（16）□🜚辛亥，王夢我大敦□，辛亥🜚壬子，王亦夢，尹𠂤𡊍

若（？）□于父乙示，余見𧌒在之□

（《前》7.33.1，《合集》17375）

例（15）「見雨」之「見」，仿例（4）（5）「不見雲」之「見」，可以解釋爲「出現」，也可以是問王今日出行「遇見」雨，會不會有災禍。不論是釋爲「出現」或「遇見」，都還是在「見」字語義範圍內，不必把「見」字釋同「盆成括見殺」之「見」。例（16）之「余見𧌒在之」的「見」字似也可解釋爲「看見」或「遇見」。[25]殷王每有夢，常卜問其吉凶，惟恐有災害發生。卜辭中「王夢隹凶」「王夢隹之孽」「王夢不隹若」之例甚多。試看下例：

（17）庚辰卜，貞：多鬼夢，重疾見？

貞：多鬼夢，重𠱤見？

貞：多鬼夢，重☐見？　　（《簠·雜》65，《合集》

17450）

此例是王夢後卜問是否會出現疾病或災害，[26]例（16）是不是在王夢之後發生一些災害，有待研究。例（15）（16）兩條卜辭，趙誠認爲「見雨」「見𧌒」的「見」字是助詞，是表示被動的一種標誌，並認爲「和后代的『見欺』『見殺』完全一樣。這充分說明見字句這種被動式在甲骨文時代已經存在，而且看來已非萌芽時期。」[27]對於這個觀點，筆者認爲有商榷的必要。首先，誠如趙文所說，這種句式用得很少，卜辭中的「見」字被疑似虛詞者，僅此二例，其中「見雨」一詞中的「見」並非虛詞，「見」字在卜辭中並沒有可確指爲虛化之例。其次，把「余見𧌒」三字從整條卜辭

---

[25] 卜辭中的「有祟」往往也可以「有見」。

[26] 「𠱤」字一般釋爲「言」，在例（17）中，「言」與「疾」並舉，似與「疾」同類，皆爲不祥、不好之事。《佚》98曰「辛亥卜，𠧏貞：王夢，屮𠱤隹之」，「𠱤」釋爲「舌」，形体與「𠱤」相近，有相混之例。「屮𠱤」疑與「隹𠱤見」相似，亦爲不祥之事。

[27] 趙誠（1991），頁185-186。

中孤立出來，不能完整的掌握卜夢卜辭的語境，再從「見虫」去証明「見雨」是被動的句式，推論過程實有瑕疵。[28]

從被動式的語法發展史上來看，「見」字式動句出現在春秋戰國之交，計《左傳》1例、《國語》3例、《論語》1例、《墨子》3例，屬於兩周時期的典籍《尚書》《詩經》《周易》中，只有「于」字式被動句，沒有「見」字式。[29]西周金文中沈子簋「見厭于公」及作冊矢卣「見服于辟王」兩個常被引用為証明當時有「見」字式被動句的例子，前面已經說明是誤釋。如果真如趙氏文中所說「見雨」「見虫」是見字式被動句，「在甲骨文時代已經存在，而且看來已非萌芽時期」，何以只在卜辭第一期中出現此二例，其後都不再出現，直到春秋典籍才出現其例？這是很難說得通的。筆者對於把「見雨」「見虫」認為是甲骨文時代已存在的「見」字式被動句，相當懷疑。

二、關於「為」字句

卜辭中沒有「為」字式被動句，西周金文及《尚書》《詩經》《周易》等典籍中亦未見「為」字式被動句，根據唐鈺明(1985a)的統計，「為」字式出現在春秋戰國之交的《左傳》《國語》《論語》《墨子》書中共計四十五例，其中「為＋動詞」式二十八例，「為＋施事者＋動詞」式十七例，到戰國後期，包括出土文字資料及典籍共得「為」字式六十例，其中「為＋動詞」有八例，「為＋施事者＋動詞」有五十二例。[30]這個統計顯示「為」字式自始即有兩種表示法，早期以「失禮違命，宜其為擒也」（《左·宣》二年）這種「為V」式居多，後期以「止，將為三軍獲」（《左·襄》十八年）這種「為AV」式居多（A為施事者）

趙誠在文章中指出甲骨文裡有表示被動的「隹字句」，和後來的「為字句」大體相當，甲骨文的這個「隹」，後來演化孳乳為惟、唯、維，不知道在什麼時候被「為」所代替。[31]趙氏舉出兩類「隹」字被動式之例：

---

[28] 趙誠（1991，頁195）也同意「見雨」是碰見下雨或看見下雨，把「見雨」視為被動是從「見虫」來考慮的。

[29] 唐鈺明（1985a），頁285。

[30] 唐鈺明（1985a），頁285。

[31] 趙誠（1991），頁186至187。

（18）貞，亘其果隹執。　　（《乙》5303）

（19）貞，有疾，隹黃尹蚩。　　（《六雙》17）

（20）貞，疾，隹父乙蚩。　　（《乙》3402）

趙氏認為例（18）類似前述的「為V」式，例（19）（20）類似「為A
V」式。現在先討論例（19）（20），將上下文抄錄如下：

（21）☒午卜，㱿貞：屮疾止，隹黃尹蚩？

（《六雙》17，《合集》13682）

（22）甲戌卜，㱿貞：翌乙亥，王途首亡☒？，

貞：禦子𢾾于父乙？

貞：隹父乙咎婦好？

貞：不☒父乙咎婦好？　　（《乙》3401，《合集》6032
正）

（23）甲戌卜，王固，吉，其禦。

不隹多妣？

隹多妣？

貞，疫，隹父乙蚩？

不隹父乙蚩？

王固曰：隹父乙咎。　　（《乙》3402）（《合集》6032反）

例（22）和（23）是一個片子的正反兩面。正面先問要不要禦子𢾾于父
乙，反面王固曰，吉，其禦。正面正反對貞卜問是不是父乙咎婦好（𦥑，
從倒止在人上，此從陳夢家讀為咎），[32]否定句漏刻了「隹」字。反面又正
反對貞「疫」是不是父乙蚩的？王固曰「隹父乙咎」。從正面的「隹父乙
咎婦好」「不隹父乙咎婦好」，可以知道反面的「疫，隹父乙蚩」「不隹
父乙蚩」句中的動詞「蚩」的賓語也可能是「婦好」，只是省略了。反面
的「不隹多妣」「隹多妣」則更是省略了主要動詞「蚩」或「咎」，也省
略了賓語「婦好」。從正反兩面共七條卜辭看來，我們知道，婦好有
「疫」，卜問是「父乙咎（或蚩）」？還是「多妣咎（或蚩）」？最後王

---

[32] 李孝定師編述《甲骨文字集釋》〈存疑〉，頁4530。

的固詞是肯定的說「父乙咎」。趙氏文中所舉的「疾，隹父乙蚩」，只從單條卜辭表面來讀，似乎讀成「爲」，釋成「爲父乙蚩」，很是文從字順，但是筆者有以下兩點考慮：第一是卜辭中卜問被先祖或河岳等神所蚩或咎者極多，不省略賓語者習見，卜辭常見「隹××蚩王」「隹帝蚩禾」「蚩年」「蚩雨」「蚩我」或「蚩某人」之例極多，所以「隹父乙蚩」應視爲省略賓語，不宜將之與「爲天下笑」等同起來。其次，我們必需注意到卜辭中「隹」字的用法。下舉數例是卜辭中「隹」字用法極典型的例子：

（24）貞，不隹帝蚩我年？

　　　貞，隹帝蚩我年？二月。　　　（《合集》10124正）

　　　王固曰：不隹帝蚩，隹占。　　　（《合集》10124反）

（25）隹南庚蚩王？

　　　不隹南庚蚩王？　　　（《合集》10299）

（26）丙午卜，隹岳蚩雨？

　　　隹河蚩雨？

　　　隹夔蚩雨？　　　（《屯》2438）

（27）貞：隹岳蚩？

　　　貞：隹夔蚩？

　　　貞：隹企蚩？　　　（《合集》24960）

「隹」字後面所跟的成分往往都是句子的焦點，例（24）（25）「隹」「不隹」是正反兩面的對貞，句子的焦點是在貞問「帝」會不會「蚩我年」、「南庚」會不會「蚩王」，是是非問。例（26）（27）的焦點則在問是那一個先祖神明爲害，「隹」字仍是具有提示焦點的作用。趙氏文中所提的「疾，隹父乙蚩」正好有對貞的「不隹父乙蚩」，知其爲「是非問」，至於「有疾止，隹黃尹蚩」，由於沒有對貞的句子，也非成套卜辭，所以無從得知其爲是哪一種問法問，但不論如何，這些句中的「隹」都是提示焦點的作用，不與被動標志的「爲」字相類。

　　至於例（18）「亘其果隹執」（《乙》5303），趙氏解釋爲「亘果然被捕捉」。這個片子跟《乙》5726綴成一個較完整的大龜版，收爲《丙》304。我們先把這個片子中跟「亘」相關的卜辭抄錄如下：

（28）戊午卜，殷貞：雀追亘⃞隻？

　　　戊午卜，殷貞：雀追亘□？

　　　貞：亘不✿隹執？

　　　貞：亘其✿隹執？

　　　庚午卜，爭貞：亘執？

　　　庚午卜，爭貞：亘不其執？

　　　貞：亘不其執？

　　　貞：亘執？　　　　（《丙》304，《合集》6947正）

第一條第二條正反對貞，卜問殷王將領雀追亘有獲或不其獲。接下來的「亘不✿隹執」和「亘其✿隹執」也是正反對貞，卜問的重點在「隹執」或「不隹執」，後四條卜辭也是兩兩正反卜問。根據趙氏的讀法，把「✿」讀爲「果」，把「隹」字視同被動標志「爲」，讀成「亘果然被捕捉」，則這個句子應該是一個說明結果的肯定句，不應該出現「亘不✿隹執」這樣的對貞句。「✿」字是否應讀爲「果」，學者尚有歧見，[33]但這個字不是這個句子的重點，「隹執」「不隹執」才是貞問的主題，「隹」字的作用在於強調占卜的重點「執」，把「隹」字解釋成「爲」是相當牽強的。試比較下面的例子：

（29）婦好隹蛊？

　　　婦好不佑？　　　　（《合集》2667正）

（30）✗隹蛊？　　　　（《屯》1143）

（31）癸未卜，賓貞：茲𠂤不隹降禍？

　　　癸未卜，賓貞：茲𠂤隹降禍？

　　　　　　　　　　　　（《丙》61，《合集》11423正）

就例（29）而言，「婦隹蛊」看成「婦好被蛊」似乎是可以通的，因爲「婦好」是受事者，是「蛊」的賓語。[34]但以同樣表面結構的例（30）而言，「✗隹蛊」中的「✗」是殷人先祖，是施事者，蛊是動詞，絕不可能把句中的「隹蛊」看成「被蛊」。例（31）同例（30），「茲𠂤」是施事

---

[33] 「✿」字上從「𣏟」，與「果」字不同。

[34] 如果此時婦好已死亡，她也有可能成爲福禍他人的先人。

者。「爲 V」式被動句的受事者必須放在「爲 V」之前，但卜辭中，「隹 V」常與「不隹 V」對卜，而「隹 V」「不隹 V」之前，可以是受事者，也可以是施事者，因此，筆者不贊成把卜辭中的「隹 V」與被動式「爲 V」等同看待。「隹」字除了在是非問句外，更多的情況是在於提示焦點。我們必須把「隹」字在卜辭中的作用作較全面的觀察，不宜孤立出幾個例子來解釋。同時，我們也必須對卜辭中的人物身份有所了解，才能分析句中的施受關係。

把甲骨文中的「隹」字視爲被動句中附加於動詞前的標誌，等同於「爲」字式被動句，是不正確的。

三、關於「于」字式

唐鈺明(1985b)〈論上古漢語被動式的起源〉文中舉出六例十句于字式被動句，其後沈培（1992）、張玉金（1994）也都提出新的例句，將被動式的源頭，上溯至甲骨文時代，可以說是將被動式研究向前推進了一步。同時，也有不同的意見，或對於這種于字句存疑，[35]或不認爲是真正的被動句。[36]以下我們先討論各家所舉例句中可能有疑的例子：

（1a）丁亥卜，㱿貞：庙哭于滴（漳）？
（1b）庙不哭于滴（漳）？　　　　（《乙》7336，《合集》8310正）
（1c）王固曰：勿哭。　　　　　　（《乙》7337，《合集》8310反）

哭字，于省吾釋爲「汨」，認爲此條卜辭是貞問「庙地是否爲漳水所陷沒」，[37]從《屯》4529「于南陽西哭」看來，讀成「汨」大概不可靠，解釋成「爲漳水所陷沒」暫時不能成立。

（2）異其左于筊？　　　　　　（《合集》30347）

這一條卜辭上下全文抄錄如下：

---

[35] 魏培泉〈古漢語被動式的發展與演變機制〉，頁296。
[36] 郭錫良〈介詞"于"的起源和發展〉《中國語文》1997年2期，頁134。
[37] 于省吾《甲骨文字釋林·釋哭》（北京：中華書局，1979），頁420-421。

（2a）辛□貞□

（2b）貞：于奂？

（2c）癸亥卜，彭貞：ᐖ其左于奂 ？

（2d）癸亥卜，□于宁？　　　（《合集》30347）

唐鈺明文中釋ᐖ字為人名，奂字為神靈名，認為是卜問「ᐖ會被奂所輔佐嗎？」我們從(2d)看來，這條卜辭貞問的焦點應該是「于奂」或「于宁」，「于宁」的「宁」字本義為人所居住的房屋，卜辭常見「乍宁」，即營建房屋之意。[38]「于宁」一詞，對照《合集》30346「勿以在茲？其乎以于宁？」看來，「于宁」和「在茲」都是表示處所的介詞結構。以此例之，「于奂」大概也是一個處所介詞結構，由「于」引介處所「奂」，不是一個有禍福能力的神靈。

（3）□其奠乍方，其祝□至于大乙，于之，若？　　（《屯》3001）

此辭卜問安置乍方，對先公先王舉行祭祀，是否會受順助。「于之」跟在祭祀動詞之後，一般都是指祭祀行為所在的處所，「之」字是指代辭，由介詞「于」引介，如：《合集》27083「三匕二示卯，王祭于之，若，有正？」「于之」若跟在行為動詞之後，一般都是指行為所發生的處所，如《合集》27769「其莫入于之，若，亥不雨？」《屯》3001這條卜辭的「于之」可能是祭祀的處所，也可能是「奠乍方」的處所（卜辭有「乍邑于之」例）。張玉金讀為「于之若」，意思是「就會被他們順助嗎？」以「之」字指代前面「祝」的對象「□至於大乙」，恐怕還需再考慮。甲金文中以「于」字引介施動者形成的介詞組，皆置於及物動詞後，似無前置之例。

接著我們來看幾個由「于」字引介施事者的例子：

（1a）丙寅☒，亙貞：王㛸多屯，若于下上？

（1b）貞：王㛸多屯，若于下乙？　　（《合集》808正）

（2a）貞：王㛸多屯，不左，若于下上？

（2b）貞：王㛸☒屯，不若，左于下上？

（《丙》523，《合集》809正）

---

[38] 張玉金〈釋甲骨文中的“宁”〉《古漢語研究》1966年4期，頁17-23，83。

「若」的本義是以手順髮，在上述卜辭中，「若」是順助沒有災禍之意；「左」是相左，正與「若」「右」相反，是不順助的意思，[39]例（2a）的「不左」意思相當于「若」，（2b）的「不若」相當于「左」。蘗是一種用牲法，「多屯」是牲，王以蘗的方法用多屯爲牲，會不會被上下、下乙等神明所「若」或「左」？「若」和「左」都可當及物動詞用，介詞「于」引介行爲的起點「下上」「下乙」。

　　（3a）己未卜，☒貞：旨□千，若于帝？右。
　　（3b）貞：旨□，不□若于帝？左。（《丙》212，《合集》14199）

句末「左」「右」二字與命辭略有距離，可能是驗辭。卜問會不會「被帝順祝」，結果是「右」，會受到保佑。「若于帝」就會受到保佑，「不若于帝」就會「左」（不受順助），「帝」是行爲的出發點，由「于」引介作爲及物動詞「若」的補語。

　　（4）不若于示。（《乙》3400，《合集》1285反）

「示」是神主，或爲神明的代稱，「示」能福禍時王，如「□殻貞：示若王」（《合集》13260甲）「示左王？示弗左？」（《合集》10613正）例（4）這一條卜辭四字以朱書寫在龜版反面的甲橋上，「不若于」三字直行，「示」另行，應連讀。「不若于」下有刻辭「勹鼀入」，不連讀。[40]

　　（5a）庚戌卜，亘貞：王呼取我夾在𠂤鄙，若于☒？王固曰：□，
　　　　　若。
　　（5b）庚戌卜，亘貞：王呼取我夾☒𠂤鄙，不若☒？
　　　　　　　　　　　　　　　　　　　　（《合集》7075正）

---

[39] 屈萬里《殷虛文字甲編考釋》（台北：中研院史語所，1961）2416片考釋「𠂇即左字。《綜述》（570頁）讀爲佐，殊費解。疑此當讀爲昭公四年左傳"不亦左乎"之左，杜注所謂"不便"者也。"亡左"意謂無有不便；言事將順遂也。」（頁304）李孝定師《甲骨文字集釋》（台北：中研院史語所，1965）「左」字條下曰「言『弗左』言『不左』，蓋言不相違戾也」（頁951）。

[40] 《殷墟甲骨刻辭類纂》及《殷墟甲骨刻辭摹釋總集》讀爲「不若于勹鼀」，少一「入」字，不確。

「🔲」字僅出現在這一條卜辭上，不詳其義。由「于」引介的介詞組可能表時間、處所及動作的起、終點，這個句子中，「于詞組」最可能的是引介的是動作的起點，「🔲」字推測爲神靈名，是很可能的。沈培指出這個句子是由「于」引導的被動式，應該可信。[41]

　　類似的例子還有下列一句：

　　　（6）戊辰卜：王乞以人狩，若于🔲示？（《合集》1023）

「🔲示」是神主名，與「上示」「大示」相類。「🔲示」也能給予福禍，如「貞：下上🔲示弗其若？十三月」（《合集》14269）。這條卜辭問王狩獵是否被「🔲示」所若，「于」詞組補充說明謂語動詞「若」這個行爲的起點。

　　下面兩個例子也可能和被動句式有關：

　　　（7）貞：虫（有）不若于父乙？（《合集》3255正）
　　　（8）甲子卜，㝇貞：王虫（有）若于□？（《合集》16339）

卜辭常見「虫不若」「亡不若」，「虫」讀作「有」。從例（8）可知例（7）的主語也可能是「王」，「有若」或「有不若」是句子的謂語，「有」是謂語動詞，「若」或「不若」是賓語，「于父乙」和「于□」介詞結構作補語，補充說明其來源。這兩條卜辭也可能是「于」字式被動句。

　　下列卜辭有沒有可能是在「若」的後面省略了「于」字呢？

　　　王無不若唐。（《合集》2947）
　　　甲申□多尹□若上甲。（《屯》4517）

在卜辭中，先公先王能對王或王族施以福禍，而時王不能對先公先王施以福禍，所以我們推測上述這兩個句子在「唐」和「上甲」前省略了介詞「于」。類似這樣的例子可能還有一些。

　　有的學者認爲卜辭中的于字式被動句還不是真正的被動式，針對前引的例（1）（2）指出：

---

[41] 沈培（1992），頁132。

上下可以認爲是引進的施事，只是"若""左"還不是典型的及
物動詞。其實"于"字句不能算真正的被動式，"于"引進的是動作
適應的範圍，是一種廣義的處所。[42]

這個說法值得考慮，「于」字在卜辭中用爲引介祭祀對象佔最大比例，這
個祭祀對象是「于」字前面的祭祀動詞動作所及的範圍，是廣義的處所，
但是在前引例句中，由「于」字所引介的神靈，是動作「若」「左」的起
點而不是目的，不能視爲「若」「左」動作所及的範圍。不過，我們是不
是可以認爲前引例句中，由「于」字所引介的神靈名所代表的是廣義的處
所，說明動作所自來？卜辭中是有以神靈名代表處所的例子，如：

> 其莽，王受祐？
> 勿巳莽于之，若？
> 其莽在父甲，王受祐？
> □祖丁莽□受祐？（《合集》27370）

「于之」指祭祀的處所，「在父甲」應與習見的「在祖丁宗」「于祖乙
宗」類似，指父甲的宗廟，不過這種以神名指祭祀處所的例子，前面的介
詞多用「在」不用「于」。[43]看來我們似乎沒有理由把「若于下上」簡單的
看成由「于」引介處所說明動詞「若」的起點所在。

「下上」一辭在卜辭中出現次數甚多，從相關辭例來看，他（或他
們）對人間福禍有相當大的支配力，[44]王出征時最常貞問的就是上下若不
若？左不左？在第一期卜辭中，時王武丁疾病或有禍，時常貞問是否父乙
爲害。[45]前引的「若于父乙」「若于下上」的下上與父乙，應該都是對時王
有福禍能力的神靈，雖然他們都已不在人世，並不是真正具有生命，但是
就具有施予福禍權力而言，他們都是有生命的，由「于」字引介一個有生
的起點，在卜辭中例子並不多。

卜辭中還有一種表示福禍來源的方式，以「自…于…」結構說明福禍
源自集體的一群神靈，例如：

---

[42] 郭錫良（1997），頁134。

[43] 沈培（1992），頁119。

[44] 「上下」或以爲天神地祇、或以爲上示下示。

[45] 父乙與武丁的關係包括「蚩」「祟」「咎」「孽」等。

　　丁卯，王卜貞：今🔲亞九🔲。余其從多田于多伯正盂方伯炎。重
衣，翌日步，無左。自上下于🔲示，余受有佑，不🔲戈。告于大邑
商，亡🔲在🔲。🔲引吉。在十月，遘大丁翌。

（《甲》2416；《合集》36511）

這類卜辭多集中在第五期，有時是「上下🔲示受余佑」（《合集》
36482）「上下于🔲示受余佑」（《合集》36507），「自…于…」可譯爲
「從…到…」，是「受余祐」這個小句的主語。「重衣，翌日步，無
左。」是一個小句，不能讀爲「無左自上下于🔲示」，拿來跟前述的「左
于下上」並列齊觀，他們說明福禍來源的方式並不一樣。

　　至於「若」「左」是否爲及物動詞的問題，在卜辭中，這兩個動詞確
以不帶賓語爲常，但是帶賓語的例子也不少見，例如：

　　己酉卜，方貞：大甲若王？（《合集》3216正）
　　且丁若小子🔲？且丁弗若小子？（《合集》6653正）
　　🔲貞：出，🔲家且乙弗左王？我家且辛弗左王？

（《合集》13584甲正）

　　壬寅卜，殼貞：帝弗左王？（《英》1136）

郭錫良認爲「左」「若」不是一個及物動詞，而否定前引的「若于下上」
「左于下上」等不是被動句式，從前引的例句看來，我們似乎沒有理由同
意。

　　陳永正對於楊五銘所舉的西周金文于字式被動句有所質疑，認爲「不
妨把它們視爲被動式的雛形，或是由原始的被動句向眞正的被動式過渡時
期的產物」，他特別強調：

　　　　眞正的被動式的確認，當以「于」字成爲被動式的主要標誌爲
　　界。如王力所說的：「外動詞後面沒有賓語，並且緊跟著介詞『於』
　　字，可見行爲是施及主語所代表的事物了。」[46]

---

[46] 陳永正〈西周春秋銅器銘文中的聯結詞〉《古文字研究》第十五輯（1986），頁
　　308。

王力此語見於《漢語史稿》。如果依照這個看法，西周金文中「賜貝于王」等例的外動詞「賜」後帶賓語「貝」，不能算是真正的被動式，大概像戰國晉國銅器𪓷羌鐘「賞于韓宗，令于晉公，卲于天子」這種例子才是真正的被動式。我們不一定得同意王力的看法，不過，如果要以這個尺度來衡量卜辭的幾個于字式被動句，倒是合乎王力的標準，「若于下上」「左于下上」「若于帝」等例，在「若」和「左」之後都緊跟著介詞「于」。

　　卜辭中省略受事者或是不交代施事者的例子是極常見的，當要明確交代受事者時，可以把受事者提前，例如：

　　　　癸亥卜，彭貞：其酯乡，王下上亡左？　　（《合集》27107）

或是分成兩個小句，如：

　　　　貞：王往出，示若？　　（《合集》5096正）

但是在外動詞後直接跟賓語並緊接著交代行為的起始點的例子（如「若王于下上」）似乎沒有看到。這跟西周金文的于字式被動句「鬲賜貝於王」「作冊麥賜金于辟侯」不同，這可能跟及物動詞的性質不同有關，「賜」字以帶雙賓語為常，「若」字則通常只帶一個賓語。

　　「被」字句被動式敘述的事件，往往是不如意或不期望的事，[47]「于」字式被動句就沒這種特質，以甲骨文而言，「若」是順遂，「左」是不順，被動式不一定表示不幸的事件。金文中，被賞賜及被蔑歷都是愉快的事情。這和漢代以後興起的「被」字句被動式多表達不愉快的事情有所不同。

　　最後我們要提出一個問題：甲骨文中不少性質與「若」「左」相近的動詞，也有與金文相同的「賜」字，為什麼都不見用被動句式表達？這可能是個沒有答案的問題，不過我們也可以觀察一下。卜辭中最關注的主題就是天神地祇先公先王是否福禍時王，與「若」相似表示福佑的動詞如「𢍺」、「妥」等，都未見以被動形式出現，以下略舉數例，前註＊者表示該句不是卜辭的習慣形式：

---

[47] Haenisch在1933年指出「被」字句常表達不幸之事，見周法高《中國古代語法·造句篇》（1961）頁96註1引；王力《中國現代語法》（1944）頁173也提出類似的觀點。

貞：父乙芻于王？（《合集》2220）[48]

*王芻于父乙

妾余一人　（《合集》36181）

*妾余一人于上下　　　*余一人妾于上下

卜辭中有許多與「左」相近表示不利或爲害的動詞，也不見以被動形式表達，以下略舉數例：

祖乙孽我　　　　（《合集》1632）　　　　*我孽于祖乙

祖丁弗祟王　　　（《英》52）　　　　　　*王弗祟于祖丁

黃尹蚩王　　　　（《合集》6946）　　　　*王蚩于黃尹

帝奸茲邑　　　　（《合集》14211）　　　*茲邑奸于帝

隹父乙咎婦好　　（《合集》6032）　　　　*婦好咎于父乙

貞：帝隹其終茲邑？　　　　　　　　　　*茲邑終于帝

貞：帝弗終茲邑？（《合集》14209）　　　*茲邑弗終于帝

卜辭中有「易」字，用法之一讀爲「賜」，與金文同，其辭例略舉如下：

乙卯卜，亘貞：勿賜牛？貞：賜牛？　　　　（《合集》9465）

庚戌□貞：賜多女屮貝朋。　　　（《合集》11438）

□征不圉，賜貝一朋。一月。　　　（《合集》40073）

壬午，王田于麥彔，隻商戠兕。王賜宰丰帶小糸（兄）。在五月，唯王六祀肜日。　　　（《佚》518）[49]

不論動詞「賜」後帶一個賓語或雙賓語，我們都看不到類似「鬲賜貝于王」的例子，也沒有將受事者提前如「卹其賜貝」的例子。[50]這與商晚期和西周早期不太一樣。當然這也可能跟辭例不夠多有關。

---

[48] 「芻」字暫從于省吾讀爲「畜」，畜好之意（《甲骨文字釋林》，頁263-267）。鍾柏生讀爲「諏」或「詛」，即「父乙是否加殃于王」之意，亦可備一說。見〈卜辭中所見的芻牧地名〉《台灣大學考古人類學刊》五十期（1995），頁182註4。

[49] 「王賜宰丰帶小糸（兄）」這一句卜辭的具體解釋還有爭議，但是「王賜宰丰」應該沒有問題。

[50] 《英》787有「貞：賜牛于」，于字後空而未刻，未刻之字有沒有可能是賜予者呢？沈培（1992，頁82）根據動詞「賜」後有接處所補語之例，認爲此片「賜牛于□」中未刻之字可能是地名。其說可信。

卜辭中與「易」（賜）意思相近的有「畀」（付與、奉獻）、「以」（致送）， 如「畀若」（916正）、「丁畀我束」（15940正）、[51]「畀㲋」（15942）、「以羌」、「以牛」等，都沒有見到以「于」字引介施事者的例子。只有「畀」字有少數將受事者置於動詞前的例子：

　　　　貞：小母畀奚？　　　（651）

「小母」是被獻與祭品「奚」的對象。

　　　　貞：羊畀舟？　　　（795正）
　　　　貞：而任霽畀舟？　　　　（10989正）

「羊」和「而任霽」可能是被付與「舟」的對象。[52]這些例子與金文「何賜貝」一樣，是受事主語句。

　　為什麼甲骨文中「若」「左」動詞偶用被動句式，而其他性質相近的動詞不用？為什麼甲骨文中的「賜」不用被動句式，金文中「賜」動詞後有時用「于」字式被動句，而與「賜」相近的動詞「兄」（讀為貺）或「光」（讀為貺）都沒出現被動句式？[53]這些現象目前可能沒有答案，但是，能提醒我們多思考一下，在甲骨文及晚商西周金文中，被動句式似乎還處在發軔時期，這種句式並不普及，適用的動詞還很有限，尤其在殷商時期，表達施受關係，被動句式並非習以為常。

　　附帶討論關於沒有形式標誌的被動式。前面我們已經陸續舉了一些例子，如「帝見三牛」「羊畀舟」等 ，受事者在句中都處於主語的位子。這樣的例子在卜辭中不勝其數，可以稱之為受事主語句，[54]這是卜辭中一種正常的語序。趙誠認為：

---

[51] 「束」字可能是一種災害，具體意義待考。

[52] 「羊」是國族名，「任」是一種身份或職官，「而任霽」是而地或而族之任名霽者。
　　關於「畀」字的討論，請參見裘錫圭〈「畀」字補釋〉《古文字論集》（北京：中華書局，1992），頁90-96。這兩個例子中的「羊」和「而任霽」也有可能是施事者。

[53] 宰甫卣「王光宰甫貝五朋」、中方鼎「今兄畀女裹土」、折尊「令作冊折兄𤰔土于相侯」。

[54] 沈培（1992），頁58。

從整個卜辭看來，甲骨文時代表示被動的"見字句"和"隹字句"用得非常之少，當時表示被動的意思，大多是用變換詞序即變換動詞的地位來完成，就是用動賓表示主動，用賓動表示被動。[55]

趙文中舉出一些例句說明，如「今夕弗歷王自」「今夕自不歷茲邑」是主動句，「今夕自亡歷」「茲邑亡歷」是被動句。我們認為像「今夕自亡歷」「茲邑亡歷」這樣的例子其實是主謂句，只是主語是個受事者，這並不是透過變換語序的方式來完成。趙氏文章中也得承認這個事實，指出：卜辭中大量的動賓結構也可以寫成賓動結構，而在意義上並無分別。[56]卜辭中很多受事主語句，也許能傳達被動的意念，但是這類句子沒有形式上的標誌。我們支持王力的看法：「當我們討論被動式的時候，指的是具有結構特點的被動式，而不是概念上的被動。」[57]在這兒就不多談了。

肆、結語

近年來對甲骨文被動式的研究，都指出甲骨文中確實存在一些「于」字式被動句，這些「于」字結構常跟動詞「若」「左」結合形成被動句，說明福禍的來源。在卜辭中，「于」字式被動句並不多，與「于」字結合形成被動句的動詞也十分有限，被動句式在甲骨文時期應仍屬發軔時期。甲骨文中較多受事主語句，或能傳達被動的意念，但不能得出「賓動」表示被動的結論。至於「見」字式、「為」字式被動句，在卜辭中是不存在的。

參考書目

---

[55] 趙誠（1991），頁185。

[56] 趙誠（1991），頁190。

[57] 王力《漢語史稿》中（1980），頁419。

于省吾　　　　　　　《雙劍誃吉金文選》　北平：大業印刷局民國刊本。

于省吾　　　1979　《甲骨文字釋林》　北京：中華書局。

于省吾主編　1996　《甲骨文字詁林》　　北京：中華書局。

王　力　　　1957　〈漢語被動式的發展〉《語言學論叢》第一輯，頁1-16。

王　力　　　1980　《漢語史稿》（修訂版）　北京：科學出版社。

李　謹　　　1982　〈漢語殷周語法探討〉《中華文史論叢》增刊《語言文字研究專輯》上，頁68-90。

李孝定師編述1965　《甲骨文字集釋》　台北：中研院史語所。

沈　培　　　1992　《殷墟甲骨卜辭語序研究》　台北：文津出版社。

周法高師　　1956　〈古代被動式句法之研究〉《史語所集刊》28本，頁129-139。

周法高師　　1961　《中國古代語法·造句篇》　台北：中研院史語所。

周法高師　　1988　〈沈子簋「見厭于公」解〉《東海大學中文學報》第八期，頁1-4。

周清海　　　1993　〈兩周金文裡的被動式和使動式〉《中國語文四十週年紀念刊文集》（北京：商務印書館），頁215-219。

屈萬里　　　1961　《殷虛文字甲編考釋》　台北：中研院史語所。

姚孝遂　　　1986　〈殷契粹編校讀〉《古文字研究》第十三輯，頁10-39。

姚孝遂主編　1988　《殷墟甲骨刻辭摹釋總集》　北京：中華書局。

姚孝遂主編　1989　《殷墟甲骨刻辭類纂》　北京：中華書局。

唐　蘭　　　1981　〈論周昭王時代的青銅器銘刻〉《古文字研究》第二輯，頁12-140。

唐鈺明　　　1988　〈古文字資料的語法研究述評〉《中山大學學報》4期，頁57-64。

唐鈺明.周錫䪖　1985a　〈論先秦漢語被動式的發展〉《中國語文》4期，281-285。

唐鈺明.周錫䪖　1985b　〈論上古漢語被動式的起源〉《學術研究》5期，頁98-100。

馬承源主編　1986　《商周青銅器銘文選》　北京：文物出版社。

張玉金　　　1966　〈釋甲骨文中的"方"〉《古漢語研究》4期，頁17-23，83。

張玉金	1994	《甲骨文虛詞辭典》　北京：中華書局。
郭沫若	1957	《兩周金文辭大系考釋》　北京：科學出版社。
郭錫良	1997	〈介詞"于"的起源和發展〉《中國語文》2期，頁131-138。
陳永正	1986	〈西周春秋銅器銘文中的聯結詞〉《古文字研究》第十五輯，頁303-329。
陳夢家	1956	《殷墟卜辭綜述》　北京：科學出版社。
楊五銘	1982	〈西周金文被動句式簡論〉《古文字研究》第七輯，頁309-317。
楊五銘	1983	〈西周金文聯結詞「以」「用」「于」釋例〉《古文字研究》第十輯，頁367-377。
楊宗兵	1996	〈被動結構不等於被動句〉《古漢語研究》3期，頁42-44，72。
楊樹達	1959	《積微居金文說》　北京：科學出版社。
楊樹達	1971	《積微居小學述林》　台北：大通書局影印。
裘錫圭	1992	《古文字論集》　北京：中華書局。
管燮初	1981	《西周金文語法研究》北京：商務印書館。
趙　誠	1986	〈甲骨文虛詞探索〉《古文字研究》十五輯，頁277-302。
趙　誠	1991	〈甲骨文動詞探索（二）──關於被動式〉《中國語言學報》第四期，頁185至195。
潘允中	1982	《漢語語法史概要》　河南：中州書畫社。
鄧宗榮	1983	〈古漢語被動表示法中的幾個問題〉《南開學報》2期，頁75-80。
魯實先	1963	〈殷契新詮〉之六，台灣師大國文研究所講義。
鍾柏生	1995	〈卜辭中所見的芻牧地名〉《台灣大學考古人類學刊》五十期，頁163-184。
魏培泉	1991	〈古漢語介詞「于」的演變略史〉《史語所集刊》62本4分，頁717-786。
魏培泉	1994	〈古漢語被動式的發展與演變機制〉《中國境內語言暨語言學》第二輯，頁293-319。

後記：拙文初稿匆促寫成，許多細節照顧不周，在研討會前後，師長朋友給我寶貴的意見，我已都盡量修改進文中。會後，我以初稿向北京大學中文系沈培教授求教，沈先生在卜辭語法方面有傑出的成績，為大家所熟知。沈先生指出：甲骨文中有沒有「于」字引導的被動式，關鍵在「若」字的詞性，應該對「若」字做更深入的討論。我很感謝沈先生一針見血的批評，也很同意沈先生的看法，在「若」字的討論上，本文很明顯的不足。但願未來能在這方面做更多的研究，以彌補本文的缺失。

謹此，向每一位師友知無不言，言無不盡的教導，敬致謝忱。

又，本文發表後四個月，見董蓮池先生有〈甲骨文中的于字被動式探索〉一文，發表在《古籍整理研究學刊》1998年(9月)4,5期合刊，頁71-73。與本文討論的範圍相近，請參看。

《丙編》212

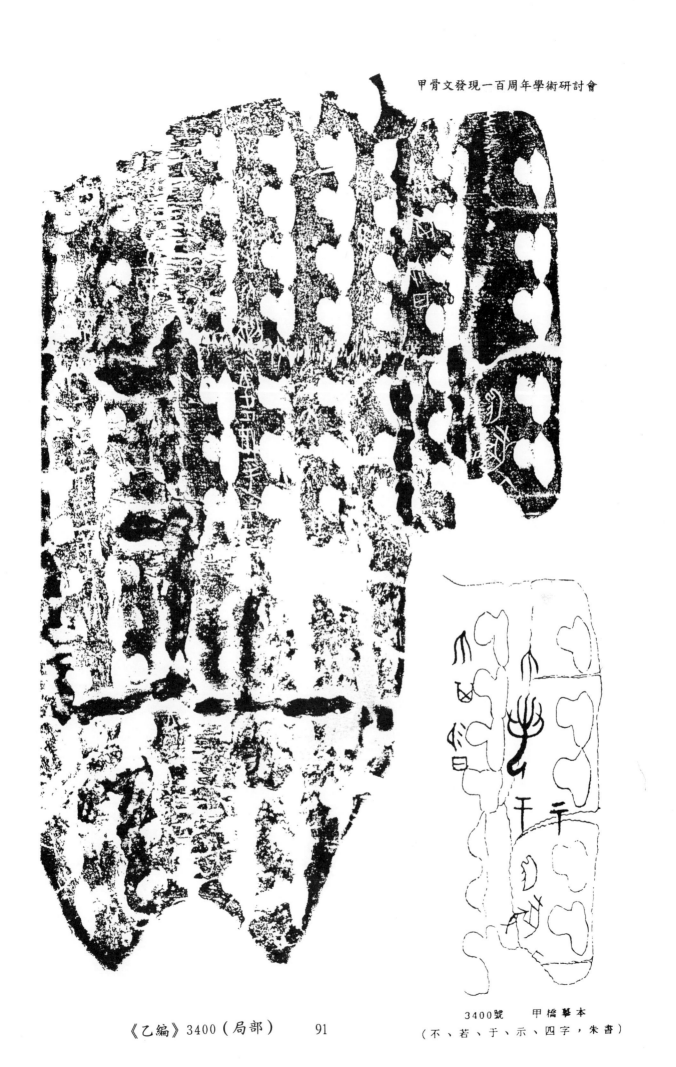

《乙編》3400（局部）　　91

3400號　　甲橋摹本
（不、若、于、示、四字，朱書）

甲骨文發現一百周年學術研討會　1998.5.10-12
臺灣師大國文系・中央研究院歷史語言研究所合辦

說　朱

李旭昇*

提要：

　　甲骨文就有「朱」字，但是這個字的初形本義，言人人殊，沒有定論。本文從甲骨文、金文、戰國文字中「朱」和「束」的關係，說明「朱」字係先從「束」字假借，其後分化而成的一個字。其分化過程是：先把「束」字中間填實，其後變圓點為一短橫，有些變做二短橫的則是受到作「蛛」字聲符的影響，把象徵蜘蛛線的橫畫加到「朱」字中間。後世繼承的則是加一短橫的「朱」字。

關鍵詞：朱　束　蜘蛛　赤心木　珠　株　蠢　誅　窣　速

　　甲骨文中有個寫作「米」、「朱」的字，見：

　　丁卯王卜才朱貞其逤从陳西生來亡巛　　　（《合》36743）

　　戊午卜貞王田朱生來亡巛王固曰吉茲御隻兕十虎一狐一　　（《合》37363
　　　　＝《珠》121）

　　丙辰卜賓貞……朱……未……　　（《後・上》12.8）

　　《文編》、《集釋》都列在「朱」字條下，諸家考釋大抵也釋「朱」。[1]

---

* 李旭昇：國立臺灣師範大學國文系教授，著有《詩經吉禮研究》、《甲骨文字根研究》、《青銅器銘文檢索》（合編）、《詩經古義新證》等。

[1] 只有《甲骨文字詁林》1449「朱」字條下引李孝定《集釋》說，然後按語云：「孫海波《甲骨文編》、金祥恆《續甲骨文編》皆列入朱字，卜辭用爲地名。」從語氣來看，似有不肯定的意思。《甲骨文字詁林》的按語，如果是十分肯定是對的會說「字當釋『某』」、肯定是錯的則會說「釋『某』不可據」。此處含含混混地引三家，而不下任何斷語，似乎還有一點不肯定的意思，但是又不肯明說。不知道這樣解讀，有沒有誤解。

　　金文中的「朱」字作「朱」（毛公鼎，《集成》2841、《總集》1332）、「朱」（輔師嫠簋，《集成》4286、《總集》2797）、「朱」（頌鼎，《集成》2787、《總集》1281）、「朱」（師酉簋，《集成》4288、《總集》2803）、「朱」（吳方彝，《集成》9898、《總集》4978）、「朱」（王臣簋，《集成》4268、《總集》2785）。從歷史考證法及金文文例來看，這個字釋爲「朱」是毫無疑問的。但是，「朱」的初形本義，各家的說法卻相當參差。從《說文》開始，大約有以下七種說法：·

一·赤心木名

　　　　《說文解字》：「赤心木、松柏屬。從木、一在其中。」

　　　　《說文繫傳》：「赤心木、松柏屬。從木、一在其中。鍇曰：『赤心木之總也。一者記其心，棗木亦然。此亦與本末同義，指事也。』」[2]

　　　　《說文段注》：「赤心不可像，故以一識之。若本末非不可像者，於此知今本之非也。……又按：此字解云『赤心木、松柏屬』，當廁於松櫪檜樅柏之処，今本失其舊次。本柢根株末，五文一貫，不當中骾以他物，蓋淺人類居之，以傅會其一在上、一在中、一在下之説耳。」[3]

　　　　魯師實先《文字析義》：「從木●聲，●象鐙火之形，而爲主之初文（●朱古音同屬謳攝端紐），火之色赤，故朱從主聲，以示爲赤心之木，引伸爲凡赤色之名。……《說文》云：『朱從木，一在其中』，是據變體之文，而誤以形聲爲指事，且無以見赤心之義矣！或曰朱幹也，木中曰朱（戴侗《六書故》弟廿一），乃據《說文》所釋字形，而謬陳本義。或謂朱爲株之初文（郭某《金文叢攷·釋朱》），是未知朱耑雙聲，物初生之題爲耑，其已成木則爲株，斯爲耑所孳乳，蓋以別於訓箠之棰，故假朱而爲株。……或謂朱實木之異文（馬敍倫《說文疏證》卷十一），則視音義懸絶之字以爲一文，誕妄益甚矣。」[4]

二·木名，柘也

　　　　聞一多以「朱」為「有刺之木」，即芒刺似棘之木，《聞一多全集》：「《說文·木部》：『赤心木、松柏屬。從木、一在其中。』案：此説解學

---

[2] 參《說文詁林》五冊五八四頁。

[3] 段注本《說文解字》二五一頁。

[4] 《文字析義》六八一頁。

者多疑之。謂當與松檜檜樅柏諸文爲伍，今本失其舊次者，段玉裁說也。謂本作『朱，木心也。』引《禮記》『松柏有心』之文，今本乃經後人竄改者，俞樾說也。謂朱爲株之初文者，戴侗及近人郭沫若說也。謂朱爲珠之初文者，近人商承祚說也。今案：『松柏屬』三字，似後人所沾，自餘皆許舊文。許說亦自不誤。云『赤心木』者，赤心二字，義別有在，非中心赤色之謂。諸家不達此二字之義，遂滋疑惑，此自諸家之誤會。……金文心作♨或作♨，余謂♨爲心臟字，♨爲心思字，♨象心房之形，♦爲聲符兼意符。♦者，鑯之初文，今字作尖。《釋名・釋形體》：『心，纖也，所識纖微無不斷也。』阮元云：『《釋名》此訓最合本義，《說文》心部次於思部，思部次於囟部，糸部細字即從囟得聲，得意，故知心亦有纖細之意。』案：阮說是也。心從♦會意，故物之纖銳者得冒心名。棗棘之芒刺謂之心。……棘從並朿，古蓋亦讀如朿，與赤同音，故『棘心』又訛變爲『赤心』。……《漢書・西域傳》下：『山多松檟。』《玉篇》：『櫒，松檟也。』並以松檟連文。《後漢書・馬融傳》：『陵喬松，履脩檟。』又以松檟對舉，是檟爲松類。許書檟次於松檜之間，解爲『松心木』，亦謂檟爲松類是也。蓋此木葉作針形似松，故曰『松心木』，檟爲『松心木』，猶下文檜爲柏葉松身，樅爲松葉柏身矣。若謂檟之似松，惟在幹之中心，而其外見之部分皆不與，則木之似松者眾，獨檟而已乎？且松之異於他木者，莫著於其葉，因之，木之有針葉者，即以松例之，理亦至明，夫『檟松心木』，『朱赤心木』，詞例不殊，許君於松心木既已用尖心義；則赤心木之心字，其不謂中心可知。要而言之，木身之具有尖刺狀者二，古皆曰心，一爲松屬之葉，所謂松心是也，一爲棘屬之芒，所謂棘心是也。赤心即棘心。許君於檟曰『松心木』，於朱曰『赤心木』者，謂檟之葉似松，朱之芒似棘耳。……由上觀之，朱有刺義，較然明白。然則朱之爲木，有刺之木也。古語本或呼木之芒刺曰『赤心』，故許君訓朱爲赤心木。訓詁之精，令人驚絕。許書顧可輕議哉。……朱爲木名，不見於經傳。以聲求之，疑即柘木。朱在侯部端母，柘在魚部定母，最相近，朱轉爲柘，固自可能。……朱有刺，柘亦有刺，而二字復聲近可通，朱柘一木，殆無可疑。」[5]

三・木身、柱

　　戴侗《六書故》：「朱，幹也，木中曰朱。木心紅赤，故因以爲朱赤之

---

[5] 《聞一多全集》二冊第五三〇至五三三頁〈釋朱〉。

朱。條以枚數，榦以朱數（別作株）。借爲朱儒之朱。」[6]

徐灝《說文徐箋》：「戴氏侗曰：『朱，榦也，木中曰朱，木心紅赤，故因以爲朱赤之朱。條以枚數，榦以朱數，別作株。』灝按：戴說是也。朱株蓋相承增偏旁。段說謬甚。」[7]

郭沫若《金文叢攷》：「近人商承祚謂朱乃珠之初文，其上下出乃貫珠之系，……。若然，則是珠玉一字矣，非也。余謂朱乃株之初文，與本末同意，株之言柱也，言木之幹……，金文於木中作圓點以示其處，乃指事之一佳例，其作一橫者乃圓點之演變，作二橫者謂截去其上端而存其中段也，此與洹子孟姜壺折字之作𣂚若𣂕者同意，左旁中作二橫，即示屮本之斷折（旭昇案：折字左旁不從屮本），又彔伯致簋之弟二朱字作𥝴者，亦正表明朱之爲柱，蓋示柱以楮穴也。要之，朱當爲株，其轉語爲樁爲柱，用爲赤色者乃假借也。又《說文》以根株爲互訓，漢人並多解株爲根，非株之古義。」[8]

李孝定《甲骨文字集釋》：「按《說文》：『赤心木、松柏屬。从木、一在其中。』段氏注云：『又按：此字解云「赤心木、松柏屬」，當廁於松橘檜樅柏之処，今本失其舊次。本柢根株末，五文一貫，不當中骾以他物，蓋淺人類居之，以傅會一在上、一在中、一在下之說耳。』朱實即株之本字，其次本不誤。赤心木一解當是朱之別義，自別義專行，遂另製从木朱聲之株字以代朱，雖非淺人類居之，一在上、一在中、一在下之說亦不誤。字在卜辭爲地名，辭言『田朱』《珠》一二一，可證也。金文朱作『米』（毛公鼎）、『朱』（頌鼎）、『米』（師兌簋）、『米』（番生簋）、『米』（吳尊）、『米』（師酉簋）、『米』（彔伯簋）。」[9]

四‧木心

俞樾《兒𥬇錄》：「《說文‧木部》：『赤心木、松柏屬。从木、一在其中。』樾謂『一在其中』，並無赤義，何以爲赤心木乎？此篆說解，疑爲淺人竄改，許君原文當云：『朱：木心也。』蓋朱字與本末字同意，木下曰：『本从木，一在其下。』木上曰：『末从木，一在其上。』然則朱字从木，一在其中，其爲木心可知矣！三字一例，於六書爲指事。至赤色之朱，許

---

[6] 《六書故》卷二十一葉五。

[7] 《說文詁林》五冊五八五頁。

[8] 《金文叢攷》二二二頁〈釋朱〉。

[9] 《甲骨文字集釋》一九五一頁。

書作絑，糸部曰：『絑：純赤也。从糸、朱聲。』而經傳皆叚朱爲之。後人但知朱之爲赤，而不知其本義之爲木心，故於許君所説不得其恉，妄改爲『赤心木』，其義仍爲赤，而又依心字爲説，以合于許書之舊，其曰『松柏屬』者，疑許書原文引《小戴記》『松柏有心』之文以説『木心』之義，而淺人改易之如此也。本部又有『株』字，曰：『木根也。从木朱聲。』夫朱既从木，而株又从木，緟複無理。今按：株即朱之或體也，朱爲木心，亦爲木根，蓋木之初生在土中者，根而已矣；根出土而有枝，有枝而有葉，然其貫乎木之中者，則仍其根也。故孟子有『根於心』之語。木之心爲朱，木之根亦爲朱，心與根不嫌同名者，其義固得通也。自叚朱爲絑而絑廢，凡赤色之絑無不作朱者，莫知其本之屬木矣。乃於木根之朱加木作株耳。」[10]

五‧珠之本字

商承祚：「《説文解字》……云：『赤心木，松柏屬，從木，一在其中。』以爲指事，一所以指赤心之其意又以爲與㞢㞢二字誼同，一在木下爲本，一在木上爲末，一在木中爲朱。茲細繹其旨，朱之一與本末之一，形同而誼異。本末之一乃指物之本末處，朱之一乃指其木心之色，色空不可指也。或以爲朱乃株之本字，一指一株樹也，理略長於許誼，而猶非朔。予意朱即珠之初字，實象形非會意也。茲臚列其説而明證之：

　1‧《説文》王象三玉之連，｜其貫也。

　2‧金文乙亥敦玉作丰。

　3‧殷虛甲骨文玉作丰丯丰。

《説文》之｜未外露其緒，不若殷文金文之露其兩端於誼爲明白，所從之丫丫貫後結其緒之形，所以防其脱墜耳。今乃因玉形作丰丯丰，遂推而知朱之誼。

金文中若毛公鼎、頌壺、番生敦、彔伯敦朱作朱，吳尊作朱，與《説文》同，師酉敦作朱，從二，與它篆異。古文從一之字或從二，《説文》之古文及金文、殷虛文字「正」字皆從二作「正」，天字作「天」，又如殷虛文中之麓作「麓」，亦從二林作「麓」，古文中若此類者不勝枚舉，或象其形，或通其意，不區區於筆畫之間，雖體重複，其誼一也。又攷古文凡從「一」之字可變作「●」，如金文中十干之丁可作●口，丙作因因，殷虛文天作夭，金文作天，是其例，能實則能空，能●則能一也，故知朱之作

---

[10] 參《説文解字詁林》五冊五八六頁。

米，與米同，當必有作米者矣，正象貫珠之形。珠體圓易脫，故結系之兩端以慎防之，其字形與玉顯別之處在丫與米之間，以此證之，米與朱（木）形同而實非，二字絕對不相涉也。」[11]

六・根

馬敘倫以為根株之象形：「米即《說文》之朱，《說文》訓朱為赤心木者，乃株字義，而根株字乃朱字也。金文作米者，由象形文本作𣏕或作𣏕也。知者，《韓非・解老》樹木有曼根，有直根。直根者，書之所謂柢也；曼根者，本之所以持生也。朱聲侯類，曼聲幽類，幽侯聲近，《韓非》所謂曼根即朱也。且木之赤心者，非獨今所謂紅木也。故徐鍇有朱為赤心木總名之說。然木亦有黃心者，何不為之製字？識一於木謂之赤心木，六書謂之指事，然物名固鮮以指事之法冓造之，且金文作米，是識之者二矣，故知《說文》朱株之訓當互易耳。」[12]

七・木之異體

馬敘倫《說文解字六書疏證》：「徐鍇以朱為赤心木之總名，然木亦有黃心者，何不為之造字？且識一於木謂之赤心木，於六書為指事，而物名固鮮以指事之方法冓造者也。以為果為赤心木而造字，蓋即下文之株字，從木，朱聲。株下曰『木根也』者，借株為柢，株音知紐，古讀歸端；柢音端紐也。朱木樹聲皆侯類，而木樹為轉注字。朱音照紐三等，樹音禪紐，得為舌面前音，然則朱實木之異文，木朱一字。」[13]

以上七說，「赤心木」一解，學者不同意的原因，俞樾說「『一在其中』，並無赤義，何以為赤心木乎？」馬敘倫說「木亦有黃心者，何不為之製字？識一於木謂之赤心木，六書謂之指事，然物名固鮮以指事之法冓造之」，二家已經說得很清楚了。聞一多以「赤心木」為「柘」，設想精巧，可惜證據不夠，他探討「心」字的語源那一段——「金文心作心或作心，余謂心為心臟字，心為心思字，心象心房之形，♦為聲符兼意符。♦者，鐵之初文，今字作尖。《釋名・釋形體》：『心，纖也，所識纖微無不斷也。』」——肯定是過不了古文字這一關的

---

[11] 《史語所集刊》一本一分一七頁〈釋朱〉。

[12] 《讀金器刻詞》一六一頁朱討鼎。

[13] 《說文解字六書疏證》卷十一頁一四九二。

。因為「心」為「忽」字，而非「心思字」。

近人多贊同「朱」之本義為「株」，即戴侗所說的「木中曰朱。條以枚數，榦以朱數，別作株」，但是，這樣的說法恐怕也是值得商榷的，因為照戴侗所說，「朱」即「株」，那是個量詞。甲骨文時代雖然有少數的量詞，但它們的性質和後世是不同的，《卜辭綜述·第三章文法·第三節單位詞》：

> 單位詞即所謂量詞。卜辭中有少數的例子，如貝的單位是朋，馬和車的單位是丙，鬯的單位是卣和斗，人的單位是人等。……卜辭記數的名詞，其詞序有二：（1）.名－數－單位 貝幾朋，馬幾丙，鬯幾卣，人幾人，羌幾羌。 （2）.數－名 幾牛，幾人……。 在數詞前的是名詞，在數詞後的是單位詞。[14]

但是，甲骨文的單位詞和後世的單位詞的性質是不太一樣的，在陳說的（1）類中，貝要有單位，因為一定數量的貝叫做一「朋」；馬和車要有單位，可能也是因為若干車或馬才能叫一「丙」[15]；鬯酒要用卣來裝，所以有單位詞卣。其餘的「人幾人」、「羌幾羌」都還可以再檢討。至於陳說的（2）類，數名之後的只能叫名詞，不能叫單位詞，或量詞。因此，甲骨文中出現類似「株」這樣意義的量詞，是與語法歷史不合的。

其次，把「朱」字當作量詞，是等同於後世的「株」，但是「株」字是比較晚出的字，它較早的用法也不是量詞。《說文》：

> 株：木根也。從木朱聲。

《說文繫傳》：

> 入土曰根，在土上者曰株。劉向《列女傳》：『智伯之園多株，不便於馬；范氏之子謂伐之也。』[16]

---

[14]. 《卜辭綜述》頁九十四。

[15] 陳夢家以為：「幾匹馬構成一乘，尚待考定。金文馬的單位是『匹』，而金文『兩』字係兩個相並立的『匹』，所以甲骨文的『丙』可能是單數。」（《綜述》94頁）《甲骨文字詁林》以為：「馬稱『丙』，猶言『匹』，非後世之『乘』。車稱『丙』，猶言把。」（2052頁）案：這樣說恐怕證據不夠，卜辭有「卅馬」（《合》500正）、「馬卅」（《合》20790），又有「馬廿丙」（《合》1098）、「馬五十丙」（《合》11459）、「馬二丙」（《合》21777），「馬」和「丙」的計數應該不同；這正如殷金文「小子𪔀𣪘」有「貝二百」（《總集》2515），又有「貝若干朋」，貝和朋的計數當然不同。車的情況應該也是這樣。

[16] 參《說文解字詁林》五冊五八八頁。《繫傳校錄》：「智伯當作趙簡子。」參《說文解字詁

這都說明了「株」的本義是長在地面上的樹根。歷代《說文》家大體沒有什麼異議,只有清代學者徐灝有不同的意見:《說文徐箋》:

> 劉向《列女傳》:『……。』灝按《韓非‧五蠹篇》:『田中有株,兔走觸株。』此皆指伐木之餘而言,株之引申義也。《蜀志‧諸葛亮傳》:『成都有桑八百株。』則以幹數之,乃其本義也。許訓株根,蓋渾言之也,猶今人謂一幹為一根耳。」[17]

旭昇案:徐灝這樣說是沒有依據的,他以為《列女傳》和《韓非‧五蠹》的「株」都當「伐木之餘」講,於情理不可通。智伯之園怎麼會多「伐木之餘」呢?就「不便於馬」而言,「斷木之餘」和「未斷之木」沒有任何不同?它們並不會對馬行造成什麼不便,除非它們長得太密。但是冒出地面的樹根就不一樣了,因為它們遠看看不出,等到看得到的時候,已經來不及閃避了!它們確實對馬行帶來很大的不方便。所以《列女傳》的「株」字只能講成「樹根」,而比它早的《韓非子‧五蠹》中的「株」字當然也應該講成「樹根」比較好。早期經傳中的「株」字,無不作「根株」講[18]:

> 《易‧困‧初六》:「臀困于株木‧入于幽谷‧三歲不覿‧象曰‧入于幽谷‧幽不明也‧」

> 《墨子‧卷八‧明鬼下‧第三十一》:「王乎禽費中、惡來,眾畔百走‧武王逐奔入宮,萬年梓株,紂而繫之赤環,載之白旗,以為天下諸侯僇。」孫詒讓《定本墨子閒詁》注:「『萬年梓株』,未詳。『折紂而繫之赤環』,畢云:『《太平御覽》引作「折紂而出」、環作轅,是言繫之朱輪。』案:此無攷。」

> 《莊子‧外篇‧卷七上‧達生第十九》:「吾處身也,若厥株拘;吾執臂也,若槁木之枝。」

> 《韓非子‧卷十九‧五蠹‧第四十九》:「宋人有耕田者,田中有株,兔走,觸株折頸而死,因釋其耒而守株,冀復得兔,兔不可復得。」

> 《戰國策‧卷三‧秦一‧張儀說秦王》:「且臣聞之曰:『削株掘根,無與禍鄰禍乃不存‧』」

> 《新校本史記‧卷三十‧平準書第八》:「所忠言:『世家子弟富人或鬪雞走狗馬,弋獵博戲,亂齊民。』乃徵諸犯令,相引數千人,命曰『株

---

[17] 參《說文解字詁林》五冊頁五八九頁。

[18] 以下的經史諸子等典籍係查詣自中央研究院漢籍全文資料。

或鬬雞走狗馬，弋獵博戲，亂齊民。』乃徵諸犯令，相引數千人，命曰『株送徒』。入財者得補郎，郎選衰矣。」《集解》應劭曰：「株，根本也。送，引也。」如淳曰：「株，根帶也。」

《論衡校釋‧ 第十三卷‧超奇‧第三十九》：「有根株於下，有榮葉於上；有實核於內，有皮殼於外。」

《論衡校釋‧第十五卷‧變動‧第四十三》：「且天本而人末也。登樹怪（搖）其枝，不能動其株。如伐株，萬莖枯矣。人事猶樹枝，能（寒）溫猶根株也。」

《新校本後漢書‧卷三十三‧朱馮虞鄭周列傳第二十三‧虞延》：「光武聞而奇之。二十年東巡，路過小黃，高帝母昭靈后園陵在焉，時延為部督郵，詔呼引見，問園陵之事。延進止從容，占拜可觀，其陵樹株蘗，皆諳其數，俎豆犧牲，頗曉其禮。」章懷太子注：「株，根也。蘗，伐木更生也。」

把「株」字當做量詞用，而不解為「根」，應該是從東漢末開始的，現在可見的資料都是在這個時期以後的，如：

《東觀漢記校注‧卷十五‧傳十‧桓礹 》[19]：「中庭橘樹一株，遇實熟，乃以竹藩樹四面，風吹落兩實，以繩繫著樹枝。」

《新校本後漢書‧志第十四‧五行二‧草妖》：「靈帝熹平三年，右校別作中有兩樗樹，皆高四尺所，其一株宿夕暴長，長丈餘，大一圍，作胡人狀，頭目鬢鬚髮備具。」

《新校本三國志‧蜀書‧卷三十五‧蜀書五‧諸葛亮》：「初，亮自表後主曰：『成都有桑八百株，薄田十五頃，子弟衣食，自有餘饒。』」

《西京雜記‧卷一‧二十八則》[20]：「初修上林苑、□臣遠方各獻名果異樹、……林檎十株、枇杷十株、橙十株、安石榴榙十株、白銀樹十株、黃銀樹十株、槐六百四十株、千年長生樹十株、萬年長生樹十株、……」

由此可見，把甲骨文中的「朱」字解釋做「株」，而當做量詞用，那是東漢以前看不到的。同理，解為「木身」、「柱」、「木心」，都是沒有文獻依據的。

釋為「珠」的初文也不可從。以珠為飾品，在商代以前肯定已經出現了，但是珠是小體積的東西，地位並不是那麼重要，為它造一個獨體字的可能性不高。

---

[19] 《東觀漢記》自東漢明帝時始修至熹平成書。本節見范曄《後漢書‧卷三七‧桓礹傳》李賢注引。

[20] 《西京雜記》，舊託名漢劉歆撰，或題晉葛洪撰，實為梁吳均撰。

以殷虛婦好墓爲例，墓中的藝品成千上萬，但是珠形器僅有瑪瑙珠二十六件，綠松石珠六件，大體都是串綴起來的，不太可能產生像「✳」這樣的珠形（參附圖）。

馬敘倫釋「朱」爲「株」，即樹木之「蔓根」，也沒有文獻依據。直根和蔓根在古代是否有必要嚴格區別，而爲它們分別造字，我們看不出有這個需要。文獻中把「株」字主要釋爲冒出土上的樹根，即「板根」，因爲它會造成車馬的障礙，所以有必要和地下的根區別開來，爲它造字是應該的。但是「株」只是一個形聲字，從「朱」並不兼義，因此把「朱」說成是「株」的初文，釋爲蔓根，恐怕無法讓人接受。至於馬敘倫又以爲「朱」是「木」的異體，並沒有令人信服的證據。

綜合以上的敘述，我們以爲「朱」字的構形初義還沒有探討清楚，值得再做深入的研究。「朱」字在古文字中除了用做國地族人名之外，大體上是用爲顏色名。古文字中用爲顏色之字，除了丹是由紅色顏料轉爲顏色名之外，其餘多爲假借用法。因此，我們認爲「朱」字也是一個假借字，它可能是由「束」字假借，後來漸漸分化而形成的一個字。

「朱」字的字形太過簡單，考釋諸家的是非不容易分出對錯。但是我們可以從「誅」字來思考。甲骨文有個寫作「䖵」、「䖵」的字(《文編》4889、《集釋》3925、《詁林》3288，又可以簡寫作「䖵」（《懷》1314，《詁林》2468）。前者丁山以爲與「束」同字，釋「蠧」，即「蠧」字：

> 䖵象蟲口之利於戈戟，束象木體中空形；有利口之蟲攻木使空，當是蠧之本字。《說文》作「蠧」云：「木中蟲，從蚰橐聲。蠧，或從木，象蟲在木中形。譚長說。」……束正象樹木中空形，正是橐之本字……。由是以論商周秦漢間千有餘年的橐字形變史，約爲：

以上商 ｜ 以上周 ｜ 秦漢

束 —— 束 —— 束 —— 束 —— 橐 —— 橐

> 橐爲木柝本字，而許書訓爲囊也，橐字本誼之失，蓋始于秦人。[21]

李孝定從之釋爲「蠧」，惟以爲：

> 丁氏謂橐之本誼即木中空，則有可商。橐當以訓囊爲本誼，許說不誤，

---

[21] 丁山《殷商氏族方國志·亞橐》。

至蠱字从之，純以爲聲符，於義無涉。」[22]

饒宗頤釋「繩」，讀爲愼：

按䟆字从京从♂（黽）从戈，舊無釋。黽即繩，此又益戈形，如易之作㸤也。卜辭成語，每言「由䟆」（《粹》三四二）、「其又䟆」（《佚存》六二五），他辭云：「癸亥卜，其酻䟆于河。」（《後編》下三‧三七）當與繩同義。《詩‧下武》：「繩其祖武。」傳訓「繩」爲「戒」，三家詩作「愼其祖武」，繩讀爲愼。《爾雅‧釋訓》：「競競，繩繩，戒也。」《釋文》「繩」本或作「憴」。《詩‧抑》：「子孫繩繩。」箋：「戒也。」韓詩作「承承」。又《螽斯》：「繩繩分。」傳：「戒愼也。」契文繩字益戈旁，與戒之从廾持戈同意。其云「惟繩」、「又繩」，即「惟愼」「又愼」，皆指祭時，敬懼戒愼將事之義。此辭云「其又繩且」，與《詩》「繩其祖武」語例亦合。」[23]

常弘釋「蠱」（與「蠹」同字）：

認識了橐以後，就好分析♂了。橐字的各種不同形體是此字的構形部分，其主體是一個多足的動物，可以寫作黽。橐和黽組成一個字，前者應爲聲符，後者是形符。黽字又與蟲字相通，……這個字應隸定爲蠱，或蠹。《說文》蚰部認爲蠹是「木中蟲，從蚰，橐聲。」又說：「或從木，象蟲在木中形。譚長說。」從甲骨文的蠱字證之，其上橐爲聲符，與木中蟲無涉，許君之說可能是將蠹的轉義誤認爲原始意義。蠱字始見於廩辛康丁卜辭，但武丁時有♂字，前面往往有竹或竹，即竹字，竹字古音爲端紐或定紐，與束字聲紐和韻部相同，而且二者字義也能相通。晚期確有「束♂」（《續》三‧三二‧四）連言的刻辭，或在玉器上直接寫作♂（《鄴三》下二七），所以早期的竹字，有一部分後來被束（橐）代替是有可能的。殷商後期將「竹、黽」二字合成一個蠱字，……由上面的討論知道「竹黽」二字組合成蠱字，讀音爲橐。……綜上所述，……以♂等爲聲符的♂、♂應釋作蠱（蠱），它在卜辭中多用爲名詞，是羌人一支的名稱，成爲被殺祭者的代名詞。[24]

劉釗釋爲「蛓」：

甲骨文「蠱」字作「♂」、「♂」、「♂」、「♂」諸形，或加「束」聲

---

[22] 《甲骨文字集釋》3925頁。

[23] 《殷代貞卜人物通考》八二七頁。

[24] 常弘〈釋蠱和蠱〉，《甲骨文與殷商史》二五二頁。

說朱

作「蟲」、「蟲」，甲骨文「戕」字作「戕」，又作「戕」。金文「鼄」字作「鼄」，又改「束」聲爲「朱」聲，即將「束」聲改成與其形體接近并可代表「鼄」字讀音的「朱」字。[25]

劉說從「鼄」字加「束」聲推起，進而引金文「鼄」字改「朱」聲來說明，較具說服力。因此我們以爲「蟲」、「蟲」、「戕」字應從劉釗釋爲「戕」。這個字從戈從鼄，或加聲符「束」，即後世的「戕」或「誅」字。甲骨文用爲祭名。

戕字既然從「束」聲，即說明了在這個時候「束」字和「戕」、「鼄」字應該是同音，或聲音非常接近。這就爲「朱」從「束」分化，提供了足夠的聲韻條件。要更清楚地說明這個問題，我們有必要把「鼄」字再加以探討一番。

甲骨文一期卜辭的「鼄」字作「鼄」、「鼄」、「鼄」、「鼄」（《文編》1581誤釋爲黽）、「鼄」（《合》9187，《摹釋總集》誤釋黽）、「鼄」（《文編》5043）。「鼄」字本作「鼄」，象「鼄」形，因爲容易和「黽」字混淆，所以漸漸地在腹部加上象徵蛛絲的橫線，或一道、或二道、或三道。

卜辭或見「竹鼄」，作「竹鼄」，如：

貞其用竹鼄羌由酌乡用　　　　　　　　　《合》451(1)＝《續存》下266
……竹鼄羌罘……白人歸于……　　　　　《合》452(1)＝《外》20＝《南師》2.156
……竹……羌……　　　　　　　　　　　《合》26840(2)＝《七》P34

常弘以爲「竹鼄」即「束鼄」(鼄字常弘釋爲黽)，這可能是對的。商代可能有複輔音，或類似後世聯綿詞型態的詞，因此「竹鼄」大概就是後世的「蜘蛛」，周代只稱「鼄」。周代古音「竹」在知紐覺部開口三等，擬音是 *tiewk，「鼄」在知紐侯部合口三等，擬音是 * tjew，聲同韻近，合乎聯綿詞的條件。就現存卜辭來看，這都是第二期的現象。

第三期卜辭開始在象形的「鼄」字之外加聲符「束」字，如《懷》1381云：

□鼄兄于澅□

周代音「束」字在審紐屋韻合口三等，擬音是 *st'jewk，「鼄」字在知紐侯韻合口三等，擬音是 *tjew，聲母都屬於舌頭音，韻母只有陰入之別，通假的條件非常足夠，可能在商代音更要接近些。第五期卜辭作「鼄」《合》36417(4)＝(《

[25] 《古文字構形研究》一三七頁，吉林大學博士論文。

後》3.32.4)：

戊戌卜王其迻馬……小臣克……

另外，《摭》100 有個殘文。應該也是加「朿」聲的「鼀」字。除了「鼀」加「朿」聲之外，第三期甲骨開始出現的「𢦏」字所從的「鼀」也加「朿」聲，例見以下各片（字形已見前文引）：

……王其又𢦏	《合》27375(3)=(《甲》1569)
庚子卜大貞王其又𢦏且叀今辛酢又	《合》27376(3)=(《甲》2031)
其又𢦏毓……	《合》27377(3)=(《京》445)
……亥卜其又𢦏毓	《合》27378(3)=(《佚》625)
叀𢦏	《合》27379(3)
……𢦏	《合》27380(3)
……于匕庚叀𢦏	《合》27540(3)=(《南明》671=《明後》B2269)
叀𢦏　吉	《合》27622(3)=(粹 342)
癸亥卜其酢𢦏于河	《合》30428(3)=(《後》2.33.7)
其𢦏……	《懷》1392(3)
……𢦏……又正	《懷》1314(3)

中山王譽壺省略「鼀」形，從戈朱聲作「」，和甲骨文的「𢦏」字應該具有承襲的關係。

以上探明了「鼀」和「𢦏」的字形演變，此二字甲骨文時代多加「朿」爲聲符，金文時代則加「朱」爲聲符。劉釗以爲是「改換聲符」。我們在這裏要做一個比較大膽的推測，有沒有可能「朱」就是「朿」的分化字呢？如果這個說法能夠成立，那麼從「朱」聲和從「朿」聲本來是一樣的，也就不存在著聲符替換的問題了。這情形正像「與」字本來是從「牙」得聲的，但是後世卻變成從「与」聲。其實「与」和「牙」最初本來是同一個字，因此並不存在著改換聲符的問題。金文中山王譽壺「與」字作「」，中做「牙」形；馬王堆一號漢墓竹簡六三作「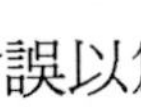」，中間已經做「与」形了。如果不了解「与」是「牙」的分化字，那就會誤以爲「與」字是經過了替換聲符的階段了。

我們以爲「朱」字可能是從「朿」字分化出來的，當它單獨書寫的時候，爲了要與「朿」字有所區別，於是把中間的空虛填實，或甘脆把圓圈換成象徵「鼀」身上的絲線，或作一道橫線，或作二道橫線。尤其是作二道橫線的「朱」字，說明了「朱」和「鼀」關係的密切。除了「朱」字以外，我們看不到任何一個其

它的字的部件可以由圓點變為二橫畫的。

西周穆王時代的㝬伯戎簋上有一個「窠」字，作「⚇」，從「朱」；在懿王時代的卯簋上則寫作「⚇」，從「束」。郭沫若《兩周金文辭大系攷釋》：「窠字原銘作⚇，余意與㝬伯戎簋『虎冟朱裏』之作⚇者乃一字，特於圓點空作之而已。……字在此當即叚為柱石之柱。」[26]馬承源《商周青銅器銘文選》隸定作窠：「從穴束聲，讀為棟。《廣雅‧釋宮》：『棟，橑也。』」[27]二說看起來不同，釋義也有別。但是，如果了解「朱」和「束」是一個字的分化，那麼釋為「窠」或「窠」其實並沒有什麼不同；釋為「柱」和「橑」的用義也相去不大。

戰國時代的楚簡中有一個「速」字，見於一九五六年湖北江陵出土的「望山一號墓竹簡」、一九七八年湖北江陵出土的「天星觀竹簡」、一九八六年湖北江陵出土的「秦家嘴一號墓竹簡」、一九八七年湖北荊門出土的「包山楚簡」，此字多見，以下舉幾個較有代表性的字形[28]：

望一.卜　　 望一.卜　　 天.卜　　 秦1.3　　 秦1.3

包2.219　　 包2.247

《包山楚簡》把這個字隸定做「遘」，並云：「讀做兼。《說文》：『兼，並也。』《廣雅‧釋詁四》：『兼，同也。』」[29]周鳳五先生隸定為「逮」，讀為急[30]。曾憲通先生釋為「速」：

> 卜筮簡屢見⚇⚇二字，《包山楚簡》隸定作遘牐，……。周鳳五於前者改隸為逮字，讀為急；於後者考定為瘀字，使相關簡文略可通讀。……。關於第一個字，周文認為並不從兼，並指出：「簡文上半所從似艸，下半又似從竹，缺乏禾穗飽滿下垂的基本特徵。」因據《汗簡》逮之古文作諫而改隸定為逮，讀為急。然細審原簡，此字在簡文中出現不下十次，其聲符約有一半以上分書作㭇、㭇，左右二體並不相連，因頗疑此字是「速」字的訛體。戰國文字變單為複，變斷為聯的現象十分普遍，此亦訛變之一例。究其過程，當先是束字簡化為㭇，猶璽文中之作卓，陶文束之作㭇；繼而㭇上下離析成㭇；再變複為㭇，連寫作㭇；復稍裝飾並益以辵旁，便成為簡文的㭇字。

---

[26] 《兩周金文辭大系考釋》八六頁。

[27] 《商周青銅器銘文選》第三冊第一七二頁第二四四號。

[28] 參《楚系簡帛文字編》155頁。

[29] 《包山楚簡》圖版一五六、考釋369(54頁)。

[30] 周鳳五〈包山楚簡考釋〉。

望山簡此字作⿰，上下並未斷離，似从並列的朱字。朱、束古音為侯屋對轉，古可通假。然則此字無論从束从朱得聲，皆為速字無疑。⿰之為速，不但「尚速瘥」、「疾速瘥」、「志事速得，皆速賽之」等簡文變得明白如畫，其它相關簡文亦均可暢達無礙。[31]

《望山楚簡》的考釋也把這個字形釋為「速」：

「遳」亦作「遳」，簡文屢見。此墓簡文數言「遳瘥（瘥）」、「迡（遲）瘥（瘥）」，天星觀一號楚墓簡文或以「迡（遲）遳」連言，疑「遳」與「遲」是一對反義詞，「遳」字之義當為「速」，也可能「粎」就是「束」的繁體。[32]

以上二家把此字釋為「速」，從天星觀簡「遲」「速」相對來看，應該是可信的。「速」字應該从「束」，但是簡文明明从二「朱」，二家並沒有把為什麼這個字从二「朱」而可以釋為「速」的原因說得合理明白。如果依照本文的看法，「朱」是從「束」分化出來的字，二者本來是同一個字，因此在楚簡中，「速」字从二「朱」形與从二「束」形是一樣的，而从二「束」形則是从「束」的複體（《望山楚簡》以為从「可能「粎」就是「束」的繁體」，當可從），因此這個字釋為「速」就完全可以理解了。這個字形的演變，應該也可以做為「朱」和「束」是同一個字的分化的例證吧。

　　87 年 9 月 1 日修畢。本文在會議發表後，承蒙陳偉武先生提供修改意見，特此致謝。

---

[31] 曾憲通〈包山卜筮簡考釋（七篇）〉。

[32] 《望山楚簡》92 頁注 35。

說朱

參考書目（甲骨著錄依通行簡稱，不另開列）

戴侗　　　元　　《六書故》　臺灣商務印書館‧《四庫全書珍本》六集

丁山　　不著年月　《殷商氏族方國志》　台灣翻印《卜辭綜述》後附

丁福保‧楊家駱　1928　《說文解字詁林》　上海醫學書局‧一九二八　台北鼎文書局一九八三年影印再版

于省吾主編‧姚孝遂按語　1996　《甲骨文字詁林》　中華書局

中國社會科學院考古所　1980　《殷虛婦好墓》　文物出版社

李孝定　1965　《甲骨文字集釋》　中央研究院專刊

周鳳五　1992　〈包山楚簡考釋〉　中國古文字研究會第九屆年會論文

香港中文大學　1993　第二屆國際中國古文字學研討會論文集　香港中文大學

馬承源主編　1988　商周青銅器銘文選（三）　文物出版社

馬敘倫　1939　《說文解字六書疏證》1975年鼎文書局影印本

馬敘倫　1962　《讀金器刻詞》　北京中華書局

常弘　1983　〈釋蠱和蠱〉　《甲骨文與殷商史》　上海古籍出版社

郭沫若　1932　《金文叢考》　日本東京文求堂

郭沫若　1935　《兩周金文辭大系考釋》　日本東京文求堂　1957增訂　香港龍門書局

陳夢家　1956　《卜辭綜述》　科學出版社

曾憲通　1993　〈包山卜筮簡考釋（七篇）〉　第二屆國際中國古文字學研討會論文集　香港中文大學

湖北省文物考古研究所.北京大學中文系　1995　《望山楚簡》　北京中華書局

湖北省荊沙鐵路考古隊　1991　《包山楚簡》　文物出版社

聞一多　1948　《聞一多全集》　上海開明書店

劉釗　1991　《古文字構形研究》　吉林大學博士論文

滕壬生　1995　《楚系簡帛文字編》　湖北教育出版社

魯師實先　1993　《文字析義》　魯實先全集編輯委員會

饒宗頤　1959　《殷代貞卜人物通考》　香港大學

附圖：殷虛婦好墓出土的「珠」・《殷虛婦好墓》彩版三六

1.玉小型管狀珠

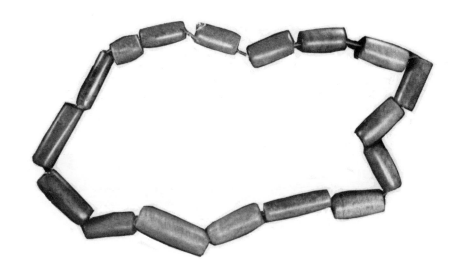

2.瑪瑙珠

說朱

《甲骨文字編》芻議

中研院史語所　李宗焜

一、已出版甲骨字彙書述評

　　甲骨學中可以研究的課題很多，字形學就是其中的一個要項。因爲「識字」是一切研究的根本，必須先對文字有正確的認識，才能對史料做出正確的判斷。因此匯集甲骨的字形加以分析、歸納、考訂，便成爲甲骨研究中一個很重要的課題。

　　當然我們不可能單憑甲骨文「字典」去研究甲骨文，就好像不可能單憑英文字典去認識英美文化一樣。但不可否認的，英文字典是我們讀英文時不可或缺的工具，同樣的，一部匯集甲骨文字形的字典，也是甲骨文研究者必備的參考書，因此甲骨發現百年來，收集甲骨字形的字彙書，可說不斷有推陳出新之作。即使早期的甲骨著錄書，偶而也有在書後附「字表」的[1]。可見字形的研究很早就引起學者的重視。

　　著錄書所附的「字表」，不論多麼完備，畢竟只限於該書的內容，其不能滿足學者的需求是必然的。只有集合各種著錄書的拓片加以摹寫、研析、考訂而成的文編，才能符合學者的需要。這方面的工作，從羅振玉開始，「羅振玉增訂本《考釋》奠定了初期審釋文字的基礎，同時也成爲後來字彙的基礎」[2]，羅氏之後，陸續有學者努力於斯，而其代表作則是孫海

---

[1] 如《天壤閣甲骨文存》，拓片後附「檢字」，雖名爲「檢字」，但有異體，有文例，實際已完全是「文編」的規模了。《龜甲獸骨文字》則在每卷之後附有「抄釋」，雖然不列拓片號，也沒有文例，但仍臚列了「異體」。

[2] 參見陳夢家《殷虛卜辭綜述》第二章，第二節〈甲骨字彙的編製及其內容〉，p.61。

波的《甲骨文編》。陳夢家曾說：「就編制與摹寫而論，孫書較勝。」[3]我們在比較過各種字彙書之後，完全同意陳氏的說法。

《文編》的初編本出版於1934年，1965年9月又出版了「改訂本」，「改訂本」的「編輯序言」說：

改訂本較之一九三四年的初編本，有著很大的不同；在材料上比較完備，在考訂上采納了許多新的研究成果。

可見「改訂本」「在內容上和體例上已大加改訂和增益」[4]，這就是後來我們使用的本子。這個「改訂本」至今已印行超過一萬冊，在甲骨論著中可以算是「天文數字」了，由此也可以看出此書影響之大。

但《甲骨文編》仍存在著不少問題，我們試舉幾個簡單的例子加以說明：

首先是分合的問題：編製文編，處理字的分合是無可逃避的，也是最繁瑣、吃重的工作。陳夢家曾說：「根據上述的字彙[5]來統計甲骨文認識的與不認識的字是有困難的」，困難的原因之一就是字彙中往往「將應該分別為數字的併為一字，將應該定為一字的分為數字。」[6]之所以會有這種情形發生，正可以說明定字形之分合並不是一件容易的事，絕不是任意的將一些字形重新排列組合而已。而分合的恰當與否，有些是見仁見智的，有些則是有明顯的是非，我們試舉幾個《文編》中分合不當的例子來說明。首先是《文編》合為一字，實際應該分開的，如：

38號把「![字形]」和「![字形]」混合為一，以為都是「中」字，但這兩個字形前者一般用為左中右的「中」，後者一般用為「仲」，其實是有區別的，應該分開。

186號的「![字形]」和「![字形]」；
289號的「![字形]」和「![字形]」；

---

3 同註2，p.62。
4 見改訂本《甲骨文編》「內容提要」。
5 指羅振玉《殷虛書契考釋》等六種，參見註2，p.61-62。
6 同註2，p.62。

462號的「⿰田⿱」和「⿰田⿱」都應該分開。

848號「夙」字下所列的「⿰」、「⿴」、「⿱」爲不同的三個字，更是不爭的事實。

487號的「⿰」儘管學者有不同的考釋[7]，但它和「甲」不會是一個字。

521號「鳥」字，頗闌入「雞」字初文，如所引：

⿰ 《前》7.23.2

⿰ 《掇》2.59

二形，都應該從「鳥」字中分出。

相反的，有些《文編》分列的字，其實是可以合併的，如：

1290號的「⿰」、「⿰」和1315號的「⿰」，辭例全同，應爲一字。

71號「⿱」下列：

⿱《前》6.58.3；

⿱《粹》1321，地名；

⿱《乙》5804

三個字形，其中《乙》5804一辭云：「癸巳□⿱自才玉」。另有一條字體完全一樣，內容亦基本相同的卜辭「☑曰⿱自才玉」，見於《乙》5520。無疑的《乙》5804的「⿱」和《乙》5520的「⿱」必定是一個字[8]。但《文編》卻把《乙》5520的「⿱」字另外編在〈附錄〉裏的3090號[9]。

當然，字的分或合並不都像上面所舉例的那樣單純，有些情況是很複雜的。如：

407號「役」字條下所引字形有「⿰」、「⿰」二種，其中「⿰」之一形應自407號分出，而407號的其它字形又可與5887號的「⿰」合併。自407號分出的「⿰」字，見於《掇》2.158（即《合》14294）辭云：

---

7 諸說見《甲骨文字集釋》939頁。

8 《殷合》295已把《乙》5804和《乙》5520拼合起來，是正確的。

9 《文編》3090號所引見於《乙》1730（即《合》860正甲）的「⿱」，摹錄恐有問題。從《合》860正乙（即《乙》1715）的遙綴看，此字應是「束」字。

〔北方曰〕刀風曰㐱。

與4500號，見於《乙》4876（《合集》拼入14295號）的「㐱」字，無疑應爲一字。該辭云：

貞帝于北方曰㐱，風曰㐱。

此外「㐱」與3372號的「㐱」疑亦可合爲一字。

346號「巽」字下摹錄二形：

巽《粹》536

巽《拾》11.14

今按346號所引《粹》之字可與3485號合：

巽《存》下782

巽《存》下783

又可與3490號合：

巽《粹》464。

見於《粹》536的「巽」，郭沫若釋爲「巽」謂「巽字金文習見，與其通」；見於《粹》464的「巽」，郭沫若釋爲「吼」。其實這二版的卜辭頗爲相似，「巽」、「巽」應爲同字，郭氏卻分釋爲不同之字。

346號的「巽」雖然可與3485號、3490號相合，但與同爲346號的「巽」卻不是一個字。「巽」葉玉森亦釋「巽」，以爲「象揚箕」。今按「巽」應爲「其虱」二字，與見於《粹編》諸字無涉，應自346號移去。《合》34399（《後》2.20.13）辭云：

辛酉貞才大六卜其虱。

辛酉貞卜弜虱戠禾。

「其虱」二字距離較遠，與「弜虱」義正相反，足證所謂「象揚箕」的「巽」爲「其虱」二字之誤合。

拾 *11.14*

114

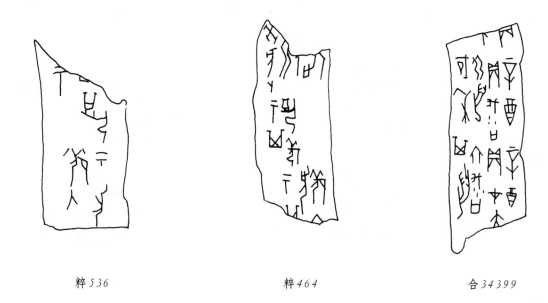

粹536   粹464   合34399

此外，因爲摹寫或釋字錯誤而誤增的字爲數甚多，我在撰寫博士論文時，曾花費一年的時間對《殷墟甲骨刻辭類纂》和《甲骨文編》的字頭逐一加以核對，發現這種因誤摹或誤釋而誤增的字，在《類纂》和《文編》中都爲數不少，後來針對《類纂》誤增的字寫了〈《殷墟甲骨刻辭類纂》刪正〉一文[10]，指出類纂誤增的字頭146個。《甲骨文編》誤增的字數更多，尤其〈附錄〉中有相當多的字都是本文中已有之字的誤摹。如：

3045號「𣏐」見《鄴初》下46.15，此片在原書中倒置，倒轉過來看則明顯是「帚」（帚）字[11]，應該併入981號。

鄴初下46.15   合2816

3052號「𡴁」字，見《戩》31.13，此版字體屬於歷組卜辭，歷組卜辭的前辭主要作「干支卜」或「干支貞」[12]，則此版貞上一字應是「地

---

10 《大陸雜誌》94卷6期，1997.6。

11 此片即《合集》2816號，已轉正。

12 見黃天樹《殷墟王卜辭的分類與斷代》，第七章，文津出版社，民國80年11月。

支」，從其筆劃看，只能是「未」字。今按：此版即《合》35154，《合》的拓片比《戩》清楚，該字即作「未」足可證明。

戩 31.13   合 35154

3247號「爭」，見《殷契卜辭》253（即《合》1663），此字細看作「爭」，即賓組卜辭常見的貞人「爭」。《文編》〈附錄〉中這類的誤增字還有很多，這裏所舉的只是幾個例子而已。

在「正文」中這一類的誤增字也不少。如：

153號「歰」，見《林》1.29.20(《合》38717)。

此字《文編》釋「歰」，云「從三止，《說文》所無。」辭云：

　　貞：王〔賓〕品〔亡〕尤。

對照《合》38715：

　　辛酉卜，貞：王賓品亡尤。

來看，以及「品」經常作為祭祀動詞的情況[13]，可斷定「品」絕是「品」字無疑。此字拓片作「品」，《文編》所摹亦有問題。

有些字表面上看起來無可疑，實際卻是靠不住的。如：

25號「字」，釋「景」，見《林》1.2.7(《合》17583)。

該字處於左上殘斷處，「？」當為「？」之殘。「？」常用為人名，「？示」之辭例亦不只一見[14]，可以斷定「字」實際上是「？」字殘斷的下半和「示」的誤合。

13　參見《類纂》279頁。

14　參見《類纂》1190頁。

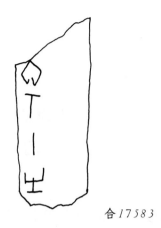

合17583

還有一種情況，著錄在不同書上的同一片甲骨，被摹爲不同的字形且編爲不同的字號，如：

　　5359號「∧」，見《續》3.36.7。

　　5687號「∧」，見《簠游》15。

其實這兩書所著錄的是同一片，即《合》8251正。

有時同一個著錄號的甲骨，也被摹爲不同的字形且編爲不同的字號，如：

　　5544號「⿱」，見《乙》4421反。

　　5642號「⿱」、「⿱」，見《乙》4421反。

二號所據爲同片，5642號第一形爲《乙》4421左邊之字，第二形爲右邊之字。第二形即爲和5544號同一字的不同摹寫。按此疑爲「凵」(出)字之倒刻或《乙》圖版之誤倒。《乙》4421即《合》19320，《合》已將圖版轉正。

乙4421　　　　　　　　　　　　　　　　合19320

有時同一片的同一字被摹爲不同的字形，其中一形「混入」別的字號下。如：

440號「妝」下所錄的最後一形：

　　　　「圖形」《乙》8605[15]

此字又重見於863號之下，但字形摹為「圖形」[16]。

　　從以上的評述，可以發現《甲骨文編》的問題還是很多的。但不可否認的，《文編》所收資料，在當時而言是相當完備的，摹寫雖然不免有錯，但一般而言是比較逼真的。

　　與孫海波《甲骨文編》性質相似的，則有金祥恆先生的《續甲骨文編》[17]。金先生自序其著述之緣由云：

> 字彙之編輯，……民國二十三年孫海波之《甲骨文編》，亦其選也。孫書本為補正其師商承祚之《殷虛文字類編》而作。上距商書僅十一年，而所補正者已甚多。今日上距孫書已二十五年，此二十五年中，古文字之學日益進步，甲骨之出土者亦日益增多。則繼孫書而有作，亦事之宜也。

由這一段自序文字看來，《續編》所續的是《甲骨文編》民國二十三年(1934)的初編本。《續編》出版於民國四十八年(1959)，實際上比1965年出版的《文編》改訂本還要早了六年；兩本書都是在初編本的《甲骨文編》上增補、校訂的，在當時「老死不相往來」的時局中，兩岸學者不約而同的做了同一件事。

　　就改訂本《甲骨文編》與《續甲骨文編》所附的「書目」來看，二書所根據的材料大致相同。最主要的差別是：《續編》不收摹本，其「編輯凡例」說：

> 本編摹寫之字，以拓片覆印為準。寫本如(中略)等書，雖摹寫清晰，究不如原物拓片之可信，故不予收錄。

---

[15] 《文編》誤為「甲8605」。本字號倒數第二形「甲8595」，甲亦為乙之誤。

[16] 863號下收錄二形。另外一形為見於京津2085(合3194正)的「圖形」，此字右下殘破，似尚有一豎劃，或有可能此字亦從「圖形」。

[17] 此書出版於民國48年。民國79年收入《金祥恆先生全集》第五、六冊。藝文印書館印行。

因此《續編》的書目上就沒有摹寫本。此外，《文編》所用的書爲《續編》所無的只有下列五種：

    1.殷契卜辭   容庚

    2.柏根氏舊藏甲骨文字   明義士

    3.甲骨文零拾   陳邦懷

    4.河南安陽遺寶   梅原末治

    5.京都大學人文科學研究所藏甲骨文字   貝塚茂樹

其中《京都》一書與《續編》同年出版，《續編》不及引用是很合理的。不過《續編》引用的《東方學報》第二十三冊，其中拓片即《京都》之部份。

《續編》所用之書爲《文編》所無者，則有下列五種：

    1.傳古別錄第二集

    2.書道全集

    3.殷虛文字外編

    4.北京大學藏甲初稿

    5.凡將齋所藏甲骨文字

以上資料之出入，僅就其「書目」而言，其彼此之間拓片的可能重複或交集，暫時都不考慮。

近年還有兩本「字典」出版，一是徐中舒主編的《甲骨文字典》[18]，一是劉興隆著的《新編甲骨文字典》[19]。這兩本書的出版時代比《文編》晚了二、三十年，但後出未必轉精，且雖都標榜「均據諸書所著錄拓本之原形摹寫」[20]，但其所收字形，恐怕並不是「摹」，而是「臨」，甚至是「自運」，實際遠不如《文編》接近原拓形神，而所錄字形亦甚簡略，並不能取代《文編》的作用。

《甲骨文字典》的〈序言〉裏說：

---

18 四川辭書出版社，1989年。
19 國際文化出版公司，1993年。
20 見《甲骨文字典》凡例。《新編甲骨文字典》的「凡例」中也有類似的話。

　　　　《甲骨文編》所彙字形重複龐雜，或有摹寫失誤，識字不當之處。

　　　　而字彙龐雜，未加分期歸類也是不便使用的。

因此，處理的辦法是

　　　　在蒐集字形方面是統覽每一字全部字形基礎上精選有代表性的字

　　　　形，按斷代標準分列于各時期之下，以便了解各個時期文字字形演

　　　　變的特徵，從而全面深入掌握字形。

「摹寫失誤、識字不當」恐怕是任何文字編都無法完全避免的。而「字形重複龐雜」正是文字編資料豐富的表現，問題是如何加以整理，使其不致雜亂無章。《甲骨文字典》用「斷代」的方式加以組織，不失為好方法，但其「精選」字形的結果，便遺漏了許多寶貴的資料。如貞字下（350頁）無「㡉」形，受字下（456頁）無「　」形，這些字形都是斷代分期上的重要判準，可見這種「精選」的方式，作為「字典」而言，未必就是一種「改良」。

　　除了字形的收錄比較簡略外，對於卜辭的收錄也很簡單。把字形分期、釋義並附相關卜辭，設想很周到，但各方面都很粗略。

　　綜上所述，可知《甲骨文編》雖然出版較早，但以字彙書的性質而論，孫氏茲編仍為個中翹楚。但孫編仍存在不少缺點已如上述，因此著手編製一部能反映當前甲骨研究水平，且又能切合甲骨學者需要的新甲骨文編，實在是刻不容緩的事。

二、關於《甲骨文字編》

　　從上文的評述，可知《甲骨文編》仍是目前收錄甲骨字形最完備的一本書，但《文編》存在的問題已如上述，且《文編》出版至今已超過三十年，三十年來甲骨材料續有出土或公佈，如《英國所藏甲骨集》、《小屯南地甲骨》等，都是孫氏所不及見的；三十年來學者的研究、發明也累積出可觀的成績，都有待加以吸收、展現，很明顯的《甲骨文編》已不能滿足當今學者的需求，因此重新編撰一部《甲骨文字編》，可謂此其時矣。

　　理想的字彙書應該是怎樣的面貌？陳夢家曾勾勒出一個「草圖」，他在評述于省吾《契文例》稿本時說：

> 于氏稿本羅列材料之富，遠勝上述五書[21]，分析較細而客觀，其長處係每字之下博引卜辭。……他的稿本，凡可隸定者就古文字形隸定之，亦往往有眉批和簡短札記。但是每字之下的卜辭並未分時代別其先後，並未依用法分別詞類，還是一種需待整理補充的材料。
>
> 他的這種作法，和我們理想的《甲骨刻辭字彙》很相接近，所以雖並未成書，我們認爲是最好的一種字彙編製的草圖。[22]

陳夢家理想中的字彙書，看起來不像是《甲骨文編》一類的產物，反而接近後來出版的《殷墟甲骨刻辭類纂》。我們理想中的字彙書，是將每字之可隸定者加以隸定，並儘可能的臚列異體，且用最新的斷代知識將異體加以組織歸類。我們的具體做法是：

（一）摹錄字形

　　要真實的展現字形的原貌，掃描或照相應是最科學的方法，但是照相在資料的排比或再運用上有其局限[23]，而掃描則很難克服甲骨文字筆劃纖細以及拓片不是都那麼黑白分明的困難。

　　如果採取拓片直接掃貼，固然是「忠實」，但很難做到「清楚」；如果掃描之後再經反白處理，雖然會比拓片清楚，但「忠實」的程度卻比摹寫還不如，因爲摹寫是緊貼在拓片上面描，而反白之後的修飾卻很難確保筆劃不失真。更大的問題是：反白之後的字，其未修飾之前，多半如同麻臉，修一個字形所需的時間非常可觀，花上大量的時間，其效果卻又不理想，恐不是一個好辦法。

　　試用了幾種方法後，我們決定採用摹寫和掃描並用的辦法。一般情況採用描圖紙摹寫，再逐一用掃描機掃描存成電腦檔。這樣做有一個好處，

---

[21] 指羅振玉《殷虛書契考釋》等，參《殷虛卜辭綜述》p.61-62。

[22] 參《殷虛卜辭綜述》p.61-62。

[23] 如用照相剪貼，則文字的調整，調動都很困難，且照相也有可能造成字體大小的變化或邊角地帶的變形。近聞有「數位相機」，能起到什麼樣的作用有待進一步了解。

即沒有臨寫甚至自運的失真，而且由電腦建檔，可以避免過去使用剪貼或抄寫不便於編輯、調整等再加工的缺點。至於只出現一次或出現的次數極少而又殘斷的字，我們仍加以摹寫，並在殘斷處加上虛線以為區別。如果只出現一次而又殘泐且不清楚，描摹都有困難的字，則採原形掃描的方式呈現，由讀者自行判讀。

對於字形的選擇，我們比較傾向於「求全」，所謂「求全」是指把甲骨的所有單字呈現出來，所以對上述只出現一次的殘損字，也不輕言放棄；至於常見的字，其結體和筆勢沒有明顯差別的，我們也不以堆垛為能事。

摹寫的對象則包括已經出版的所有著錄書，包括：

　　甲骨文合集

　　英國所藏甲骨集

　　小屯南地甲骨

　　懷特氏等收藏甲骨集

以上四種是目前較重要且所收拓片彼此不重複或較少重複的著錄書，《類纂》所根據的就是這四種書[24]。此後出版的著錄書主要有：

　　殷虛文字乙編補遺(中研院史語所)

　　中島玉振舊藏甲骨片(創榮)

　　德瑞荷比所藏一些甲骨錄(利氏學社)

　　天理參考館藏甲骨文字(天理教道友社)

此外，還有尚未出版但已拓製完成的本所購藏甲骨[25]，都在收錄的範圍。也希望花園莊出土的甲骨拓片能早日發表，使本書內容得更充實。

摹寫的字形必附上著錄號，以便於使用者核驗。過去所有的文字編所標明的都是舊著錄的號碼，這在當時是不得不如此的做法，且所謂的「舊著錄」也是相對而言的，我們所謂的舊，在當時人而言可能是最新的。

---

[24] 《類纂》的底本其實是《殷墟甲骨刻辭摹釋總集》，《摹釋總集》所摹釋的還有《東京大學東洋文化研究所所藏甲骨文字》，但因該書的拓片「基本上《合集》均已著錄，故捨而不錄」(見《類纂》姚序)。

[25] 據鍾柏生先生稱，這批甲骨有少量新字。

《甲骨文合集》出版後，可說將舊著錄囊括殆盡[26]，是一部甲骨拓片的集大成之作，學者取讀容易，在舊著錄極不易得的今天，我們從《合集》所摹錄的字形，一般都標示《合集》的號碼。不過《合集》的拓片有很多不如舊著錄清楚[27]，凡遇《合集》拓片不清而舊著錄清楚者，則從舊著錄摹寫，同時標上《合集》和舊著錄的號碼。

（二）字形編排

甲骨文字中，一字多形的現象是普遍存在的。字彙書所收錄的字形，如果只是臚列而不排比，則易流於「重複龐雜」，因此我們打算用分期分類的方式將字形系統化，一來避免異體字太多時顯得雜亂無章，二來可以看出文字的流變及各期文字的特色。

至於「合文」，大抵是兩個或兩個以上單字的組合，「合文」本身並不是一個單字，我們打算依照《甲骨文編》等的做法，釐爲專卷處理，但仍以分期分類的方式排比。

（三）字形的歸部

「部首」是《說文解字》的發明，但這種「部首」施用於甲骨文，其局限性是很大的。姚孝遂先生在《類纂》「序」上說：

> 這種部首的劃分，延續使用了將近兩千年。《說文解字》的研究對象主要是小篆，同時也包括一部份古文、籀文，這些文字形體的時代屬於戰國秦漢。五百四十部的使用，無疑是一個偉大的創舉。但同時也不容否認，五百四十部有其很大的局限性。

> 任何偉大的創舉，都不可避免地具有不完備性和不成熟性。適用於小篆的分部，不一定能適用於早期的殷商甲骨文、西周青銅器銘文，或者是晚期的隸楷書體。何況即使就五百四十部本身來說，有許多也是不盡合理的。

---

26 當然還有一些遺漏的。
27 參見拙作《殷墟甲骨文字表》p.369，北京大學博士論文，1995。

我們姑且不論這五百四十部是否合理，但要拿甲骨文字去遷就從小篆分析出來的部首，其左支右絀是很明顯的。島邦男早就意識到這一點，所以他的《殷墟卜辭綜類》就以甲骨文字為對象「創作了獨立的部首」[28]，我們認為就甲骨文字而言，這項「創作」也是一個「偉大的創舉」。

截至目前為止，幾乎所有的文字編，都是按照說文的部次編排的，這種編排方式有其方便的地方，也可以讓使用者易於跟別種文字編相參驗。如「長」字《說文》在第九卷，則只要翻開各種文字編的第九卷，前後稍一翻查即可找到「長」字互相參證，這是使用說文編排方式的一大優點。對於份量不多的古文字材料，本身自無自創一套部首的必要，則沿用《說文》也是一種權宜的辦法。

但是古文字材料中，能夠跟《說文》完全聯繫的字畢竟不多。反之，更多的說文所無之字，有相當比例連歸到說文那個部首下都有困難，即使願意削足適履亦不可得。這一類的字和無法隸定的字，一般都歸入「附錄」，因為為數甚多，故「附錄」往往極為龐雜。如果一個字不見於《說文》，且亦不見於文編之「正文」，在「附錄」的茫茫「字海」中，要尋找該字，常有「兩處茫茫皆不見」的無奈。因此，以古文字材料本身為對象，分析出自己適用的部首是很明智的。

《殷墟卜辭綜類》從甲骨文字中分析出164個部首，《殷墟甲骨刻辭類纂》也沿用這些部首，只做了局部的調整。我們的《甲骨文字編》也採用這個辦法，這可以說是不得不爾的趨勢。我們也視字形的實際情況，對部首做了小部分必要的調整。

（四）關於隸定

一個字而有好幾種不同的考釋，這在甲骨文研究中是常見的。考慮到《類纂》有辭例可以參考，我們一般採用《類纂》的隸定，但也不是完全依從《類纂》，同時也參酌學者的研究成果做必要的修改。至於各家的不

28《殷墟卜辭綜類》凡例「關於部首」。

同考釋，松丸道雄和高島謙一二氏所編的《甲骨文字字釋綜覽》[29]。足資參考，本《文字編》在這方面無意求全。

（五）文字的分合

姚孝遂先生在《類纂》「序」上，曾提到文字的分合問題：

> 我們的任務之一，就是將某些同一文字的不同形體歸併在統一的字頭之下。同時，將形體相近似，但肯定不是同一的文字，分離開來。這些都有可能與傳統觀念發生衝突。要想分合得準確而恰當，難度是相當大的，我們必須慎重將事。

從我們處理文字分合的經驗中，的確深刻體驗到這個「任務」的「難度」。甲骨文字的分合，並不是簡單的把一些字重新加以排列組合即可竟事，而是必須有相當的根據。即使「慎重將事」也未必能完全做到「準確而恰當」。事實上，《類纂》對分合的處理，也有一些不盡合理的地方，後來出版的《甲骨文字詁林》[30]曾做了一些修正，但《詁林》中的分合可以進一步討論的地方還是不少。

姚孝遂先生主編的《甲骨文字詁林》曾把《類纂》編爲2270號的「𥄎」、2272號的「𥄕」、2280號的「𣪊」和2277號的「𡔷」（磬）合爲一字。拙文〈釋磬聲〉[31]則進一步考訂《類纂》2275號釋爲「硪」的「𥐚」字應作「𥐦」，即「磬京」合文；《類纂》2283號釋爲「斳」的「𣥂」也是「磬」字。此外《合集》21050的「𥄎」、《合集》9339的「𥐦」都是磬字。

拙文第二節則印證《合集》20082號的「𣪊」是聲字之說，並考訂《類纂》2282號的「𡔷」、2267號的「𥐚」字、2273號的「𣥂」與2281號的

---

[29] 東京大學東洋文化研究所發行，1993.3。

[30] 北京中華書局出版，1996。

[31] 《第三屆國際中國古文字學研討會論文集》，p.205-210，香港中文大學，1997.10。

「⿰冎殳」都是聲字。可惜這一節經《論文集》編輯剪貼之後，有一大段內容張冠李戴，終至全文無法通讀。

這裏再舉一個可以合併的字例。《類纂》1086號「首」字下列兩個字形，其中「⿰」的主要辭例是「⿰　⿰」(《類纂》釋「途首」)，例如：

　　甲戌卜，殻貞：翌乙亥，王途首無囚。　　　　　　　　《合》6032正

《類纂》3425號「⿰」字頭下引一卜辭云：

　　己丑卜，古貞：王途⿰無蚩。　　　　　　　　　　　《合》916正

辭例與1086號的「途首」一樣，我們認爲「⿰」也是「首」字。「⿰」是側面象形，「⿰」是正面象形。

上面所舉只是分合問題的幾個例子而已，同類的問題還有很多。處理文字分合時，把原先認爲一個字的異體分爲二或更多個字，固然增加了一個或更多個單字；相反的，把幾個未識的字合爲一個字，其結果不只是「合併」而已，實際上等於考釋了幾個原先未識的字。

（六）關於索引

把甲骨資料「輸入」固然是一件大工程，但如果無法「輸出」，則輸入的資料即很難利用。我們希望《文字編》的檢索方式至少有部首、拼音、筆劃三種。這三種方法又以「部首」最全面，因爲甲骨文字有許多無法隸定，更不可能有讀音；有些可以隸定的字，又往往因各家考釋不同而有異，都增加拼音和筆劃檢索的困難。以「部首」而言，我們希望做到「部首交集」的方式，即可以同時點選幾個符合條件的部首，這樣必然可以省去許多在檢索欄「虛苦勞神」的時間，尤其碰到字彙很多的部首時(如「又」部)，更須要利用這種方式來縮小檢索的範圍。這個工作技術上的問題，有待和資訊工程師進一步研究。

（七）文字編的展望

　　過去的文編，不論是用照相或摹寫，最後完稿時都是用剪貼的，這樣的「成品」，再利用的可能性很受限制。在科學昌明，電腦技術日新月異的今天，我們並不以編出一部《文字編》爲滿足，還希望經掃描而用電腦存檔的字形可以再利用、再加工。我們進一步的工作是要利用已經建檔的字形庫，建立起甲骨文全文檢索的系統，並解決有關甲骨學的論著需大量人工塡字的麻煩。希望《甲骨文字編》的完成，能爲甲骨文字的電腦化作出積極的貢獻。

甲骨文發現一百周年學術研討會 1998.5.8-10
歷史語言研究所.臺灣師大國文系合辦.臺北

說羌—評估甲骨文的羌是夏遺民說

靜宜大學中文系
朱歧祥

　　根據古文獻和甲金文中無數方國的實錄，上古三代的社會形態是屬於氏族聯盟的關係。所謂夏、商並不是一統的時期，而只不過是無數部落（文獻中所謂諸侯、萬邦）當中的一員罷了1。因此當日的商取代了夏而成為部落間的共主後，夏部落何去何從？吾人能否在僅存的殷墟考古材料中找到夏人的蹤跡？這顯然是一個有趣而待考的課題。

　　吾人在探索這個問題的同時，先大膽評估當日商民族取代了夏民族在黃河中游河套一帶領導權後的狀況。夏遺民在商人的統治下，自然淪為商人欺壓和監控的對象。商人有目的的箝制夏人，一方面是要提防夏人的反抗，一方面可以作為招降其他部族的示範工具。而商人控制夏人的動作，不外乎是作為奴役和祭祀的人牲二種形式。夏民族既然一度為中土河套一帶的共主，其所認同的族眾自然不少，而族人的活動範圍在理論上亦必然較他族為廣。商人在奪得治權後，為避免夏人聚眾復國的反抗勢力，自然會進一步採取分化驅散的手段。印證文獻中的殷滅夏，夏部族分為數支；周滅殷，殷遺民四散的具體記載2。我們認為，在商人主政後，掌握了洹水兩岸肥沃的平原，而部份夏人曾被迫或主動的流散於中土的四域。這一推想應與當日的實況差距不遠。特別值得考量的是，早在傅斯年〈夷夏東西說〉一名文中已提出商民族崛起於東土，勢力由東而西擴張，東方宜為其族發源的根據地。因此，夏人遭驅散後，其流竄的可能方向應是中原的西方、北方和南方。夏人勢力遭瓦解期間，又免不了成為其他部族欺凌、狩捕，並成為納貢於殷以示好的獵物。這種來自四方的打壓，一直到整個部族遭吞併和同化，最後消失於歷史舞臺為止。

　　由以上的假設，夏人入商後的活動，理論上會呈現出以下五點狀況：

註 1　古代社會是氏族聯邦的架構，由文獻中可以參證：

❶《史記.封禪書》：「黃帝時有萬諸侯。」

❷《史記.五帝本紀》：「軒轅之時，神農氏世衰，諸侯相侵伐，暴虐百姓，而神農弗能征。於是軒轅乃習用干戈，以征不享，諸侯咸來賓從。」

❸《尚書.堯典》記堯時「協和萬邦」。

❹《史記.夏本紀》：「天下諸侯皆去商均而朝禹。」

❺《史記.殷本紀》：「周武王之東伐至盟津，諸侯叛殷會周者八百。」

註 2　上古三代的更替，前朝遺民往往四散於各地。如：

❶《史記.夏本紀》：「太史公曰：禹為姒姓，其後分封，用國為姓。故有夏后氏、有扈氏、有男氏、斟尋氏、彤城氏、襃氏、費氏、杞氏、繒氏、辛氏、冥氏、斟氏、戈氏。」

❷《史記.殷本紀》：「太史公曰：……後分封，以國為姓，有殷氏、來氏、宋氏、空桐氏、稚氏、北殷氏、目夷氏。」

❸《史記.周本紀》：「微子開代殷後，國於宋，頗收殷餘民。」

1.在中原的西、北、南諸方有可能出現夏人的蹤跡。或被驅散和殺戮，或見零散的反抗行動。

2.入商後長期並大量的遭受勞役和淪為祭牲。

3.成為商人和其他方國共同欺壓和搜捕的對象。

4.成為外族納貢於商的貢品。

5.商人對夏人的防範，遠比他國為甚。因此在商人的心目中，其地位遠低於諸方國和附庸。

近世學者已注意運用地下材料和古文獻的訓解，企圖追尋出夏民族的源流。他們曾提出東夷、土方、羌人等可能為夏民族後裔的說法。如：

1.吳汝祚〈夏與東夷關係的初步探討〉[3]，提出夏與東夷有密切的關係；

2.胡厚宣〈甲骨文土方為夏民族考〉[4]，據《詩經》的「禹敷下土方」一句，推定卜辭的土方為夏民族。

3.徐中舒《先秦史論稿》31 頁〈夏代的歷史與夏商之際夏民族的遷徙〉一節[5]，引《史記.六國年表》，說「禹興於西羌。羌是西戎牧羊人，後來在甘肅一帶活動」，推測羌人是夏民族之後裔。

有關夏與東夷有關一說，吾人審視吳先生引用《竹書》、《後漢書》所記載夏曾平服東夷諸族的材料，正足以反證夏民族並非東夷。相對的，夏人發源的位置應在西方。〈周語〉、〈夏本紀〉等記述夏人活動於伊、洛之間，正相當於分佈在黃河兩岸晉南、豫西五十多處的二里頭文化遺址，夏人的活動範圍明顯與東夷不合。

《竹書紀年》：「帝相元年征淮夷。二年，征風夷及黃夷。」「后少康即位，方夷來賓。」

《後漢書.東夷列傳》：「東方曰夷。……夷有九種，曰畎夷、于夷、方夷、黃夷、白夷、赤夷、玄夷、風夷、陽夷。……夏后氏太康失德，夷人始畔。自少康以後，世服王化，遂賓於王門，獻其樂舞。桀為暴虐，諸夷內侵，殷湯革命，伐而定之。」

有關胡厚宣先生引用《詩經.商頌.長發》的「洪水芒芒，禹敷下土方」一句，論證夏禹與卜辭中土方的關連，恐怕也是不可靠的。吾人試比較下列諸先秦的同類文獻，「敷下土方」一句可改作「敷土」、「平水土」、「畫為九州」、「以息土填洪水」等相類用語。可見《詩經.長發》所賦的內容，應是指古代洪水為患，夏禹平定四方水土一事。詩中「土」字的用法，是泛指九州的土壤，而並非指某方國的專名。

《尚書.禹貢》：「禹敷土，隨山刊木，奠高山大川。」

註 3 見《華夏文明》第一集 197 至 211 頁。北京大學出版社。

註 4 見《殷墟博物苑刊》創刊號。1989 年 8 月。

註 5 見巴蜀書社版，1992 年 8 月。

甚多，彼此不能視爲完全不相關的字。它們應該是羌字前後期的不同書體。因此，由同處看，作爲一般羌的泛稱，普遍是用〔羌形〕，第三、四期偶亦有用〔羌形〕、〔羌形〕。可是，由異處看，作爲方國的專名「羌方」，則只見用〔羌形〕、〔羌形〕，而絕不用〔羌形〕。這點是吾人很值得注意的區別。

根據拙稿〈殷武丁時期方國研究〉一文中討論殷與諸方國間的關係，吾人復有如下的認識：殷人尙鬼，長期而大量的用羌（〔羌形〕）爲人牲祭祀鬼神。其中所用的祭儀十分繁雜，包括有：以、用、登、盤、屮、伐、彳、歲、禘、改、宜、則、俎、祝、酚、禦、來及單言人牲若干等。反觀卜辭偶有見用其他方國爲人牲，如：羌方、龍方、叙方、缶、危方、秦、〔字形〕、徇、歸等，但都只有一二見，且用牲量極少，而祭儀亦只有「用」「禦」二種。因此，〔羌形〕和羌方作爲殷人祭祀時人牲的用法，無論是由質或量上看，都是有懸殊的差別。此外，〔羌形〕和羌方的整體用例並不相同。卜辭的〔羌形〕只作爲殷人搜捕的對象，例如：「獲圍羌」「獲羌」「得羌」「執羌」「逆羌」「涉羌」「追羌」等。卜辭中並無任何伐〔羌形〕的辭例。相對的，羌方只是殷人征伐的目標，並接受殷人封冊。所以，〔羌形〕和羌方所代表的，很明顯的是屬於二類不同的對象。卜辭中諸方國在臣服於殷後，多淪爲殷地，但〔羌形〕字卻從未見用爲地名；相對的，〔羌形〕、〔羌形〕、〔羌形〕在第三至五期卜辭中已有用爲殷田狩地名。由此可見，〔羌形〕和羌方、以及其他的〔羌形〕、〔羌形〕諸羌字形的實質用義是有差別的。此外，卜辭中的方國多納貢於殷，如作〔羌形〕形的羌方，均有進貢的辭例，可是作〔羌形〕形的羌卻從不見納貢的活動。卜辭中復常見殷人求神降災於外邦例，其中亦有「〔字形〕哉羌方」的辭例，可是卻絕無任何降災於〔羌形〕的例子。這是由於〔羌形〕太弱小，亦或是它根本就不是方國？由以上種種對比，〔羌形〕字除常態的用爲殷人牲外，顯然並未當作爲一個方國的身份出現。卜辭中又見「多馬羌」「多羌」「北羌」等例，羌字作〔羌形〕。可見〔羌形〕字宜理解爲一大類族群的泛稱，與後來結合爲羌方一特定族眾名稱的用法是不同的。〔羌形〕的活動範圍主要是在殷西，卜辭常言「來羌自西」，如〈集 6596〉〈集 6597〉等可證；但亦有言「北羌」者。其中值得注意的，是諸方國都是普遍以〔羌形〕作爲進貢給殷商的祭牲。如殷西北的龍方、旨方，殷西的長，殷西南的磁方、興方，殷南的旁方等，都見「致〔羌形〕」「來〔羌形〕」「以〔羌形〕」等貢〔羌形〕的辭例。這很明顯反映羌分佈之廣之眾，但卻是長期成爲諸部族欺壓的弱小群體。

總括以上對卜辭中羌字性質的瞭解，可見〔羌形〕與羌方的〔羌形〕、〔羌形〕在字形上偶有類同，但在用義上其實並不一樣。〔羌形〕這一族群自始自終稱不上是與殷對立的方國。它們並不具備任何武裝攻擊的力量，在殷時長期流竄於殷西，以至殷的南、北，爲各地的方國欺凌、捕獵，並作爲納貢於殷的貢品。他們在殷王室各種祭祀中固定的用爲人牲。殷人用羌的祭儀之繁，用量每次以百計，是他族絕無僅見的。如〈集 295〉：「三百羌，用於祊？」〈集 300〉：「貞：禦自唐、大甲、大丁、祖乙：百羌、百〔字形〕？上吉。」等例是。而且，殷人通常把羌混於其他祭牲如牛、羊、豕、犬等動物中同祭（如〈京 609〉、〈集 300〉、〈集 324〉、〈明 718〉等），更可見他們在殷人心目中的地位是連起碼的外邦部落都不如的。印證上引殷墟婦好墓中立待角髻的玉人，羌人應是奴隸的身份。在殷商時期，殷人已懂得利用歸順的附庸人力，助殷從事征伐、田狩和農耕等事宜，如旨方、虎方、馬方、興方等助殷討伐，叙方助殷墾田，異方助殷祭祀，磁方助殷田狩。這亦表示殷人對諸方國在某種程度上的信任。唯獨對於羌人，只是長

首先，我們來談談羌字的本義。羌，許慎《說文》：「西戎牧羊人也。從人從羊，羊亦聲。南方蠻閩從虫，北方狄從犬，東方貉從豸，西方羌從羊。」這種以動物賤稱命名外邦的方式，自然是周以後就中原為重心，貶抑四鄰的自尊心理作祟。這明顯絕非羌字的本義。羌字最早的寫法是見於甲骨文的 ？，屬於獨體。東漢許慎據漢人「能分則分」的錯誤觀念，就篆文形構說羌字「從人從羊」的分析是與該字的原形相違的，〜形從未曾獨立出現，也不可能釋為羊。所謂羌是牧羊人的說法，亦是漢以後對西邊羌人生活習性的詮釋，恐亦非羌字發生的本義。然則，羌字的本義為何？郭沫若曾釋羌為狗 7，是不正確的；由卜辭中屢言「羌若干人」，可證羌絕非狗。對於甲骨文 ？字的理解，過去我曾推測字上邊的 〜 為羌人特有的首飾，繁體作 〜，省體作 ∨，示為某類群眾身份的表徵 8。可是，仍然缺乏充分的解說和確證。

一九七六年安陽殷墟發掘的殷王武丁配偶婦好墓葬中，發現了許多陪葬的作為觀賞用的玉人、石人 9。這些地下材料正好提供我解決羌字形構的機會。玉人、石人的形狀大致可分為兩類：常態的都是蹲跪的坐姿，身上有雕紋，方臉、大眼、大鼻，臉具笑容，細長眉。頭上短髮戴冠；或束髮成鞭，貼往腦後下垂。特殊的是一對裸體玉人，一為男性，一為女性，雙手放跨間及腹部，膝部略內屈，立待，橢圓臉，大耳，雙目微突，臉無笑容，寬眉。頭上均梳有兩向上翹的角狀髮髻。前者呈現的，應該是一般殷人的正常打扮，而後者裸體的玉人則很明顯是當日奴隸的典型樣子。值得注意的，是這對立待玉人頭上特殊的髮飾。這種兩上翹外翻的角狀髮髻樣式，和卜辭中羌字的 ？ 形，完全可以相類比。因此，羌字上半部的取象，應該是將長髮編成角狀的髮髻之形。這應是羌人當日習慣的髮飾。殷婦好墓出土的立待玉人，可能正代表著當日羌人作為殷商奴隸的真實面貌。由此看來，殷人和羌人關係的密切，確是有根據的。

然而，這裡又衍生出另一個問題。殷商時期方國部落數以百計，何以單獨只見羌人普遍用為人牲，並用為隨葬的奴隸人俑？羌人與殷人竟有如此深仇大恨？羌人所代表的身份是否異於一般的部族？要回應這些問題，必須首先通盤檢視殷卜辭中羌字的用法。卜辭中羌字的字形，由 ？ 而 ？、？、？ 等，對比執字之作 ？、作 ？，此處從屬的 〡、丁、𠃌 諸形正象羌人身繫的繩索枷鎖，示遭受俘虜、勞役之形。因此羌字的形成，是由早期表達其部落特殊的髮飾，以至後來與淪為奴隸的身份有關。其中的 ？ 形遍見於第一至第四期卜辭，而主要見於第一、第二期中，用為羌族的泛稱。？、？、？ 諸形見於第一至第五期卜辭，而主要見於第三、四期中，有單用為羌，亦有用為羌方的專名。？、？、？ 諸形則見於第五期卜辭，只用為地名 10。由辭例「用羌」作 ？，又作 ？方；「哉羌」作 ？，又作 ？、？、？方、？方和 ？人；「羌甲」作 ？，又作 ？；「歲羌」作 ？，又作 ？；「禦羌」作 ？，又作 ？ 等，可知 ？ 和 ？、？、？ 等字形的用法重疊處

註 7 參郭沫若《卜辭通纂》140 版釋文。

註 8 參拙著《殷墟甲骨文字通釋稿》13 頁羌字條。文史哲出版社。1989 年 12 月。

註 9 詳參《殷墟婦好墓》，文物出版社。1980 年 12 月。

註 10 參姚孝遂先生編《殷墟甲骨刻辭類纂》羌字條。中華書局。1989 年 1 月。

《尚書.呂刑》：「禹平水土，主名山川。」

《左傳》襄公四年：「芒芒禹跡，畫為九州，經啓九道，民有寢廟。」

《詩經.大雅.韓奕》：「奕奕梁山，維禹甸之。」

《詩經.小雅.信南山》：「信彼南山，維禹甸之。」

《淮南子.地形》：「禹乃以息土塡洪水，以爲名山。」

　　至於徐中舒先生引用《史記.六國年表序》「禹興於西羌」一條，認爲夏民族與羌人有關。這一說法倒很值得我們深思。早在陳夢家先生的《殷墟卜辭綜述》中，其實已提到這一可能性。該書的 282 頁指出：「由於羌人作爲犧牲的事實，以及羌方地望的推測，我們以爲羌可能與夏后氏爲同族之姜姓之族，是有關係的。……羌爲與夏同族之人，商革夏命，因此俘虜其子民爲奴隸，並作爲主要的人牲來源，乃近乎理。」陳先生的說法十分有啓發性，可惜這段意見並沒有引起學界進一步的討論。

　　自先秦以降，文獻中確有不少涉及夏與西羌之間關係密切的記載。因此，陳、徐二先生的看法是具備文獻材料的基礎的。如：

《荀子.大略》：「禹學於西王國。」

《史記.六國年表序》：「禹興於西羌。」集解：「皇甫謐曰：孟子稱：禹生石紐，西夷人也。傳曰『禹生自西羌』是也。」

《史記.夏本紀》：「帝禹立，封臯陶之後於英六，或在許。」梁玉繩《史記志疑》：「許，太岳之後也，姜姓。」

《新語.術事》：「大禹出於西羌。」

《後漢書.戴叔鸞傳》：「大禹生西羌。」

《吳越春秋.越王無余外傳》：「禹父鯀者，帝顓頊之後，……家於西羌，地曰石紐。石紐在蜀西川地。」

《易林》：「大禹生石夷之野。」

《鹽鐵論.國疾篇》：「禹生西羌。」

　　以下，吾人嘗試進一步分析殷墟甲骨中的羌，瞭解該族與夏的可能關係。

　　早在十年前我撰寫〈殷武丁時期方國研究〉一稿時[6]，已注意到羌和殷商的接觸，無論在時空和用法上，都與其他方國不同。一般的方國只出現於某特定時期和方位，而羌在殷甲骨中涵蓋的活動時間長久，多達兩百年，由第一期武丁卜辭，過渡至第四期武乙、文丁卜辭，都有狩獵羌人和用羌祭祀的記錄，第五期帝辛卜辭羌字才改用爲田獵地名。在空間方面，由與羌同版出現的諸相關外邦定點觀察，見羌族活動範圍之廣，可由殷的西南、正西，一直延伸到殷的西北。一個弱小長期受欺壓的部族，其涵蓋的時空能夠如此廣闊，有殷一代是絕無僅有的。而且，爲什麼在衆多的方國中，唯獨只有羌人普遍淪爲殷人狩補和用爲人牲的對象？羌與一般方國間的差別究竟在什麼地方？當時我只疑心甲骨中羌字的用法分二：羊 和 𦏻、𦏽 是形似而不同的兩類，「出現在各其的 羊 字，與奴隸的用法相當，乃殷對外邦奴隸用爲人牲的稱謂，它與 𦏻、𦏽 特定作爲殷西方國的用法相異。」可是，該文仍沒有進一步分析羌的來源。

註 6 此稿發表於 1993 年 6 月的靜宜大學人文學報。

期的捕殺欺凌，大量的浪費地用作為人牲。這反映當日的羌人不但完全無力反抗，而且殷人在始終不放心和長期的敵意下，利用宗教崇拜為手段，對羌採取有計畫的滅絕行動。由這個角度來看，羌人和一般方國的性質是大不相同的。相對應於殷墓中僅見以羌人為立待人俑。羌理解為殷人的世仇—夏部落遺民，其形狀被鑄為奴隸的象徵，一則作為對夏人的鄙視，二則作為玩物和陪葬品，以誇耀統治者的功業，這顯然是合情合理的。

整理以上的討論，綜合可得下表：

	理論上的夏遺民	甲骨中的羌	甲骨中的他族
1.遍見於中土的西、北、南方	＋	＋	—
2.長期遭受殷人勞役	＋	＋	—
3.普遍淪為殷人祭牲	＋	＋	—
4.為殷和他族共同獵物	＋	＋	—
5.為外邦的貢物	＋	＋	—
6.地位遠低於他族	＋	＋	—
7.作為陪葬人俑	＋	＋	—

回顧上文評估夏人入殷後具備的五項可能性，無論是出沒的位置、性質、與殷或外邦的對應關係，都竟完全與羌吻合。卜辭中眾多部族能夠符合這五項要求的，亦唯有羌。殷人對羌這一弱小群體如此特別的和長期的仇恨，除了羌人即相當於夏遺民，為殷人建邦立國長久的大患、並引以為戒這一可能外，吾人實在找不到更好的理由來解釋以上的種種現象。因此，當年陳夢家、徐中舒二先生提出羌人為夏的後裔一說，透過以上卜辭用義的對比分析，配合文獻中的記錄，應該是有一定的可能性的。這一問題關係重大，將來仍有待好學深思者進一步追尋。

殷墟妇好墓　玉、石人

0 ⊢——⊣ 3厘米

殷 墟 妇 好 墓　　玉人等拓片

《十進制及干支起源》

周鴻翔

　　中國發明兩種十進制及一種十二進制的計算制度。爲世界的數學及科學奠定了基礎，亦爲世界文明的發展作出了貢獻。

　　這兩種十進制是由「一」經二、三、四、五、六、七、八、九而至「十」的數制，以及由「甲」經乙、丙、丁、戊、己、庚、辛、壬、而至「癸」的「十天干」。至於十二進制，則是與天干並列的子、丑、寅、卯、辰、巳、午、未、申、酉、戌、亥的「十二地支」。數目字的十進制是計算及數學的基礎。「十天干」是由計算日數而發明的。至於「十二地支」則可能是爲統計一年的十二個月，或者是一日的十二個時辰而作的。干支之產生，與中國農曆的發明，息息相關。

　　後來，十天干與十二地支被複合而成爲「六十干支」，成爲另一種計算制度。

　　數目字的十進制的影響是世界性的，而干支的影響，則限於中國。但影響之大，則超乎一般想像。如生理學名詞的甲狀腺，度量工具的丁字尺，都是以天干字的形狀命名。而矛盾的著名小說《子夜》，即是十二個時辰中的第一個。用現代的時間計算法，即是深夜十一時至翌日清晨一時的時段，亦即半夜的前後二個小時。又如近代史中的「戊戌政變」(1898)及「辛亥革命」(1911)中的戊戌及辛亥，都是紀年的六十干支中的某一年。(事件發生年)而與民間文化關係最爲密切的「算命卜卦」中所最需要的資料的「八字」，即是問卜者的「年」、「月」、「日」及「時」的四個單位的兩個干支字合成的。

　　關於十進制及干支的起源，從周代開始，即已有人加以探討。自1899年甲骨文發現後，研究的人尤多。可惜的是，眾說紛紜，莫衷一是，始終無人能提出一個較爲合理的論斷。

　　本人認爲對十進制及干支來源的探討，應該基於下列二個原則。第一是「單元論」，第二是以甲骨文爲「基礎」。單元論是指不但十進制的十個數目字，十個天干字，以及十二個地支字，皆各自由同一源流產生，而且這三個計算制度應該亦是同源的。至於甲骨文，由於其是目最早、最完整、最成熟的中國文字，其中的十進及干支字，應該是研究這三個計算制度的最佳根據。

　　基於上列二個原則，本人經多年研究探討，認爲十進制、十天干、及十二地支，皆起源於「人體表達」的通訊方法。類似聾啞人所用的手語，亦即西方的所

謂 SIGN LANGUAGE。但手語只涉及兩手，而這三種中國計算制度還涉及手臂及全身，所以「人體表達」才是較爲辭能達意的名稱。本人的新發現，不但能合理地解釋所有的三十二個十進制及干支單位字的來源，連以十日爲單位的「旬」，以及數目字的「百」及「千」，都來自「人體表達」。

爲了使讀者能對歷來學者研究大概有所了解，謹先敘述其來龍去脈，以便一目了然。至於詳細論述，則見於論文本身。

雖然出土的陶文中，有若干頗似十進字及個別的干支文字但與這三個計算制度，並無直接的關係。考古資料中，最早而又最有直接關係的，當然是上述的甲骨文。

《世本》(《作篇》)云：「隸首作數」，「伶倫作甲子」。與其他的中國古科技發明一樣，這只是一種「假託」。所以古人早已對這些發生興趣，頻頻加以探討。老子與孔子，都曾從哲學及教育觀點談過「數」的問題。又如《易》《繫辭》的「太極生兩儀，兩儀生四象，四象生八卦」雖有點玄之又玄，但亦是探討「數」的理論。

最早用文字學觀點來討論的，應該是《春秋左傳》。襄公三十年史詔對「亥」字的解釋是「二首六身」。小篆「亥」字作「ᾝ」，上面二橫爲「二首」，下面三個人，每個人有二畫，是爲「六身」。《史記》的《律書》，則兼及文字學及音律。文云：

> 數始於「一」，終於「十」，而成於「三」。

始一終十是音律(數目字)，但「成於三」則是文字原理。甲骨文之「四」字作「亖」，爲四橫筆。但漢代時，已作現行的「四」，所以司馬遷認爲以筆畫數來表達數目字的方法，只有從「一」至「三」。

上列這些，都是零星片段。作有系統的綜合整理的，是東漢許慎的《說文解字》(公元一六八年)。但由於受到西漢董仲舒的「天人合一」說的影響，許慎的理論，基本上不外是陰陽、五行、天象、人文等充滿神話色彩的發揮。而且自相矛盾，根本與用客觀而科學性的態度來探討這三個重要計算制度的源流，毫無關係，因而引起了後來文字學家的無情批評。

鴉片戰爭(1838-1942)對一國各方都造成了重大的衝擊，對探討一國文化起源問題，亦不例外。中西學者，開始提出一些似是而非的理論。帶頭的是一些帶著民族優越感的西方學者。一本名爲《中國早期文明的西方源流》(Western Origin of the Early Chinese Civilization)於一八九四年出版，不但說黃帝、少暤等人是來自巴比侖的「商人」，還說十進制及干支皆來自巴比侖及希臘。事實上，他們以爲除了「絲」，中國所有的一切早期文明，都來自西方。

中國知識份子方面，不少亦步亦趨。從疑古(錢)玄同至以「夏禹」爲「蟲」的顧頡剛，都對中國傳統文化提出質疑，以至否定。關於十進制及干支的來源，

「西來說」亦盛極一時。

最早提出此方面之意見的是梁啓超,在他的《國文語言解》的「甲乙丙丁」一項中,梁氏引用了馬良(通伯)對干支的新解釋。認爲是來自菲尼斯人或希臘人。郭沫若對西來說進一步加以肯定,在他的《甲骨文字研究》中的《釋支干》一篇中,他認爲中國的十二支應來自巴比侖的天文十二宮,而輸入的時間應是商朝。但郭氏仍認爲「十天干」則是中國人發明的。

早期對干支的解釋,不少是應用天文資料的。新近的學者,亦有再作這方面的發揮,鄭文光(《中國天文學源流》)以爲十二地支是生自新月在天區的星像,便是這種新理論的代表。

Dizhi	Calendric Name	Zodiac	Name of Star
寅	攝提格	Virgo VI(virgin)	角
卯	單閼	Leo V(lion)	軒轅
辰	執徐	Cancer IV(crab)	輿鬼
巳	大荒落	Gemini III(twins)	東井
午	敦牂	Taurus II(bull)	畢昴
未	協洽	Aries I(ram)	胃婁
申	涒灘	Pisces XII(fish)	奎
酉	作噩	Aquarius XI(water carrier)	危虛女
戌	閹茂	Capricornus X(goat-horned)	牛
亥	大淵獻	Sagittarius IX(archer)	斗箕
子	困敦	Scorpio VIII(scorpion)	尾心房
丑	赤奮若	Libra VII(weighing scales)	氐亢

Oracle Bone Inscription	一	二	三	三	✕	⋀	✕	) (	⼈	十
Bronze Inscription	一	二	三	三	✕	✕	十	⋀	∿	丨
Small Seal Style	一	二	三	四	✕	亓	ㄅ	)(	九	十
Modern Form	一	二	三	四	五	六	七	八	九	十
Pronunciation	yi	er	san	si	wu	liu	qi	ba	jiu	shi
Meaning	one	two	three	four	five	six	seven	eight	nine	ten

Figure 4   Numerals of decimal in different forms

Figure 2: Numerals of decimal and its 10-times units in different forms

Oracle Bone Inscriptions				
Bronze Inscriptions				
Small Seal Style				
Modern Form				
Pronunciation	xun	bai	qian	wan
Meaning	Ten-day (week)	One hundred	One thousand	Ten thousands

141

Figure 3 Ten Heavenly Stems (Tiangan) in differet forms

Oracle Bone Inscription										
Bronze Inscription										
Small Seal Style										
Modern From	甲	乙	丙	丁	戊	己	庚	辛	壬	癸
Pronunciation	jia	yi	bin	ding	wu(4)	ji	geng	xin	ren	gui
Meaning	1st	2nd	3rd	4th	5th	6th	7th	8th	9th	10th

142

Figure 6　Twelve Earthly Branches (Dizhi) in different froms

Oracle Bone Inscription												
Bronze Inscription												
Small Seal Style												
Modern Form	子	丑	寅	卯	辰	巳	午	未	申	酉	戌	亥
Pronunciation	zi	chou	yin	mao	chen	si	wu(3)	wei	shen	you	xu	hai
Meaning	1st	2nd	3rd	4th	5th	6th	7th	8th	9th	10th	12th	13th

143

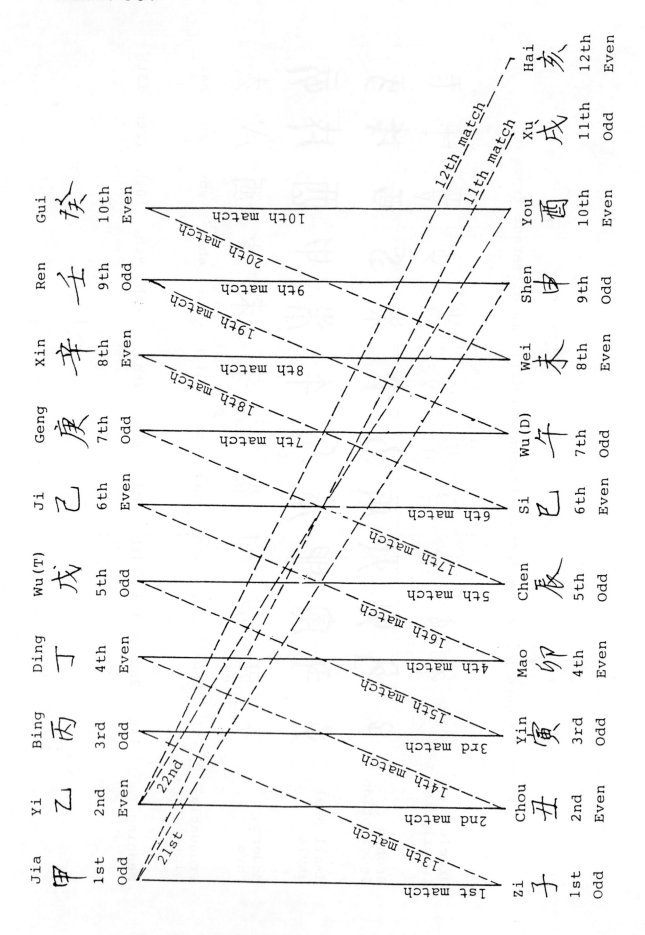

Fiqure XX
Comprehensive Chart of Ganzhi,
Five Elements, and Animals

	Ganzhi		Five Elements	Animals		Ganzhi		Five Elements	Animals
(1)	Jiazi	甲子	Wood	Rat	(31)	Jiawu(D)	甲午	Wood	Horse
(2)	Yichou	乙丑		Ox	(32)	Yiwei	乙未		ram
(3)	Bingyin	丙寅	Fire	Tiger	(33)	Bingshen	丙申	Fire	Monkey
(4)	Dingmao	丁卯		hare	(34)	Dingyou	丁酉		Rooster
(5)	Wu(T)chen	戊辰	Earth	Dragen	(35)	Wu(T)xu	戊戌	Earth	Dog
(6)	Jisi	己巳		snake	(36)	Jihai	己亥		Boar
(7)	Gengwu(D)	庚午	Gold	Horse	(37)	Gengzi	庚子	Gold	Rat
(8)	Xinwei	辛未		Ram	(38)	Xinchou	辛丑		Ox
(9)	Renshen	壬申	Water	Monkey	(39)	Renyin	壬寅	Water	Tiger
(10)	Guiyou	癸酉		Rooster	(40)	Guimao	癸卯		Hare
(11)	Jiaxu	甲戌	Wood	Dog	(41)	Jiachen	甲辰	Wood	Dragon
(12)	Yihai	乙亥		Boar	(42)	Yisi	乙巳		Snake
(13)	Bingzi	丙子	Fire	Rat	(43)	Bingwu(D)	丙午	Fire	Horse
(14)	Dingchou	丁丑		Ox	(44)	Dingwei	丁未		Ram
(15)	Wu(T)yin	戊寅	Earth	Tiger	(45)	Wu(T)shen	戊申	Earth	Monkey
(16)	Jimao	己卯		Hare	(46)	Jiyou	己酉		Rooster
(17)	Gengchen	庚辰	Gold	Dragen	(47)	Gengxu	庚戌	Gold	Dog
(18)	Xinsi	辛巳		Snake	(48)	Xinhai	辛亥		Boar
(19)	Renwu(D)	壬午	Water	Horse	(49)	Renzi	壬子	Water	Rat
(20)	Guiwei	癸未		Ram	(50)	Guichou	癸丑		Ox
(21)	Jiashen	甲申	Wood	Monkey	(51)	Jiayin	甲寅	Wood	Tiger
(22)	Yiyou	乙酉		Rooster	(52)	Yimao	乙卯		Hare
(23)	Bingxu	丙戌	Fire	Dog	(53)	Bingchen	丙辰	Fire	Dragon
(24)	Dinghai	丁亥		Bore	(54)	Dingsi	丁巳		Snake
(25)	Wu(T) zi	戊子	Earth	Rat	(55)	Wu(T)wu(D)	戊午	Earth	Horse
(26)	Jichou	己丑		Ox	(56)	Jiwei	己未		Ram
(27)	Geng yin	庚寅	Gold	Taiger	(57)	Gengshen	庚申	Gold	Monkey
(28)	Xinmao	辛卯		hare	(58)	Xinyou	辛酉		Rooster
(29)	Renchen	壬辰	water	Dragon	(59)	Renxu	壬戌	Water	Dog
(30)	Guisi	癸巳		Snake	(60)	Guihai	癸亥		Boar

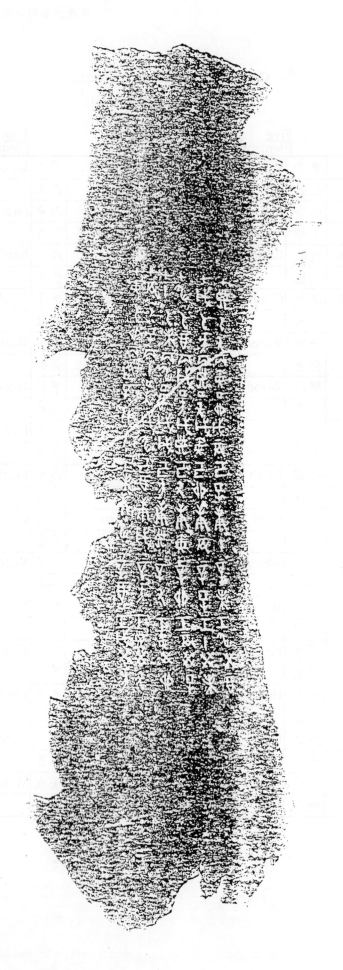

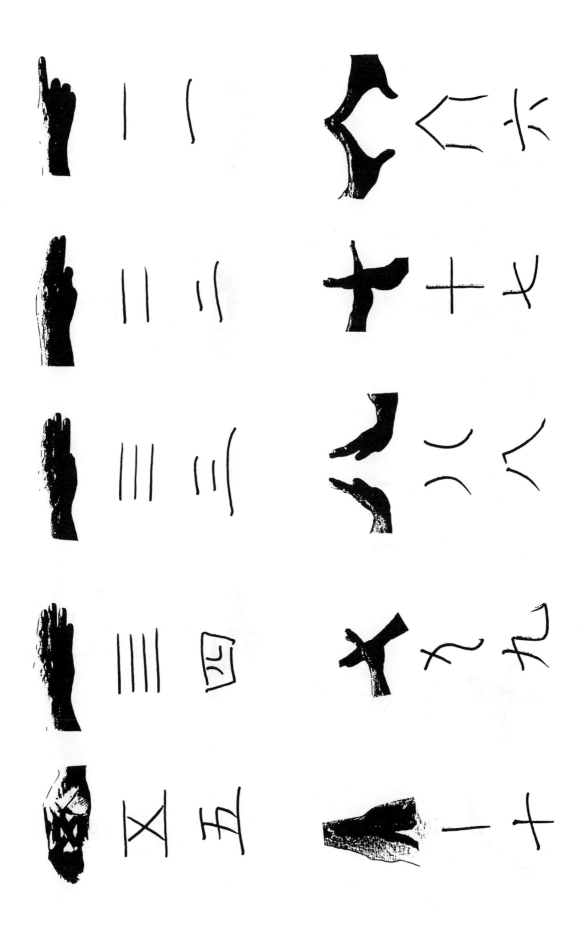

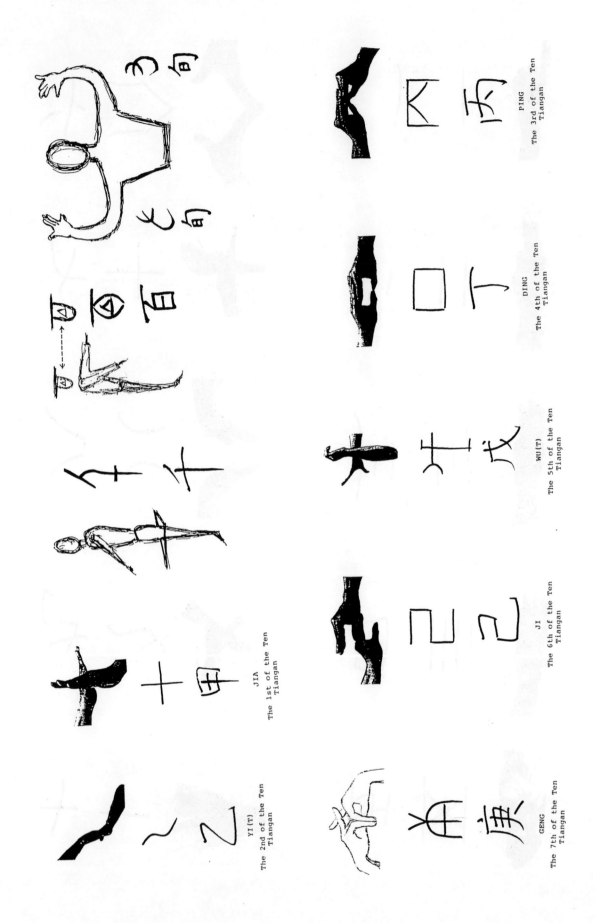

The 3rd of the Ten
Tiangan
PING

DING
The 4th of the Ten
Tiangan

WU(T)
The 5th of the Ten
Tiangan

JI
The 6th of the Ten
Tiangan

JIA
The 1st of the Ten
Tiangan

YI(T)
The 2nd of the Ten
Tiangan

GENG
The 7th of the Ten
Tiangan

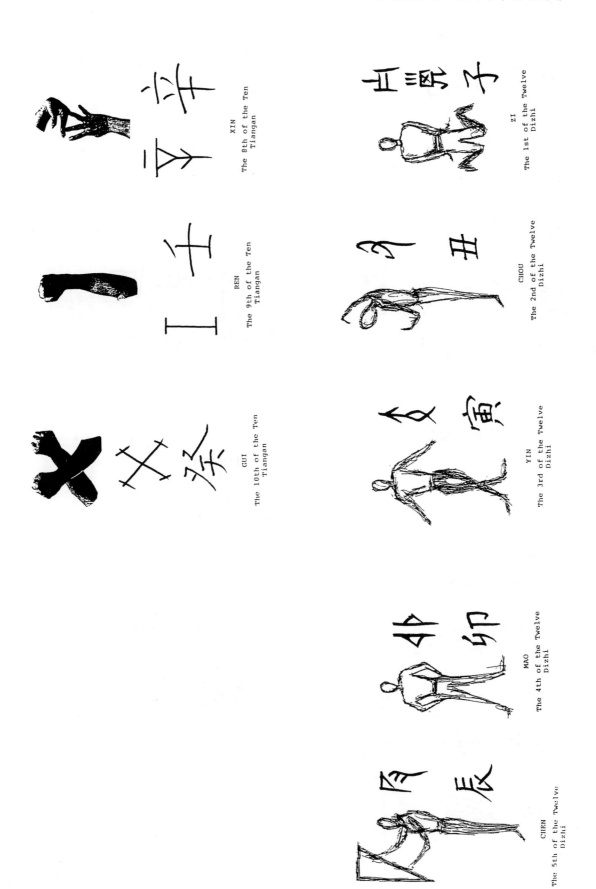

XIN
The 8th of the Ten
Tiangan

ZI
The 1st of the Twelve
Dizhi

REN
The 9th of the Ten
Tiangan

CHOU
The 2nd of the Twelve
Dizhi

GUI
The 10th of the Ten
Tiangan

YIN
The 3rd of the Twelve
Dizhi

MAO
The 4th of the Twelve
Dizhi

CHEN
The 5th of the Twelve
Dizhi

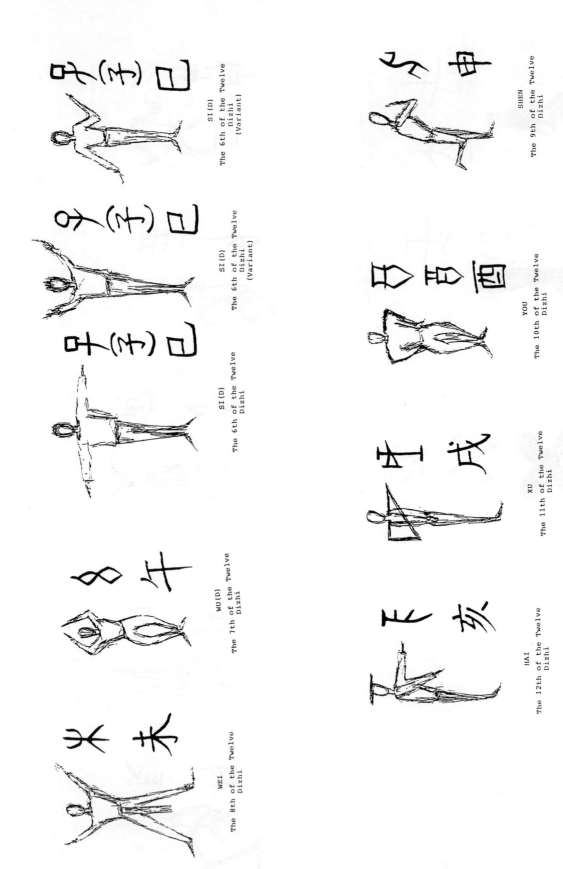

SI (D)
The 6th of the Twelve
Dizhi
(Variant)

SI (D)
The 6th of the Twelve
Dizhi
(Variant)

SI (D)
The 6th of the Twelve
Dizhi

WU (D)
The 7th of the Twelve
Dizhi

WEI
The 8th of the Twelve
Dizhi

SHEN
The 9th of the Twelve
Dizhi

YOU
The 10th of the Twelve
Dizhi

XU
The 11th of the Twelve
Dizhi

HAI
The 12th of the Twelve
Dizhi

論《尚書・無逸》「其在祖甲，不義惟王。」

中研院史語所　蔡哲茂

前　　言

　　《尚書・無逸》有一段周公引殷之先王事蹟，以告誡成王，原文是：「昔在殷王中宗，嚴恭寅畏天命，……其在高宗，時舊勞于外，爰暨小人……其在祖甲，不義爲王，舊爲小人。」歷來對「祖甲」指的是誰，有兩種解釋，一是《僞孔傳》以爲「祖甲」是「湯孫大甲，爲王不義，久爲小人之行，伊尹放之桐。」二是馬融的說法，以爲「祖甲有兄祖庚，而祖甲賢，武丁欲立之，祖甲以王廢長立少爲不義，逃亡民間，故曰不義惟王，久爲小人也。」後代鄭玄和蔡沈都用此說，由於《漢書・韋賢傳》記載「故於殷，太甲爲太宗，大戊曰中宗，武丁曰高宗，周公爲毋逸之戒，舉殷三宗以勸成王。」而且漢石經「自時厥後」在「高宗」享國年數的下文，因此自清以來的學者咸信今文尚書本有「太宗」二字，而且殷三王的排列次序是－祖甲－中宗－高宗。晚近在注解或討論到這句話，仍有不少相信祖甲是指武丁之子者，如高本漢引甲骨文以爲「祖甲」與《尚書》此文合，因爲湯孫在甲骨文稱太甲，又如楊筠如引《尚書・多士》「自成湯咸至于帝乙，罔不明德恤祀。」之文以爲「武丁爲殷高宗，帝乙當武丁之後，則惟武乙及帝乙二人，足以當之，武乙以射天震死，帝乙亦非賢王，而周公亦盛稱之……則紂以前，皆非極虐之主，自有足稱者在也。」又如丁山以爲「今本〈無逸〉所傳說的祖甲，決爲大甲傳寫之誤，西漢今文學派所傳的大宗也當作大甲。」論說紛紜，莫衷一是。

　　本文從卜辭祭祀殷先王之名稱來討論，稱大、中、小起於對先王廟號之區分而起，而且一期卜辭確有稱「大庚」爲祖庚之例，那麼「大甲」亦可能最初被稱爲「祖甲」，即使是第三、五期卜辭亦有稱武丁爲「祖丁」者，因此大甲早期很可能被稱作「祖甲」，古文《尚書》大概沿襲此一系統而來，再從卜辭中有「小王父己」此人，可知武丁期已有立太子之制，由於孝己早歿，故祖庚祖甲相繼爲王，馬、鄭之說，不攻自破，而古書上確有「伊尹放大甲」之傳說，大甲復位，《國語》稱他「不失爲明王」，一期卜辭祭祀先王常以成湯或大乙與大丁、大甲並列，也有五示指「上甲與咸[1]、大丁、大甲、祖乙」，並有所謂「伊五示」，即祭祀此五位先王，並以伊尹爲賓者，大甲與中宗祖乙確爲商王朝之英主，《晏子春秋》說「大甲、武丁、祖乙」與湯是「天下之盛君」，那麼以卜辭所見和文獻

---

[1] 「咸」指「成湯」詳拙稿〈說殷卜辭的「𢆉」字〉，第九屆中國文字學全國學術研討會論文集，民國 87 年 3 月 21 日，台北・臺灣師範大學。

論《尚書‧無逸》「其在祖甲，不義惟王。」

記載配合來看，〈無逸〉的「其在祖甲」指的正是「大甲」而非武丁之子「祖甲」就可以論定。

《尚書‧無逸》有一段周公引商先王之事蹟，以告誡成王，原文如下：

> 周公曰：烏呼！我聞曰：昔在殷王中宗，嚴恭寅畏天命[2]，自度治民，祗懼不敢荒寧，肆中宗之享國，七十有五年。其在高宗，時舊勞于外，爰暨小人，作其即位，乃或亮陰，三年不言；其惟不言，言乃雍，不敢荒寧，嘉靖殷邦。至于大小，無時或怨。肆高宗之享國五十有九年。其在祖甲，不義惟王，舊爲小人，作其即位，爰知小人之依，能保惠于庶民，不敢侮鰥寡。肆祖甲之享國，三十有三年，自時厥後立王，生則逸，生則逸，不知稼穡之艱難，不聞小人之勞，惟耽樂之從。自時厥後，亦罔或克壽，或十年，或七、八年，或五、六年，或四、三年。

歷來對「祖甲」所指的是那一位先王，有兩種不同的解釋，一是《僞孔傳》以爲「祖甲」指「太甲」：

> 湯孫太甲，爲王不義，久爲小人之行，伊尹放之桐。在桐三年，思集用光，起就王位，於是知小人之所依，依仁政，故能安順於眾民，不敢侮慢悍獨，太甲亦以知小人之依，故得久年，此以德優劣，立年多少爲先後，故祖甲在下，殷家亦祖其功，故稱祖。

二是馬融的說法，以爲「祖甲」指「祖庚」之弟「祖甲」：

> 祖甲有兄祖庚，而祖甲賢，武丁欲立之，祖甲以王廢長立少不義，逃亡民間，故曰不義惟王[3]。

後代鄭玄、蔡沈都用馬融的說法。如鄭玄云：

> 祖甲，武丁子帝甲也，有兄祖庚賢，武丁欲廢兄立弟，祖甲以此爲不義，逃於人間，故云久爲小人[4]。

蔡沈云：

> 案孔氏以祖甲爲太甲，蓋以國語稱帝甲亂之，七世而殞，孔氏見此等記載，意爲帝甲必非周公所稱者，又以不義惟王與太甲茲乃不義文似，遂以

---

[2] 本段句讀依唐鈺明〈據金文解讀《尚書》二例〉一文，見中山大學報1987年第1期。
[3] 見江聲《尚書集注音義》引《重編本皇清經解》三第1988頁，台北漢京文化事業有限公司。
[4] 見《尚書正義》，引十三經注疏本，清阮元重刊本，台北藝文印書館。

此稱祖甲者為太甲，然詳此章舊為小人，作其即位，與上章爰暨小人，作其即位，文勢正類，所謂小人者，皆指微賤而言，非謂憸小之人也，作其即位，亦不見太甲復政思庸之意。又案邵子經世書，高宗五十九年，祖庚七年，祖甲三十三年，世次歷年皆與書合，亦不以太甲為祖甲，況殷世二十有九，以甲名者五帝，以太以小以沃以陽以祖別之，不應二人俱稱祖甲，國語傳訛承謬，旁記曲說，不足盡信，要以周公之言為正，又下文周公言自殷王中宗及高宗及祖甲及我周文王，又云者因其先後次弟而枚舉之辭也，則祖甲之為祖甲而非太甲明矣[5]。

由於《漢書‧韋賢傳》有：「故於殷，太甲爲太宗，太戊曰中宗，武丁曰高宗。周公爲毋逸之戒，舉殷三宗以勸成王。」而且宋‧沈适《隸釋》所引漢石經的《尚書‧無逸》「自時厥後」的位置則在「高宗之饗國百年」之下，和今本《尚書》所見在「祖甲之享國，三十有三年」之下不同，因此清以來的學者咸信今文《尚書》本有「太宗」二字，似乎漢代今文《尚書》對殷三宗的次序是大宗（祖甲）－中宗（大戊）－高宗（武丁）。如段玉裁在《古文尚書撰異》上說：

> 據此，則今文尚書祖甲二字作太宗二字，其文之次當云，昔在殷王太宗，其在中宗，其在高宗，不則今文家末由倒易其次弟也，今本史記同古文尚書者，蓋或淺人用古文尚書改之。殷本記曰帝甲淫亂殷復衰，與國語帝甲亂之，七世而隕相合，太史公既依無逸篇云太甲稱太宗，則其所謂淫亂殷復衰者，必非古文尚書之祖甲可知也，王肅注古文尚書而云祖甲湯孫太甲也，先中宗後祖甲，先盛德後有過，此用今文家說，注古文而不知從今文之次，則太宗為湯孫太甲，從古文之次則祖甲為祖庚之弟帝甲，各不相謀也，從王肅及偽孔叢子之曲說，則後文自殷王中宗及高宗及祖甲及我周文王，豈先盛德而後知有過云乎，故知自殷王中宗及高宗及祖甲，今文尚書必云自殷王太宗及中宗及高宗，此無可疑者，此條今文實勝古文，古文祖甲在高宗之後，則必以帝甲當之，帝甲非賢王，雖鄭君之注，亦不得不失之誣矣[6]。

在商代晚期的甲骨文出土於清光緒末年之後，關於〈無逸〉這一段話的「祖甲」指的是誰，仍然聚訟紛紜，如瑞典高本漢的《書經注釋》以爲指武丁之子祖甲。

事實上，我們從史記所記載的殷王世系看，武丁的第一位嗣承者是「祖庚」，按《呂氏春秋‧必己篇》所說，武丁另外還有一個兒子叫「孝己」

---

[5] 蔡沈《書傳》卷二，索引本《通志堂經解》書十四　8346頁　台北漢京文化事業有限公司。
[6] 段玉裁《古文尚書撰異》重編本《皇清經解》五3306頁　台北漢京文化事業有限公司。

論《尚書・無逸》「其在祖甲，不義惟王。」

（就是祖己）。甲骨文的材料，就確立了這個說法。他們的次序可能是：
武丁－祖庚－祖己－祖甲（請參閱董作賓的《甲骨文斷代研究例》，見中
央研究院特刊，一九三三年出版，第三三〇頁）。甲骨文作『祖甲』與尚
書此文合，這是極有價值的。而這一位『祖甲』也顯然不是『湯』的孫子
。因為『湯的孫子』在甲骨文裡的稱呼是『太甲』，這也是一般對他通用
的名字[7]。

又如丁山在《商周史料考證》上以爲指「太甲」。

　　至馬融尚書注說：『祖甲有兄祖庚……久為小人也。』這是傅會毋逸字
面而創出來的新說。祖甲長兄孝己，死於野了。由於兄終弟及制度說，武
丁死王位當然由祖庚繼承再傳給祖甲。由『父母愛少子』的心理說，祖甲
當是武丁所愛，不會讓他逃亡民間去。況且，『不義』，王引之《經義述
聞》釋為『不邪』，最為正確，決非如馬融說『以王廢長立少不義』的意
義在其間。由經學家傳說考察祖甲的為人，決夠不上周公那末贊贊揚。然
則今本毋逸所傳說的祖甲，決為太甲傳寫之誤，西漢今文學派所傳的大宗
，也當作大甲。蓋古文本誤『太甲』的『太』為『祖』；今文本則訛『甲
』為『宗』；以史實考之，則今文家之言是也[8]。

對於今古文太宗、祖甲之不同，及祖甲是昏君而周公盛稱之等問題，亦有提出調
和的說法，如近人楊筠如《尚書覈詁》說：

　　按史記帝甲淫亂，殷復衰。周語帝甲亂之，七世而隕。則祖甲非令主，
故偽孔傳今文釋為大甲。據漢石經'於肆高宗之享國百年下，即云自時厥
後。漢書王舜劉歆曰於殷大甲曰大宗，大戊曰中宗，武丁曰高宗，周公為
毋逸之戒舉殷三宗以勸戒成王。則今文祖甲當作大宗，而次于中宗之前，
其義較今本為長。然下文自殷王中宗及高宗及祖甲及我周文王，茲四人迪
哲。三體石經與今本同，則古文自作祖甲。此古文之不如今文者也。惟古
文之義，亦自可通。多士自成湯咸至于帝乙，罔不明德恤祀。武丁為殷高
宗，帝乙當在武丁之後，則惟武乙及帝乙二人，足以當之。武乙以射天震
死，帝乙亦非賢主，而周公亦盛稱之。詩文王殷之未喪師，克配上帝。則
紂以前，皆非極虐之主，自有足稱者在也[9]。

黃彰健先生在《經今古文學問題新論》中以爲：

[7] 《高本漢書經注釋下》847頁，中譯本者陳舜政，中華叢書編審委員會　民國五十九年九月。
[8] 丁山《商周史料考證》北京中華書局　1988年3月
[9] 楊筠如《尚書覈詁》台北學海出版社　民國六十七年二月

論《尚書・無逸》「其在祖甲，不義惟王。」

彰健按：段氏此說尚可商榷。

書序說：

　成湯既沒，太甲元年，伊尹作伊訓、肆命、徂后。

　太甲既立不明，伊尹放諸桐，三年復歸於亳，思庸，伊尹作太甲三篇。

史記殷本記說：

　帝太甲元年，伊尹作伊訓，作肆命、徂后。

　帝太甲既立三年，不明，暴虐，不遵湯法，亂德，於是伊尹放之桐宮。

　帝太甲居桐宮三年，悔過……於是伊尹迺迎帝太甲而授之政。

　帝太甲修德，諸侯咸歸殷，百姓以寧。伊尹嘉之，迺作太甲訓三篇褒帝。太甲稱太宗。

由於漢石經書經僅有二十九篇的序，並無百篇書序，故知上引殷本紀自「帝太甲元年」起，至「作太甲訓三篇褒帝」止，係依據古文書序。

太史公從孔安國問故，遷書載堯典禹貢洪範等篇多古文說，則魯世家據古文尚書徵引無逸篇，自亦順理成章之事，恐不能說是後人竄改。

孔壁本尚書較伏生本多十六篇，中有「伊訓」而無「太甲」，則太史公所說「太甲稱太宗」，當非據伊訓，也非據太甲訓。

古文尚書無逸篇係作祖甲，而非太宗，則史記說太甲稱太宗，亦非據古文尚無逸篇。

今文尚書祖甲既在中宗之前，而史記釋中宗為太戊。在太戊之前殷代君主稱甲者僅太甲及小甲，而小甲無事可敘，則很可能漢代今文尚書經師即以此釋祖甲為太甲。其稱之為太宗，很可能在伏生尚書大傳即已據舊說而如此解釋。

以情理來判斷，今文尚書此處係有錯簡，誤將祖甲不義惟王這一段錄於中宗嚴恭寅畏之前。由於今文尚書仍然說：「自殷王中宗及高宗及祖甲及我周文王」，故孔壁本尚書出，古文經師馬融鄭玄得據以判定今文尚書有錯簡，馬融遂對祖甲二字提出新解，釋祖甲為帝甲，而其說遂為鄭玄所本。古文經師釋經，講究「玩經文」，需與經文相合，並不一定要遵守師說，故馬融鄭玄此處所解與劉歆有異，而王肅亦與馬融有異。太史公在劉歆之前。太史公錄無逸篇於魯世家。在太史公時，古文尚書經說對祖甲的解釋可能仍釋為太甲，不必說太史公史記此處為後代淺人竄亂[10]。

今日我們擁有大批的商代的第一手資料－甲骨文，對於自漢以來今古文《尚書》之不同，及〈無逸〉的原文到底是「太宗」、「太甲」、「祖甲」，還是有所錯

[10] 黃彰健《經今古文學問題新論》273-277 頁　中央研究院史語所專刊之七十九　民國七十一年十一月。

訛，如丁山氏所言，可以作一檢討。

　　首先是「大甲」此一稱謂，卜辭確有其人為湯孫，為何在日名上加上「大」，卜辭在先王廟號天干可加上大、中、小、卜（外）等，羅振玉最早注意到殷先王之名加大、中、小為後來加上作為區別之用，他說：

　　　　商家以日為名，殆即取十幹或十二枝一字為之，不復加他字，金文中每
　　有日甲乙等皆是也。而帝王之名稱大甲小甲大乙小乙大丁中丁者，殆後來
　　加之以示別……然在嗣位之君，則承父者逕稱其所生為父某，承兄者逕稱
　　其所先者為兄某，則當時已自了然，故疑上所列曰父某兄某者即前論所載
　　諸帝矣。[11]

陳夢家更說：

　　　　大、中、小　先王稱大的，都是直系，即大乙至大戊五世。大戊以後，
　　再無稱大的。小是對大而言的，但稱小的以前可以無稱大的；大小之間可
　　以稱中，其例如下：
　　　　大甲－小甲
　　　　大丁－中丁－小丁（祖丁）
　　　　大乙－中宗且乙－小乙
　　　　且辛－小辛[12]

此外卜辭尚有「中己」此一先王（詳見《殷墟甲骨刻辭類纂》1432、1433頁「中己」條），又有「小己」（《合》21586），由《屯南》957「父己、中己、父庚惠□」及《屯南》2296「己未卜：中己歲暨兄己歲酒□」對比，可知「父己」即「兄己」，指的是武丁之子孝己，即「小王父己」，亦即五期卜辭的「祖己」，而名己的先王只有「雍己」，因此可知：

　　中己（雍己）－小己（小王父己、兄己、祖己）至於先王名卜（外）的，如外丙、外壬，皆為旁系，卜辭內外相對與文獻同，如「甲子卜，在卜又 𡆥（憂）雨。」（《屯南》550），又「其自卜（外）又來 𡆥。」（《粹》1253）「于卜（外）乃土」「于內乃土」（《合》34189）。因此卜辭的「小卜辛」（《屯南》4513+《屯南》4518)指的可能就是小辛。

　　由以上可知，先王名大、中、小者，大在前，小居後，中在前，小殿後，大中小的排列，肯定是起於武丁之世祭祀先王排先後次序區別之需要，這可以從先王名「祖」的現象來進一步分析。

---

[11] 羅振玉《增訂殷虛書契考釋》上卷第十頁下　丁卯二月東方學會印本
[12] 陳夢家《殷墟卜辭綜述》441頁，北京科學出版社1956年7月。

論《尚書‧無逸》「其在祖甲，不義惟王。」

　　武丁卜辭稱「祖」加上天干者，計有三人，即小乙之父祖丁，祖父祖辛，曾祖祖乙，對武丁而言，祖丁確為其祖輩，而祖辛、祖乙雖為祖輩以上，但仍用「祖」名，在武丁之後其子祖庚、祖甲也顯然是到了孫輩武乙之後才加上「祖」名，而五期卜辭稱武乙為「武祖乙」，康丁為「康祖丁」，後來才省稱為「武乙」、「康丁」很顯然的在祖乙之前如果再用「祖」加于天干，那麼勢必無法區別中丁以上天干名目同的先王，所以才會有加大中的情況發生，但在一期卜辭卻屢見祭祀「祖庚」此一先王，如：

　　　☑于且庚☑牢？　　　　　合1776（拾2.2）（圖1）
　　　庚子屮于且庚？　　　　　合2033（圖2）
　　　☑屮于且庚？　　　　　　合2034（圖3）
　　　辛亥☑貞：屮于且庚？　　　　合2035（鐵30.2）（圖4）
　　　□丑卜□且庚？　　　　　合2036（外270、六清67）（圖5）
　　　貞：隹且庚害？　　　　　合2037（圖6）
　　　□且庚弗其克？　　　　　合2038（圖7）
　　　隹且庚？　　　合2039（乙8482）（圖8）
　　　貞：于且庚☑　　　合2041（圖9）
　　　勿屮于且庚？　　　合7427正（丙550）（圖10）
　　　貞：隹且庚？
　　　貞：不隹且庚？
　　　貞：隹羌甲？
　　　貞：不隹羌甲？
　　　貞：隹南庚？
　　　貞：不隹南庚？
　　　屮于父甲？　　　　合1822正（丙43）（圖11）
　　　貞：且庚弗其受☑　　　　柏17（圖12）
　　　父庚一豕？
　　　庚且惠牛？　　　合12980（續1.33.5、簠帝107）（圖13）

一期卜辭的「祖庚」，明義士在《柏根氏舊藏甲骨文字》17片考釋以為「此非祖甲之兄祖庚，殆為南庚，本片為武丁時所卜，稱盤庚為父庚，稱南庚為祖庚。」陳夢家在《綜述》431頁引《丙》43，則以為「且庚不但不是南庚，而且是前於羌甲的，他可能是祖辛之兄，也可能在此以前。」張秉權先生於丙43考釋以為：「辭中的祖庚，以輩份而論，正相當於南庚，但這版上已有南庚之稱，似乎不應再稱祖庚了，或者這個祖庚是南庚的弟兄輩，和祖丁時又有兄丁一樣。」白玉崢

論《尚書‧無逸》「其在祖甲，不義惟王。」

在〈說祖庚〉（《中國文字》新六期）則提出[13]：

> 是此『且庚』，乃武丁稱其遠祖『大庚』矣。蓋自第六世中丁（含）諸王以下之各王，於大庚皆得稱且，而武丁自己必不能例外，應爲避此『且』之稱之重覆。且此『且庚』之稱，前世既定，則後王不得更易，是武丁稱大庚爲『且庚』，乃襲自前世固有之稱謂也。惟今所見武丁時之卜辭，既有『且庚』之稱，亦時見大庚之辭。意者：其或武丁之前期，緣襲前世之舊稱曰『且庚』；其後，則以遠近二祖同名曰庚，稱謂難免混淆，遂逕而改稱曰大庚；此未必爲不可能也。

按白說可從，卜辭「且庚」與「南庚」同見於一版者，尚見於：

丙辰卜，御身南庚？　　　　合6477（丙160正）（圖14）
屮于且庚七☑　　　　合6477反（丙160反）（圖15）

且庚可能是武丁之前對大庚之稱呼，後來南庚之加「南」，大概是爲了區別，再後才加大於大乙以下之五世，大庚原稱祖庚，正可爲先王名加大中小爲武丁時所加之一旁證。卜辭又有小庚之名如「弜暨小庚」（《合》31956），此一與大庚相對之王究竟是南庚、盤庚，還是武丁子祖庚，則由於此爲卜辭中僅見，而不可確知。

一期及二期卜辭又有「祖甲」之先王，如：

□酉卜：屮且甲用反？　　　　合743（拾1.12）（圖16）
癸丑卜，貞：歲延于羌甲？
□卜，貞：☑且甲☑且乙☑𢁏□　　　合1658+合1802（明續12+明續2995）
　　　　　　　　　　　　　　　　　許進雄先生綴合（圖17）
辛亥卜：王兂屮且甲？　　　　合1781（林2.12.7）（圖18）
□貞：于且甲？　　　合1782（六中58）（圖19）
甲戌卜，王：且甲屮十□
辛巳卜，王：上甲燎十豕屮丁御兄丁令☑惠止用
丙辰卜：王屮且丁？
王屮示癸？　　　　合19812正（乙8683）（圖20）
甲戌卜：☑屮且辛？
庚辰卜，王：屮且丁☑？　　　　合19812反（乙8684）（圖21）
甲戌卜，行貞：歲其延于且甲？　　　　合23097（文309）（圖22）

---

[13] 白玉崢〈說祖庚〉《中國文字》新六期，台北藝文印書館民國71年

乙巳卜，爭貞：告方出于祖甲大乙？　　　　合651（前1.3.4）（圖23）

且辛一牛？

且甲一牛？

且丁一牛？　　　合1775（後上27.7）（圖24）

☐卜大☐且甲歲☐牡☐　　　合23098（前1.20.5）（圖25）

　　陳夢家在《綜述》409頁，以爲從武丁到乙辛卜辭，「祖甲一名逐漸改易其對象。」但並沒有說明各期且甲是七甲之中的那一個。王國維在《觀堂集林》卷九第十二頁下引《後》上27.7以爲「祖辛祖丁之間，惟沃甲，則祖甲亦即沃甲，非武丁之子祖甲也。」《合集》19812亦有且辛、且丁，又有且甲，則這些「祖甲」以先王世次來看可能即羌甲，至於一期卜辭羌甲與祖甲並立，又有與大乙並立的。則從大庚可稱祖庚，很可能這些祖甲應該就是大甲，這種不同期中稱呼一樣，可能是先王之廟名尚未固定之故。

　　在另一方面〈無逸〉所說的「其在祖甲，不義惟王」從《尚書・君奭》另一段文字與之比對，也可知道「祖甲」指的是「大甲」，〈君奭〉云：

　　公曰：君奭！我聞在昔，成湯既受命，時則有若伊尹，格于皇天。在太甲，則有若保衡。在大戊，時則有若伊陟臣扈，格于上帝。巫咸乂王家，在祖乙，時則有若巫賢。在武丁，時則有若甘盤，率惟茲有陳，保乂有殷，故殷禮陟配天，多歷年所。

此文與〈無逸〉比對，除了受命的成湯之外，有「大甲」、「大戊」、「祖乙」、「武丁」，根據王國維在《戩壽堂所藏殷虛文字考釋》第九頁云：

　　凡卜辭中單稱祖乙者，蓋謂河亶甲之子祖乙，此稱中宗祖乙，所以與他帝名乙者相別也。案史記殷本記以大甲爲大宗，大戊爲中宗，武丁爲高宗，此本尚書今文家說，馬鄭古文說於大甲有異說，至以大戊爲中宗，與今文家同……又晏子春秋內篇諫上云：『夫湯、大甲、武丁、祖乙，天下之盛王也。』以祖乙與大甲、武丁並稱，似本周人釋《書・無逸》之說，今以卜辭證之，知紀年是而古今尚書家說非也。又徵之卜辭，則殷人於大甲、祖乙往往並祭，而大戊不與焉。

祖乙是中宗，武丁是高宗，〈無逸〉中的「祖甲」指的當然是大甲，而非大戊或其它先王。

　　由於《屯南》2281有「☐辰卜：翌日其酒其兄（祝）自中宗祖丁祖甲☐至于父辛，邑。」因此于省吾在《甲骨文字釋林》提出了「中宗祖丁」此一說法，按

論《尚書・無逸》「其在祖甲，不義惟王。」

「中宗祖乙」這個稱謂，島邦男認為只行於第三期，大概是因為武丁的父小乙在第一期被稱作父乙，不致與祖乙混淆，可是第二期以後小乙也被稱作祖乙，為了避免混淆，所以小乙又被稱作毓祖乙、小祖乙、小乙，而中丁之子的祖乙因位於大乙之次，小乙之前的直系宗主，所以被稱作中宗祖乙，等到小乙的稱謂確定之後，稱祖乙為中宗以資區別的需要就沒了，所以他主張今本《竹書紀年》認為他是中興之主的說法，不過是由於中宗的稱呼而傅會的[14]。祖乙之所以會混淆是因在第二期之後武丁之父父乙改稱祖乙而來，為了區別小乙又稱毓（後）祖乙，但祖乙之稱為何不像中丁一樣改稱中乙，而必須加上「宗」，這是頗令人不解。陳夢家在《綜述》415頁曾引《京》1170「在中宗不隹 」以為中宗本是宗廟之美，猶卜辭的大宗小宗。武丁卜辭已有中宗。《殷本紀》有太宗、中宗、高宗。同樣的〈無逸〉有中宗、高宗。而太宗、高宗卻不見於卜辭，可見此二名號為後世所加，因此中宗即使不是中興之祖，也一定有它的特殊意義，《殷本紀》說「帝祖乙立，殷復興，巫賢任職。」說祖乙是中興之主也非無據。在卜辭上祖乙於三示、四示及五示之中，而五示中有上甲、大乙、大甲皆有名的君主，只有大丁《殷本紀》說他「未立而卒」，而卜辭祭祀一群先王常始自上甲和大乙，但也有始於祖乙，如「自大乙王受又」、「自中宗祖乙王受又」、「自毓祖丁王受又」（《英》2259+2261），而且卜辭有大乙和中宗且乙合祭（《屯南》746）又卜問告執時「執」用自大乙，還是用自中宗祖乙（《合》26691）。祖乙也是自大乙直系九世之一，祖乙也經常是合祭一群先王之首，那麼稱中宗，即使不是介於大小乙之間而稱中，也有一定的區別作用。很可能中宗本是和大宗、小宗一樣，是一種建築物，後來因為只置於祖乙之神主，因此「中宗祖乙」合在一起，最後中宗變成祖乙之代稱。

中宗既非大戊而是祖乙，那麼由上舉〈無逸〉與〈君奭〉同樣是周公稱引的殷賢主中宗－祖乙，高宗－武丁，祖甲－大甲。〈無逸〉的祖甲就是大甲也就可以論定。

由於第四期卜辭祖庚、祖甲又加以祖稱，三期卜辭祖甲又可稱「帝甲」（《合》27437、27438、27439、《英》2347）[15]而三期卜辭又有冠數字於祖某之上成二祖丁、三祖丁、四祖丁（《類纂》1418頁）二祖辛、三祖辛（《類纂》1410頁）三且庚（《合》22188），甚至第五期卜辭小乙也被稱作祖乙（《後》上20.5）這些現象表示殷人的先王廟號雖然在武丁已作了大中小來作區別，但武丁之後

---

[14] 島邦男《殷墟卜辭研究》81頁。

[15] 詳裘錫圭〈甲骨卜辭中所見的逆祀〉《出土文獻研究》文物出版社 1985年6月及〈關於商代的宗族組織與貴族平民兩個階級的初步研究〉《古代文史研究新探》298頁 江蘇古籍出版社1992年6月。

論《尚書‧無逸》「其在祖甲，不義惟王。」

，以父、祖加上天干名的習慣仍未改變，只是加數字以作區別。

結　　語

　　《尚書‧無逸》馬、鄭的說法《正義》曾駁之說：「武丁賢王，祖庚復賢，以武丁明，無容廢長立少，祖庚之賢，誰所傳說。武丁廢子事出何書，造此語是負武丁而誣祖甲也。」由於卜辭中已有「小王父己」，即孝己，生前已被立為王嗣，可知武丁時期已有立太子之制，由於孝己早歿，故祖庚、祖甲相繼為王，由此可知馬、鄭之說不攻自破。

　　古文尚書以「祖甲」稱「大甲」，從一期卜辭如「祖庚」可指「大庚」，而「祖甲」可指大甲。日本內藤湖南氏在《續王亥》一文[16]對前舉羅氏文加以肯定說「此說是，不僅父某兄某即稱帝某祖某亦諸帝之通稱，……例如今文尚書無逸所謂的祖甲，即大甲。而不是古文尚書及史記裏所謂的祖甲（武丁之子），其所謂的祖是大父上的通稱。」古文《尚書‧無逸》中的「祖甲」如果不是後人所改，也可能是前有所承，正如同《國語》裏的「帝甲亂之」稱祖甲為帝甲，和三期卜辭同[17]。三體石經《尚書‧無逸》殘石作「☑仲宗及高宗及祖甲及☑」，和今本《尚書》同，也是古文《尚書》的系統的流傳。[18]由於太甲早年的「不義惟王」（義訓為「宜」，古文字宜可假借作義，如中山王𰀁壺「大臂（僻）不宜（義）」），被放逐於桐宮之後，外丙繼位，太甲一段時期「舊為小人」，被伊尹復立，迎返亳為王「作其即位，爰知小人之依，能保惠于庶民，不敢侮鰥寡。」所以《國語‧晉語》說他「卒為明王」，從卜辭與文獻的記載是相合來看，〈無逸〉的「祖甲」指的是「大甲」是無庸置疑。

---

[16] 內藤湖南《續王亥》藝文第 12 年 4 號 33 頁（總 725 頁）。
[17] 《史記殷本紀》云：「帝祖甲立是為帝甲，帝甲淫亂，殷復衰」根據瀧川龜太郎的《史記會注考證》云「古鈔、楓三、南本帝甲作帝祖甲。」由殷本紀每一先王立後皆云「帝某某」可知今本可能後人據《國語‧周語》改成帝甲。
[18] 詳見羅振玉〈魏正始石經殘字跋〉，《國立北京大學國學季刊》第一卷第三號，509-520 頁。

9　　　　　　　　　8　　　　　　　　　　　7

10

11

13

12

14

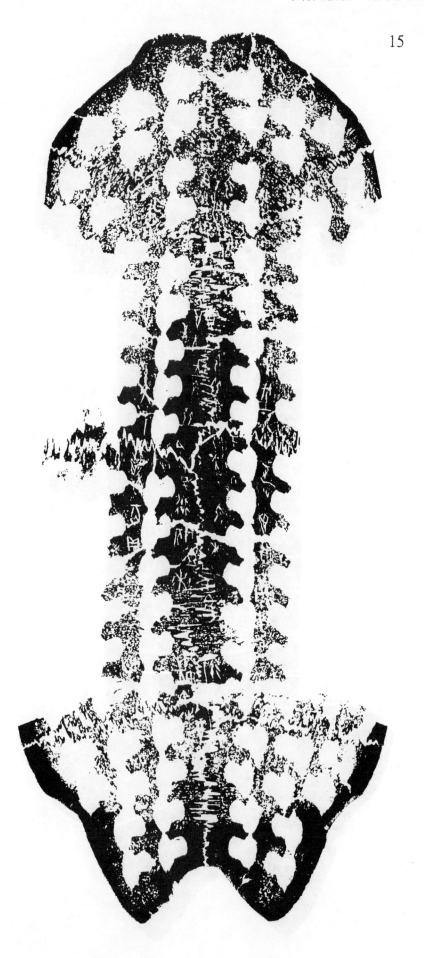

甲骨文發現一百周年學術研討會　1998.5.10-12
中央研究院歷史語言研究所・臺灣師範大學國文系合辦

書契缺刻筆畫再探索

彭邦炯[*]

提要：

　　書契是以刀代筆而書。本文從大量缺刻的甲骨文字，特別是同一字缺刻不同部位的現象，推測書契存在有自身的筆順特點，并非「無任何慣例」。缺刻橫直筆畫可知書契「先直後橫」的慣例。缺刻上下筆畫，推測書契存在有「從上往下」的筆畫慣例。缺刻左右筆畫，推測書契存在有從左往右的慣例。

　　甲骨書體規範而有度，每個字的線條不僅縱橫、背向、長短相直，而且筆畫自然流暢，不可能是東一畫西一畫的拼湊而沒有章法。

關鍵字： 甲骨　書契　缺刻

　　我們知道，後世漢字的筆畫結構，可以分爲橫、直（豎）、撇、捺、厥、勾、點諸種。每個字的書寫，都遵循一定的筆畫順序。不按筆順，一筆一畫的拼湊，是難以寫好漢字的，更不用說有何書體風格了。甲骨上契刻的文字結構，也是由差不多橫、直、斜（撇或捺）、厥、勾、點構成的。那麼，書契是否也有一定書法筆順呢？這是有不同看法的。

---

[*] 彭邦炯，四川南充人。中國社會科學院歷史研究所研究員、甲骨商史研究中心副主任。1963年畢業于四川大學歷史系，同年進入中國科學院歷史所從事先秦史研究，先後參加了《甲骨文合集》、《中國國家大地圖歷史地圖集》、《中國歷史大辭典》的編纂。并著有《商史探微》、《中國古籍知識啓蒙》、《甲骨文農業資料考辨與研究》、《戰國》及《早期奴隸制比較研究》（與人合著）等。目前正主持《甲骨文合集補編》的編纂。

一、書契有筆順慣例說

早在 20 年代末，甲骨學大師董作賓先生，曾根據《後·下》1.5（附圖 1）的干支表中大量未完成的字（即缺刻筆畫之字）推測：卜辭的契刻筆順「蓋先直而後橫，而斜筆則同于直。並得出三點書法原則：1·有直有橫之字，則先書直畫，口ヲ作山丬；2·斜筆之字，一次書成，如乁、乀；3·有斜有直而無橫畫之字，亦一次完成，如㐆、⺅、ㄟ。」[1]郭沫若院長亦曾注意此片，并得出了相同的看法。[2]不過，他們所據的甲骨文字缺刻材料有限，推出的結論還很不完全。

80 年代有美國的學者艾蘭博士，她用顯微放大觀察了部分英國所藏甲骨後認爲：「甲骨文并無任何慣例，甲骨文字令人驚異地不標準化。」「雖然有時某些字是先豎後橫，這絕非常例。」[3]究竟甲骨文有無一定的書法慣例？我以爲要解決這方面的問題，還是應當從收集大量缺刻資料進行分析研究入手，其它的辦法恐怕難以達到預期的效果。我的看法是，甲骨文的契刻既不同于一般的筆書，也不同于一般的篆刻藝術，它是介于這二者之間的一種當時的通用書法。一般說來，它不是「先書後刻」（有少數可能是先筆書然後再契刻），也不是「照抄一種底本」，書契應該是書法純熟而有高度技巧的書者以刀代筆的即席之作。或如艾蘭博士所說，可能是先輕劃，然後再作加工契刻。我以爲比較研究各種缺筆字，當是解決甲骨文字書法筆順慣例的最好途徑。并由此可以看到我國漢字書法筆順慣例的形成歷史之悠久。

從對某些單字的放大觀察看，確實有一些筆道有反覆契刻的痕迹，這就出現了艾蘭博士說的那種「缺乏慣用筆順和違反漢字結構」的現象。其實這種現象并不難理解。出現這種現象，我以爲不僅與刀具的關係密切，而且也是書契中難以避免的現象，它與我們常見用毛筆寫字時，覺得有的筆道不夠理想而重覆填寫相類似。或者是對先輕劃的筆道進行二次加工的痕迹。這些現象的出現，并不能否認書寫漢字時，人們共同遵循的筆順慣例。

從前一般只注意到《後下》1.5（《合集》24440，附圖 1）的干支表中的缺刻字，所以也只認識到它有先直後橫的書法慣例。事實上，從我們廣泛收集的甲骨文字缺刻筆畫看，可以說是橫、直、斜（撇、捺）、點、上、下、左、右等不同筆道或部位都有缺刻的。這是否就是「驚人的不標準」、「無任何慣例」的反映呢？現在讓我們具體考察一下各種不同缺筆例證，讓事實說明甲骨書契的筆順規律（或慣例）。

---

[1] 見《董作賓全集·殷代龜卜之推測》。

[2] 見《考古學報》1927 年 1 期，3—4 頁。

[3] 1988 年 7 年在中國古文字學會成立 10 周年大會上宣讀的論文中首先提出，後經修改作爲《英 國所藏甲骨集》附錄，題目爲《論甲骨文的契刻》。

二、缺刻橫、直與先直後橫

　　據我不完全的檢閱統計，僅《甲骨文合集》中，至少有 230 多字次缺刻筆畫的字例，缺刻各種筆畫達 500 多筆。甲骨文現有單字約 5000 多，缺刻之字雖不算多，但也相當可觀了。在我收集的 230 多字次缺刻筆畫例中，據不完全統計，缺橫筆的至少過半，是所有缺筆字中為數最多的一類。最有代表性的材料，除《合集》24440（《後下》1.5，或一版刻辭中具一、二個字缺刻橫筆，但加起來的數量也不少，大概是缺橫筆中的四分之一。從時代上看，缺橫者從武丁到乙、辛時代都有，尤以祖庚、祖甲和帝乙、帝辛時代出現的最多。請看下列缺刻橫筆例：

缺刻橫筆例

片號・分期	例	辭（括號內為補齊筆畫字）
1(24440).二		
2(36528 反).五.		

（辰）川（田）川（冊）...（煙）...（方）...（稽）

...（才）...（才）米（...）...（方）个（金）...（凶）

竹（辰）川（田）...（山）...（牝）三...（才）

3(36633).五.　...（...）...（丙）...（丙）...（...）

4(27930).三.　...（用）川（...）...（...）川（...）...（...）川（凶）
...（逆）...（合）...（差）...

5(18932).一.　... (口) 川（冊）米......

6(26935).三.　...川（...）...（...）...（...）...

骨的左右方有一行干支：......（...）...川（口）米......

7(18927 反).一.　...（昌）...（牝）...（凶）......

8(18929).一.　...（牙）...（...）川（田）

9(6986).一.　...（牙）...（...）...（...）...

10(6778).一.　...（...）...（合）...（...）（田）

11(28625).三.　...川（田）...（...）...

12(27804).三.　...（...）

13(7282).一.　...（...）...（凶）川（...）

14(10080).一.　...（...）

15(1894 正).一.　...（十）...（...）川（...）......

16(18940).一.　...（...）...（...）...（田）

18(18926).一.　...（兄）...川（...）...（凸）...

19(7852 正).一.　川（...）...（...）...

20(7946).一.　...（...）...（豬）...

22(7820).一.　...　川（...）

23(29073).三.　...（合）...

24(7230).一.　...（...）川（杜）

25(18938).一.　...（牛）...（盖）...川（凶）...

28(粹 167).一.　　　〔甲骨文字形〕（替）

29(前 4.39.1).一.　　〔甲骨文字形〕（因）

30(10408 正).一.　　〔甲骨文字形〕（菑）……
　　　　　　　　　　〔甲骨文字形〕（角）

32(6460).一.　　　　〔甲骨文字形〕（會）　　　　　（曲）

37(18925).一.　　　　〔甲骨文字形〕（猷）（囚）……

38(30552).三.　　　　〔甲骨文字形〕（冊）

39(30040).三.　　　　〔甲骨文字形〕（澧）

　　缺刻直筆的字也有，但大都可歸入缺右或缺下之類，如《合集》6856片有一「乎」字就可以算是缺刻下部筆畫之例，《合集》18940片中的「囟」字則是缺刻右部筆畫的例子。最典型的缺直筆之例要算《合集》6855正的左邊那條卜辭中的干支「壬子」的「壬」字所缺的那一豎筆。如果把各種缺直筆加一起，整部《合集》也只有數見而已，現將有關缺直畫的例證錄於下供參考：

缺刻直筆例

片號·分期	例	辭（括號內為補齊筆畫字）
16(18940).一.	〔甲骨文字形〕（囟）	
26(6856).一.	〔甲骨文字形〕（乎）……	
34(6855 正).一.	〔甲骨文字形〕（壬）	
35(8459 正).一.	〔甲骨文字形〕（冊）……	
36(18935).一.	……〔甲骨文字形〕（？）……〔甲骨文字形〕……	

　　從上面我們所收集到的缺刻橫與豎筆的情況看，橫、豎（直）之比，顯然缺直畫者是微不足道的少數。況且，這幾個缺直畫的字，還有其特殊性。其他情況不必說了，以最典型的《合集》6855正片中的「壬」字契刻作「二」來說，此壬字在這條卜辭中居首，是決定整條卜辭字體大小和在骨版中的布局地位的關鍵。「壬」字只要上下兩短橫確定了，字的本身大小和行款，以及全條卜辭的地位布局也都定了。我說它是一個很特殊的例子，從另一塊干支表（附圖1，《合集》24440，《後下》1.5）中的六個「壬」字都缺刻上下兩短橫看，一般應是先刻直畫。另一個可能，則是在起刻的時候橫握骨版，先契刻了兩短橫，然後轉過骨面繼刻此條卜辭的其餘之字，而忘了完成壬字中間那一筆。從這個角度講，

它也就成了缺直筆。所以，此「壬」字的缺刻直筆不能不認爲是一種例外現象。再如「凹」字和「我」字所缺刻的豎筆，其實它們可以算是缺右邊筆畫之例；如果再聯系到《合集》18929（附圖 8）的字缺上下兩橫看，此缺右豎的又是一個特例。至于弗字的缺刻，主體結構嚴守「先直後橫」是肯定無疑的，因爲我們常見的弗字，除作「弗」外，還有作「弗」（如《殷虛文字綴合》218 片）形的。根據有關缺筆推測，弗字筆順當如下所示分步完成的。

弗　　|　→　||　→　〔卄　→　井　→　井　→　〔井　→　弗（完成）

（合集 18927）　　　　　　　　　　　（合集 8459 正）

井（完成）

所以，從甲骨文缺刻橫直（豎）筆畫的現象分析，甲骨文字契刻的第一個特點是先直筆後橫筆。這一點前輩學者的結論是對的。需要補充說明的是：第一、斜筆（左撇右捺）一般同于直筆，但可根據字形和書者的習慣而靈活處理，「便利」而行，第二、曲筆中的豎看者，像 ᒼ，ᒎ，Ƨ 等類也與直（豎）筆同　曲筆中的橫行者，像 ⌒、◡ 等之類，蓋也同于橫筆，但亦可據字形和書契的習慣而靈活處理。請看下例：

酉　　ᒼ　→　∨　→　〔∨〕　→　∪　→　酉（完成）

（合集 6778 正）　　　　（合集 26975）

∪　→　酉（完成）

岳　　ᒼ　→　〔∨〕　→　峇　→　岳（完成）

（合集 30298）

射　　ᒼ　→　〔矢〕　→　〔射〕　→　射（完成）

三、缺刻上、下筆與從上到下

　　甲骨文字缺刻上部或下部筆畫的現象，可以說都有。但是，如果排除缺刻橫筆的某些特殊情況，那麼下表所列算是缺上部筆畫之典型了。

隸釋	常見原形	缺刻字例	來　　　源
辛	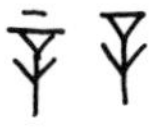		合集 24440，附圖 1 26975，附圖 6
丙			合集 24440，附圖 1.42 9933
侯			合集 36528 反，附圖 2
辰			合集 36633，附圖 3
雨	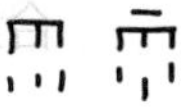		合集 27804，附圖 12 7282，附圖 13
晌			合集 27930，附圖 4

　　不難看出上列諸例都是缺刻上部刻畫的，但是這類缺刻的也可歸入缺刻橫筆之列。其中最後一例的「晌」字算是我們收集到的缺刻上部筆畫較典型的，它確屬只刻了下半部的「卩」字。此片是廩辛時代的甲骨，同版另一條卜辭有貞人寫作「卩」。我們知道，廩辛時代并沒有貞人「卩」，只有貞人「叩（𣎆）」和「晌」是從「卩（𤔔）」的。在從「卩」字在該條卜辭中的部位上下行對齊（如是「叩」字缺一個「卩」必然上下行對不齊，不偏左便偏右），「卜」字與「卩」字間的空隙則較大，不像是貞人「叩」字刻了一個「卩」。再看同版另一條殘辭貞人「晌」刻作「𣎆」，頂頭上的「日」字缺三短橫推知，所謂貞人「卩」，定是貞人「晌」的缺刻。兩者對照，這個貞人「晌」有由下往上完成的可能，如圖示：

　　　　　1　　　2　　　3　　　4　　　5
晌　　| → 　 → 　 → 　 → 　（完成）

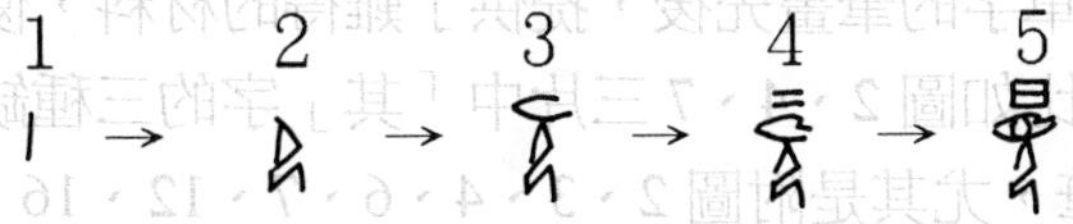

不過，類似例子在《合集》中還難找到第二個，可謂是特例。再回頭看貞人「晌」只刻作「卩」的這條辭：

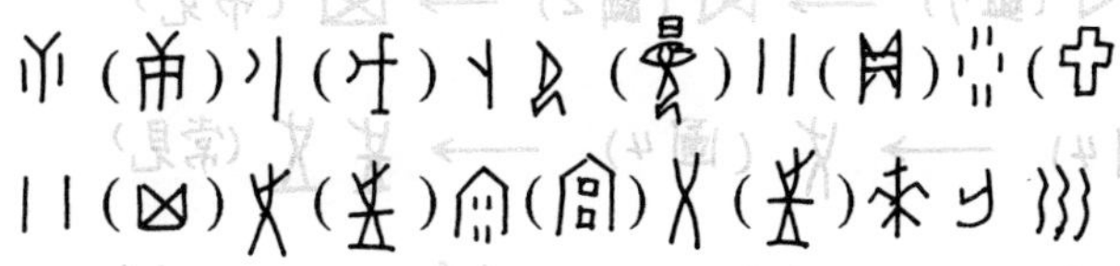

（圖，合集 27930·附圖）

庚戌卜，（原作卩），貞亞其往宮往來亡災

此條卜辭共 13 字，除了「卜」、「來亡災」四字外，其他九字都缺橫筆，而「晌」字頭上的「∥」字實際上亦屬缺三短豎。如果從另外一個角度考慮：晌字是上、

中、下三部分構成，上和下部有豎筆，中部都是曲筆，而上部「日」字是這個字的起筆，則此字也有可能是從上面豎筆開始契刻，最後忘記刻橫所致，據此推測則如下圖所示而契刻的：

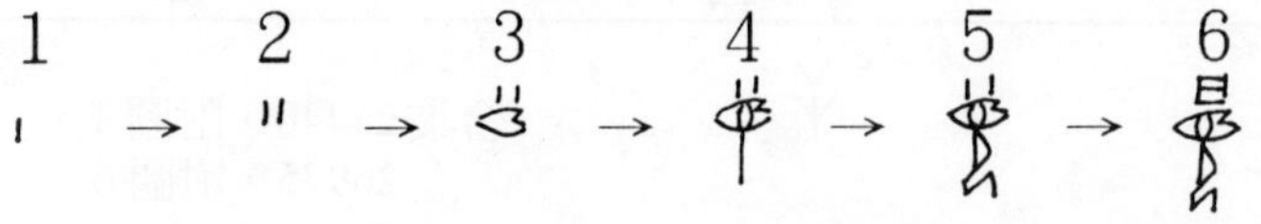

由上所講兩種完成「暊」字的可能看，我以爲後者應是上下結構的書契常例。我們發現，甲骨書契缺上或下的材料裏更多的是缺刻下部筆畫。在所有缺刻例中，缺下者是僅次于缺橫畫的，最能說明缺下面的例證如下表：

隸釋	常見原形	缺刻字例	來　源
乎			合集 6856，附圖 26
爭			合集 19103，附圖 27
岳			合集 30298，附圖 17
生（往）			合集 27930，附圖 4
其	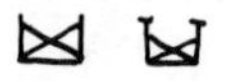		合集 36528，附圖 2
焚			合集 10408，附圖 30

除上舉例證外，還有附圖 25 的「異」、圖 28 的「唐」、圖 29 的「囧」、圖 31 的「年」、圖 41 的「卤」等都可說是缺刻下部筆畫。從這些實例中可以看到，不少字是由橫、直、斜（捺和撇）、曲、點構成的，有的完成了全部筆道，也有缺一兩筆的。尤其值得注意的：一些字的不同部位缺畫，即同一個字有缺不同筆畫的，這就爲我們復原單字的筆畫先後，提供了難得的材料，使某些字的筆順復原有了依據和可能。比如圖 2、4、7 三片中「其」字的三種缺筆，圖 4 中「生（往）」字的兩種缺筆，尤其是附圖 2、3、4、6、7、12、16、18、9、21、23、37、《乙》3444 等片中同一「貞」的多種缺刻部位，我們根據這些缺筆推出筆順先後是很能說明問題的：

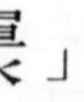

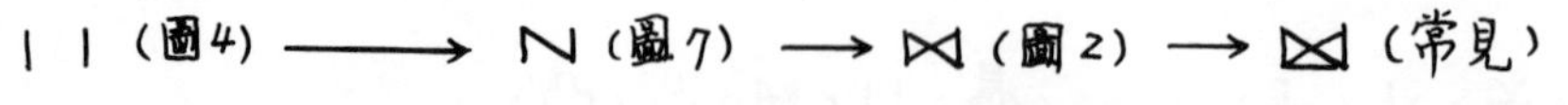

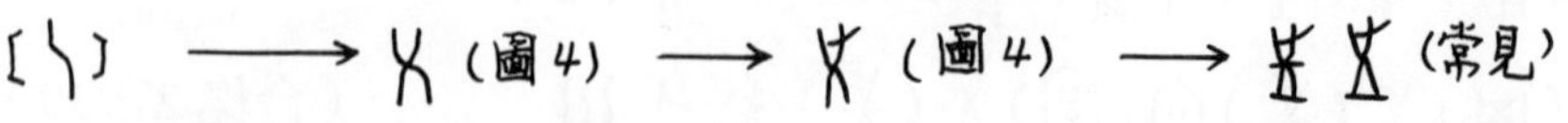

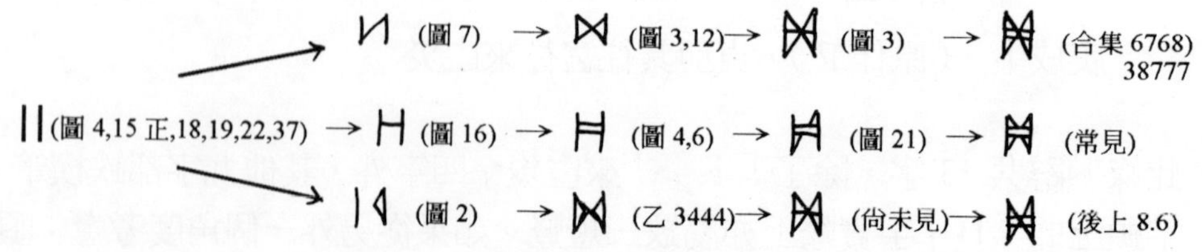

上列情況告訴我們：甲骨文字在契刻一個字時，除存在先直（豎曲筆畫同于直）後橫的書契通例外，還有從上往下完成的通例。

四、缺刻左、右畫與從左至右

甲骨文中缺刻左邊筆畫的情況偶有所見。從所偶見的字例看，嚴格講來并非典型例證。《合集》18925（附圖 37）有殘辭「殸貞」，「殸」字左缺刻橫筆，算是一個缺刻左部筆畫之例。但同樣的「殸」字，我們又發現右下缺二短橫（見附圖 20）。

（合集 18925，附圖 37）

即出現一左一右的情況（見右圖）。其實，甲骨文字有時左右可以無定，特別是左右對稱卜辭中，往往左右辭條不僅款式對稱整齊，一些

（合集 7846，附圖 20）

字也是左右對稱的。如「卜」字，左右對貞刻辭中，刻辭左行橫枝就向左，右行則向右。「殸」也如此。所以，這個缺「左」畫的情況應該是不存在的，至少我們難以見到。相反，甲骨文字缺刻右邊筆畫之例證則是比較過硬的。比如下列諸例：

囚			合集 18940，附圖 16
土	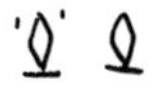		合集 18926，附圖 18
殸			合集 7846，附圖 20
畀			合集 6960，附圖 32
我		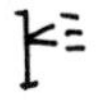	合集 18935，附圖 36
射			合集 34306，附圖 40

上舉例中的「囚」字，依「先直後橫」例，本應如圖 8（合集 18929）的缺刻形，但也有在豎筆由左至右時就漏掉了右邊一豎，成了圖 16（合集 18940）缺刻之形。後者確實是缺刻了右邊的筆畫。如果將上面的「土」、「囚」、「畀」三例的筆順復原示意則當如下：

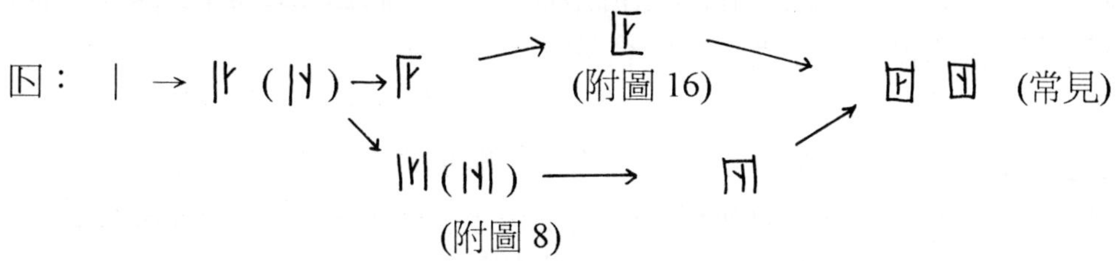

（附圖 8）

179

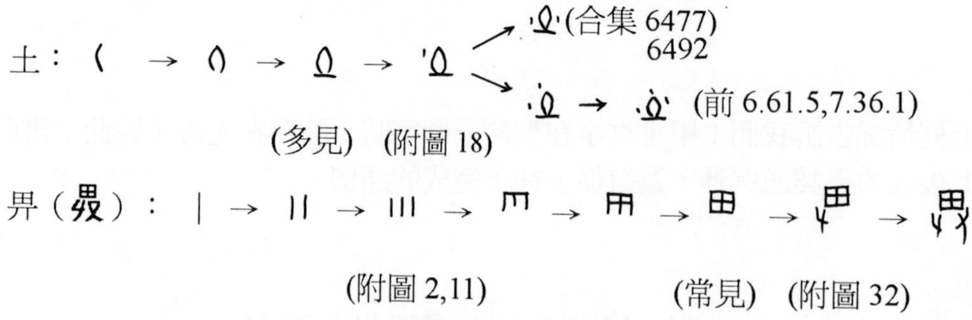

土：〈 → 〇 → Ⓠ → 'Ⓠ ↗ 'Ⓠ (合集 6477)
　　　　　　　　　　　　　　　　　　　　6492
　　　　　　　　　　　　　　　↘ ·Ⓠ → ·Ⓠ (前 6.61.5, 7.36.1)

(多見)　(附圖 18)

畀（畏）： | → || → ||| → 冂 → 用 → 田 → 𤰍 → 𤰎

(附圖 2,11)　　　　　　　　(常見)　(附圖 32)

類似缺刻右邊筆畫的還有，比如前舉的「乎射」（附圖 40）之「射」同在一片上，一個筆畫完整的，另一個則缺刻右邊豎畫（弓之弦）。雖然，甲骨文中射字也可以左右無別，即箭頭向右弦在左，箭頭在左弦在右。但我們認真細查了《合集》全部有射字的刻辭，則沒有箭頭向右弦在左的射字是缺刻的！這裏所列箭頭向左而缺右邊豎畫（弓之弦），無疑是「先左後右」完成的。這又與後世漢字筆書「從左至右」的筆順慣例是一致的。

這裏還要說明的是，象「土」、「畀」、這類中心軸對稱的單字，往往是從中間部分開始的，這與確定本身字的大小和部位有關。中間部分契刻完再按「先左後右」的通例完成，《合集》6990 正甲（附圖 33）有「登人三千」的刻辭，「登」字兩見，一作「𤴓」，另一個則缺刻邊右的「又（手）」。將此字缺刻部分與「土」、「畀」二字缺刻情況結合起來看，顯然是先契刻中間部分，然後完成左邊部分，最後契刻右邊部分面完成整體，其完成順序如下圖所示：

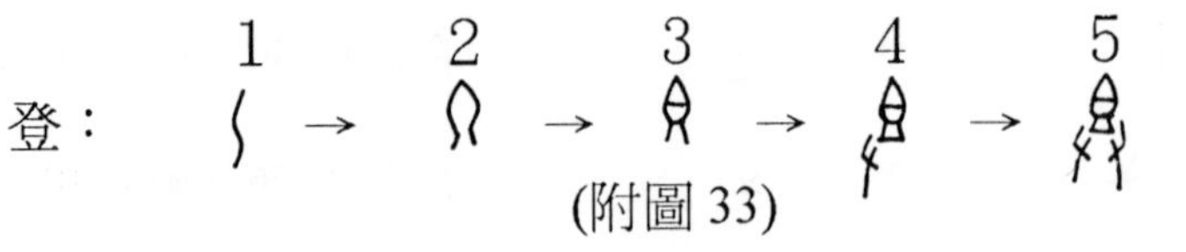

　　　　1　　　2　　　3　　　4　　　5
登：　 ∫ → 𤴓 → 𤴓 → 𤴓 → 𤴓

(附圖 33)

五、尾語

綜上所論，我們從甲骨文字契刻中的種種缺刻現象中，完全可以推出下面幾點書契刻寫的慣例：

（一）、有直有橫的字，先書契直（豎）畫而後橫畫，斜筆（左右斜或後世說的撇捺）同于直，曲筆的豎形者亦然。這與後世漢字筆書的書法慣例有點不同，應是由于契者的習慣和以刀代筆所使然。

（二）、上下筆畫結構的字，除了有橫、直（豎）、斜（包括左右斜後世筆書的撇、捺相類），曲筆豎立者除導循前例外，一般都是由上而下契刻完成的。這點與後世筆書的書法筆順則是相吻合的。

（三）、左右筆畫結構的字，一般都是先契刻左邊筆畫，然後契刻右邊。這一點又是與後世筆書的「從左至右」的書法筆順慣例相一致的。對于中心軸對稱的甲骨文字，則是在「先直後橫」、「先上後下」、「先左後右」的原則下，先契刻中間部分後，再「從左至右」契刻完成整個字。

　　（四）、甲骨文中的特殊字形，或在特殊情況下，也有破例的，如我們所列舉的「壬」、「暊」二字，那應是特別的個例；有如後世書法中，不同書者在某些個字上，由手書者的習慣，也有破常見書法筆順的，這也是不足爲怪的。不能因個別特殊有違常規的現象，而不承認書契存在一定的筆順慣例。

　　（五）、由書契缺筆的研究，使我們看到：具有神韻的中國書法藝術的書寫筆順慣例肇始于甲骨文時代，真乃源遠流長，歷史悠久。甲骨文的發現，不僅對研究古史和古文字具有極爲重要的意義，而且對研究漢字的書法規律，以及由此而發展起來的獨特書法藝術，都有極大的價值。

　　由于書契是依一定的書法筆順刻成，所以，我們見到除某些習刻文字外，大都是書法規範而有法度，而且筆畫自然流暢，顯然不是一筆一畫的毫無章法的拼湊而成。當時的不同書契者都已形成了各自的獨特風格。也正因爲這樣，甲骨文字的書體才可能成爲我們研究甲骨資料分期斷代的重要依據之一。

　　總而言之，事實表明：甲骨文不僅是記錄保存語言和傳遞信息的一種應用工具，而且已發展成應用與藝術相結合的產物，它的形體獲得了獨立于符號意義（字義）的發展途徑。

　　以後，它更以其淨化了的線條美——比彩陶紋飾的抽象幾何紋還要更爲自由和更爲多樣的線的曲直運動和空間構造，表現和表達出種種形體姿態，情感的藝術：書法。[4]
甲骨文字的拙樸、方整、挺健、秀麗的諸種美的因素，以及書契筆順慣例等等，給了後世漢字的書法藝術以深遠影響。

---

[4]　參見李澤原《美的歷程》，中國社會科學出版社，1984 年 7 月出版，第 49 頁

甲骨文發現一百周年學術研討會　　1998.5.10-12
中央研究院歷史語言研究所‧臺灣師範大學國文系合辦

殷墟花園莊東地甲骨坑的發現及主要收穫

劉一曼

提要：

　　一、發現概況　花園莊東地H3坑是個長方形的窖穴，長2米、寬1米、深2.5米。坑內發現甲骨1583片，其中卜甲1558片，上有刻辭的574片，卜骨25片，上有刻辭的5片，刻辭甲骨共579片。

　　二、時代　從地層關係與出土陶片的形式判斷，H3坑屬殷墟文化第一期，從所出甲骨的特徵看，屬武丁時代。

　　三、與小屯北H127坑比較　1.相同點：兩坑均屬武丁時代集中埋放甲骨的窖穴；甲多骨少，大版和完整的卜甲較多；字中填朱、填墨和刻劃卜兆的現象較常見；甲骨鑽、鑿、灼排列的方式相似；出有記龜甲來源的刻辭。2.不同點：坑之形狀不同；坑內堆積及甲骨埋藏的方式不同；無改制的背甲；有穿孔的卜甲上百版；甲骨文全是契刻的，未見書辭；卜辭內容較集中，主要涉及祭祀、田獵、天氣、疾病等方面；字體有獨特的風格；卜辭的問疑者是"子"，這個"子"，不是"子組卜辭"的"子"。此坑甲骨屬另一類"子卜辭"。

　　四、意義　此坑甲骨刻辭，對研究甲骨文中的非王卜辭，研究殷代的社會結構、家族形態等有重要的價值。

關鍵詞：花園莊　甲骨坑　H127坑　非王卜辭　王卜辭　分期斷代　家族形態

殷墟花園莊東地甲骨坑的發現及主要收穫

劉一曼*

花園莊東地甲骨坑，位於安陽殷墟花園莊東一百多米，殷墟博物苑南四百多米處。坑的編號是91花東H3。這是中國社會科學院考古研究所安陽工作隊為配合安陽市的築路工程於1991年秋在該地進行鑽探時發現的。10月18日，我們對甲骨坑進行發掘，10月21日發現了甲骨堆積層，其中絕大多數是龜卜甲。由於甲骨埋藏年代久遠，出土時一塊完整的卜甲往往斷裂成數十片或一兩百片，給清理工作帶來很大的困難，又由於修路工程工期緊迫，在發掘現場難於進行長時間的、細緻的清理工作。因此，我們決定中止工地的發掘，做了一個特製的木箱，將整個甲骨坑套進木箱內，運回考古所安陽工作站的院子裏。從1991年10月31日至11月26日，1992年5月至6月初，前後花了兩個多月的時間，才將坑中的甲骨全部取出。1992年秋至今，我們又對這些甲骨進行了修復、加固、粘對、綴合、拓片等工作，全部技術性工作將於今年上半年完成。並準備在今年夏天，開始對它們進行全面整理，預計三、四年內能完成任務。

壹、甲骨坑發現概況及時代

91花東H3位於探方T4內，坑口距地表1.2米，近長方形，因坑之北部遭一殷代灰坑H2破壞，故北邊呈向內微凹的弧線[1]，南北長1.5米，東西寬1米。當坑深0.6米（距地表1.8米）時，H2已到底部，H3呈規整的長方形，長2米、寬1米。坑底距地表3.35－3.7米，長1.9米、寬0.9米。底部不大平，南部較高，中、北部較低。坑壁整齊，坑口以下從0.2至1.3米處，在坑之東、西二壁各有三個腳窩（插圖1）。

坑內堆積可分四層：第一層淺灰土，土質鬆軟，厚0.6米，出少量陶片、獸

---

* 劉一曼，1940年6月生於廣東省佛岡縣，1962年北京大學歷史系考古專業畢業，1966年中國社會科學院考古研究所研究生畢業後留所工作，現任考古研究所研究員。1972年至今，經常到河南安陽殷墟參加考古工作。發表的專著有《小屯南地甲骨》（合著）》、《殷墟的發現與研究》（合著）等六部，論文有〈考古發掘與卜辭斷代〉、〈試論殷墟甲骨書辭〉等二十多篇。

[1] 參見中國社會科學院考古研究所安陽工作隊〈1991年安陽花園莊東地、南地發掘簡報〉圖三，《考古》1993年6期。

骨、木炭屑；第二層黃色夯土
，厚 0.6 米，土質純淨，堅硬，不出遺物；第三層
深灰土，土質鬆軟，厚 0.9 米，在此層的中部（距
坑口 1.7 米），發現了甲骨堆積層；第四層黃土，
亦爲甲骨層，厚 0.4 米。

　　甲骨層厚 0.8 米，其上部約 20 厘米，中、小
片甲骨較多，這可能是受上面填土的壓力所致。中
、下部以大塊的和完整的甲骨爲主。甲骨出土時，
有的豎立，有的平放，有的斜置。豎放的卜甲主要
發現於坑邊，特別是坑之東北角和西北角尤爲明顯
，幾塊豎立的大卜甲緊貼坑邊，平放的甲骨最多，
大多反面朝上，露出鑽、鑿、灼的痕迹，卜甲的甲
首與卜骨的骨臼無一定的方向。卜甲與卜骨、龜
腹甲與背甲、大塊的與小塊的、有字的和無字的相
雜處，彼此疊壓得十分緊密，甲骨堆中幾乎沒有什
麼空隙。

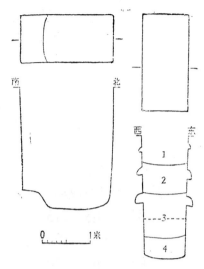

花園庄東地 H3 平、剖面図
1.淺灰土 2.黃色夯層 3.深灰土（虛线以下为甲骨层）4.黃土

（插圖一）

　　花東 H3 共出甲骨 1583 片，其中卜甲 1558 片
（腹甲 1468 片，背甲 90 片），上有刻辭的 574 片（腹甲 557 片，背甲 17 片）；
卜骨 25 片，上有刻辭的 5 片，共有刻辭甲骨 579 片。

　　此坑甲骨，以大版的卜甲居多，其中完整的卜甲 755 版，除了整甲外，半甲、
大半甲的數量亦多。據粗略統計，半甲以上的大塊卜甲，占此坑甲骨總數的 80
％，特別珍貴的是上有刻辭的整甲達三百多版，占有字甲骨總數的 50％以上。

　　花東 H3 的時代，可從以下兩點進行考察：

　　一·疊壓 H3 的文化層是 T4（3），從所出陶片分析屬殷墟文化第一、二期。
打破 H3 的灰坑 H2，以及 H3 內所出的陶鬲、豆、盆、罐片特徵，屬殷墟文化第
一期，其時代約當武丁早期[2]。

　　二·H3 甲骨卜辭出現的一些人物，如 ⚘、史、𡥈、子𠂤（尻）、子戠、婦
好、宁豈等，又見於武丁「賓組卜辭」或「自組卜辭」中。

　　值得注意的是有關「子戠」的一些卜辭：

《乙》4817　　　　㞢子戠（賓組卜辭）

《合集》20036　　□戌卜貞：不束余奠子戠？十月。（自組卜辭小字類）

《合集》20037　　乙丑卜王：勿㞢㞢子戠？（自組卜辭小字類）

　　以上幾條有關祭祀子戠的卜辭，表明子戠已經亡故。

　　但在 H3 卜辭的子戠卻是個活著的人物：

---

[2] 中國社會科學院考古研究所安陽工作隊〈1991 年安陽花園莊東地、南地發掘簡報〉圖四、圖
七，《考古》1993 年 6 期；中國社會科學院考古研究所《殷墟的發現與研究》38 頁，科學出版
社，1994 年。

H3：914　　甲子卜：子其舞，永？不用。

　　　　　　　甲子卜：子戠弜舞？用。

　　關於「賓組卜辭」的時代，學術界一般認為屬武丁中、晚期，關於「自組卜辭」小字類的時代，有一些學者主張大致在武丁中期[3]。如是，H3：94 關於子戠的記載，就透露出此坑卜辭的時代不晚於武丁中期的信息，這與地層關係及共出陶器的時代基本吻合。

貳、甲骨卜辭的內容舉例

在 579 片刻辭甲骨中，絕大多數是卜辭，主要內容可分祭祀、天氣、田獵、疾病、夢幻等幾類。下面例舉數例（參見附圖一─八）

　　例一，H3：313

　　壬申卜：在祥，其禦於妣庚，晉十宰，十鬯？用。在麗。一二三

　　例二，H3：620

　　庚申卜：歲妣庚牝一，子尻禦往？一二三四五六

　　例三，H3：661

　　癸亥夕卜：日延雨？子占曰：其延雨。用。一

　　例四：H3：333

　　1・丁卯卜：雨其至于夕？子占曰：其亡至，翌戊，用。一

　　2・丁卯卜：雨不至于夕？一

　　3・己巳卜：雨其延？子占曰：其延終日，用。一

　　4・己巳卜：雨不延？一

　　5・己巳卜：在狄，其雨？子占曰：今夕其雨，若。己雨，其于翌庚亡司。
　　　　用。一

　　6・己巳卜：在狄，庚不雨？子占曰：其雨，亡司。夕雨。用。一

　　例五，H3：484

　　1・辛酉卜：丁先狩迺又伐？一

　　2・辛酉卜：丁其先又伐迺出狩？二

　　例六，H3：52

　　1・乙酉卜：子又之災南小丘其眔，獲？一二三四五

　　2・乙酉卜：弗其獲？一二三四五

　　3・乙酉卜：子于翌日丙希災南丘眔，轟？一二三四

　　4・以備眔？一二

　　5・乙酉卜：既皋往敝，轟眔？一二

　　6・弜敝？一二

　　7・轟災鹿？子占曰：其轟。一二

---

[3] 李學勤、彭裕商《殷墟甲骨分期研究》84─105 頁，上海古籍出版社，1996 年。

8．一二

9．一二

例七，H3：505

庚午卜，在　　禦子齒于妣庚，用牝？

例八，H3：1380

1．戊卜：子夢[畀]亡艱？一

2．子夢[畀]……？一

參、與 1936 年 H127 坑比較

91 花東 H3 與 H127 相比，有如下一些相同點：

一、時代大致相同。兩坑地層關係較早，坑中所出卜辭的時代也較早，均屬武丁時期集中埋放甲骨的窖穴。

二、甲多骨少。H127 坑，刻辭甲骨有 17096 片，刻辭卜骨有 8 片，刻辭卜骨占甲骨總數的萬分之四點七。91 花東 H3 甲骨共計 1583 片，卜甲 1558 片，卜骨 25 片，卜骨占甲骨總數的百分之一點六。刻辭甲骨 579 片，刻辭卜骨 5 片，後者占刻辭甲骨總數的千分之八點六。

三、完整的和大版的卜甲數量多。H127 坑，從發表於《乙》、《丙》兩書（扣除重出的卜甲號）的拓片統計，完整的卜甲 292 版[4]，占刻辭卜甲的百分之一點七。花東 H3，完整的刻辭卜甲 310 版，占刻辭卜甲的百分之五十四，比例相當大。H127 坑，最大的卜甲（《丙》184），長 44、寬 35 厘米，長度在 30 厘米以上的就有四十多版。花東 H3，長度在 30－32 厘米的有二十多版，最大的卜甲長 32.5 厘米。

四、字中填朱、填墨和刻劃卜兆的現象較常見。H127 坑多見大字填朱小字填墨，花東 H3 中見有小字填朱，稍大的字填墨的情況。

五、龜腹甲與卜骨的整治以及甲骨反面鑽鑿、灼排列的方式相似[5]。如腹甲反面左右兩部分鑽與灼的方向均指向中縫，背甲反面鑽與灼的方向均指向中脊，很有規律。

六、發現刮削後重刻的卜辭。胡厚宣先生說：「一二七坑的龜甲文字，有許多刻好又刮去重刻的例子，因爲殷人於甲骨卜辭經常有修改，要修改就只有刮去重刻[6]」。花東 H3，除發現刮削後重刻的卜辭外，也見有將卜辭刮了以後不再重

---

[4] 胡厚宣先生統計《乙》整甲和近整甲 320 版，《丙》294 版，見〈殷墟一二七坑甲骨文的發現和特點〉，《中國歷史博物館館刊》總第 13、14 期，1989 年。

[5] 劉一曼〈安陽殷墟甲骨出土地及其相關問題〉《考古》1997 年 5 期。

[6] 胡厚宣〈殷墟一二七坑甲骨文的發現和特點〉，《中國歷史博物館館刊》總第十三、十四期，一九八九年。

刻的情況，其原因大概是一些卜辭的
內容不重要，無保留價值。

七、發現甲橋刻辭。H127 坑，記
錄龜甲來源的甲橋刻辭很多。花東
H3，甲橋刻辭較少，約三、四十例，如
「史入」、「茓入六」等，還有的只記
數字。

花東 H3 與 H127 坑的不同點：

一、坑之形狀及坑內堆積不同。
H127 坑，坑口呈圓形，直徑 1.8 米。
坑內堆積分三層，上層灰土，厚 0.5
米，中層灰土與龜甲，厚 1.6 米，第三
層灰綠土，厚 2.7 米。因下層灰綠土較
厚，並含有陶片、獸骨，說明此坑在放
入甲骨之前就已使用過一段時間。坑內
的灰綠土及甲骨層，呈北高南低的斜
坡，表明當時的人們是從北邊將廢棄物
及甲骨倒入坑內的。花東 H3，如上所
述，坑口呈長方形，長 2 米，寬 1 米，
坑內堆積分四層，甲骨出于第三層中部
至坑的底部。該坑是專門爲埋放甲骨而
挖成的。在放置甲骨時，人們是從坑邊
的腳窩下到坑底，先將一些完整的卜甲
豎放於坑之東北角與西北角，然後再將
大量甲骨倒入坑內的。放置甲骨完畢後
用土加以掩埋，先填 0.4 米黃土和 0.9
米的灰土，在灰土上再填 0.6 米的黃
土，然後用夯土打實，在夯土上又填有
0.6 米的淺灰土。在殷墟發掘中，發現
的灰坑是很多的，坑內填土大多是鬆軟
的，只有墓葬的填土才用夯打實，目的
是保護墓主人遺骨和隨葬品的安全。H3
的第二層填土加以夯打，大概由於甲骨
是種神聖之物，需要保護其安全吧！

二、花東 H3，沒有發現 H127 出土
的一種改製成橢圓形，中部有孔的背
甲。此坑所出的背甲，是將一完整的背
甲對剖成二塊後，邊緣略經刮磨而

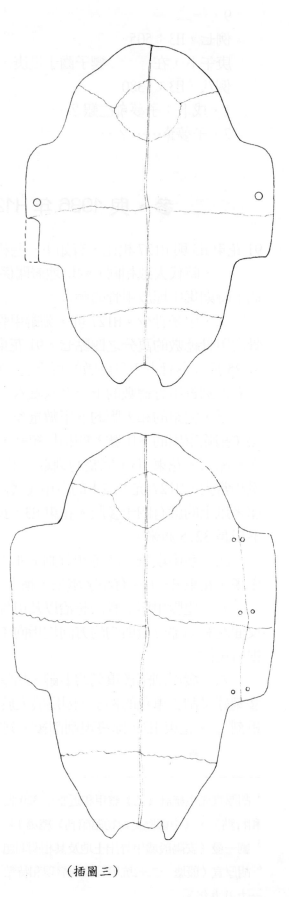

（插圖三）

（插圖四）

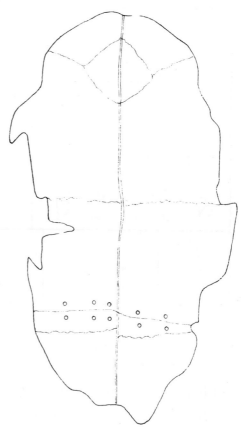

的。

三、花東 H3，穿孔的腹甲較多，約有一百多片，按孔徑的大小，可分兩類：第一類孔徑較大，約為 0.6－0.8 厘米，位於甲橋中部，左右甲橋各一孔，互相對稱（插圖 2）。第二類孔徑較小，約 0.2－0.4 厘米，位置不大固定，在卜甲斷裂部分的邊緣處，孔數有六、八、十不等，均是偶數。如 H3：632，右甲橋斷裂，在右甲橋近裂口處的上、中、下各有一個小圓孔，而在右前、後甲與甲橋相連接的對應部分也各有三個小圓孔，相鄰的小孔，間距 0.5－0.7 厘米（插圖 3）。再如 H3：615，該版在後甲下部斷裂成兩大塊，在裂縫的上、下二側各有 5 個小圓孔，共十個，這五對小孔，上下距離 0.6－0.8 厘米（插圖 4）。第一類孔，沒有破壞甲骨的鑽、鑿、灼，而第二類孔，見有破壞鑽、鑿、灼及文字的情況，

這些迹象表明，鑽這兩類孔的時間以及孔的作用是不同的。第一類甲橋上較大的圓孔，是鑽於卜甲加工好之後，尚未占卜之前，由於各版甲橋有孔的卜甲，孔的位置及大小基本相似，故可推知當時的人是將數版（或多版）加工修整後之龜腹甲，用稍粗的繩子穿系在一起，作為待卜的材料。而第二類小圓孔，是在占卜或刻辭之後才鑽成的，這是因為一些占卜過的或已經刻辭的卜甲，發生斷裂，不便存放，所以卜人需在斷裂處的邊緣鑽上小孔，再用細繩將它們穿系在一起。可見當時的卜甲，占卜之後，並不是馬上扔掉，而是保存一段時間才處理的。

四、花東 H3 的卜辭全是契刻的，未見書辭；而 H127 坑，間有書寫卜辭的例子。

五、此坑甲骨刻辭，字體風格大多數細小、工整、秀麗，大多為折筆字，也有少數筆鋒圓潤的字。全坑卜辭，字體較規範、劃一、異體字較少，一些常用字的寫法，如下表所示，富有特徵。

戊		庚				辛	癸
子		寅		卯		辰	

189

（甲骨字形）	（甲骨字形）	（甲骨字形）	（甲骨字形）
午	未	申	酉
（甲骨字形）	（甲骨字形）	（甲骨字形）	（甲骨字形）
其	令	卲	重
（甲骨字形）	（甲骨字形）	（甲骨字形）	（甲骨字形）
囚	占	羌	邑
（甲骨字形）	（甲骨字形）	（甲骨字形）	（甲骨字形）
貞	于	牛	羊

這二十四個常用字中，與「賓組卜辭」相似的只有貞字，與「𠂤組卜辭」相似的有辛、子、酉、牛、羊、午等字。與「午組卜辭」相似的有于、牛二字，與「子組卜辭」相似的有辛、子、辰等字。可見此坑卜辭的一些常用字的寫法與「賓組卜辭」差別較大，與「𠂤組」、「子組」、「午組」卜辭相似之處稍多，但表中的戊、令、卲、邑等字，是此坑卜辭獨有的寫法。

六、此坑卜辭文例上富有特徵

1、前辭多樣化。H3 有前辭有如下九種，現各舉一例：

（1）干支卜　　　乙酉卜：弗其獲？（H3：52）

（2）干支夕卜　　壬辰夕卜，其宜牝一于狄，若？用。（H3：1325）

（3）干支卜貞　　己卯卜貞：□不死？子曰：其死。（H3：486）

（4）干卜　　　　壬卜，三日雨至？（H3：757）

（5）干夕卜　　　甲夕卜，日不雨？（H3：793）

（6）干卜貞　　　癸卜貞：子耳鳴亡蠱？（H3：196＋197）

（7）某貞　　　　子貞。（H3：454）

（8）干支　　　　戊辰：歲妣庚牝一？（H3：701）

（9）干支卜某貞　癸卯卜，亞奠貞。子占曰：終卜用。（H3：212）

上述九類前辭，以「干支卜」、「干卜」為常見。「干支卜某貞」最少，目前只見一版。「干支卜」、「干支卜貞」、「干支卜某貞」、「干支」，等為各期各組卜辭常見的前辭形式，其餘幾種前辭少見或未見。如《丙》57（2）「己卜貞，勿酒登？一」，從拓片看，「己」與「卜」之間，留出地支的位置，「貞」字上方亦有很大空間。與之對貞的第（1）辭的前辭為「（己）丑卜，𡧛貞」。可見《丙》57（2）；是有意省去地支與貞人名而未刻。在「𡧛組卜辭」的前辭中，不刻地支是罕見的例子，而在H3坑則數量較多。

2．常見用辭，作「用」、「不用」。以「用」最多。「用」有的出現於兆旁，如 H3：53，全版卜甲無卜辭，但在四個卜兆旁各刻一「用」字。有的「用」字出現於卜辭的末尾，在命辭或占辭之後，如上文所舉的例一 H3：313、例二 H3：661 等片。卜辭中的用辭，常見於無名組和歷組卜辭（即第三、四期卜辭）中，多作「茲用」或「不用」，已有學者對其性質作過專門研究[7]，在此不再贅述。

3．常見占辭，作「子占曰」、「子曰」，以前者爲多，在武丁時代的幾組卜辭中，以「賓組卜辭」出現的占辭「王占曰」爲最常見，在「子組卜辭」中未見占辭，在「自組卜辭」中也只見「由占曰」、「由曰」、「扶曰」等數例。

七、花東 H3 甲骨卜辭的主人是「子」。此坑卜辭字體文例、甲骨背面的鑽、鑿形態等基本一致。大多數卜辭是卜問子及與子有關的事類，卜辭中出現的占辭全部都是「子」（或稱占卜主體）。但這個「子」與「子組卜辭」中的「子」，不是同一個人。H127 坑的卜辭比較複雜，大多數是王的卜辭（「賓組」、「自組」卜辭），少量是「子組」、「午組」及子組附屬類等「非王卜辭」。我們認爲：卜辭主人的不同是花東 H3 與 H127 坑最重要的一個區別。

肆、花東 H3 甲骨卜辭的學術價值

此坑甲骨是繼 1936 年 H127 坑及 1973 年小屯南地甲骨以後，殷墟甲骨的又一次重大發現，有很重要的學術價值。

一、對甲骨文的分期斷代研究有重要意義

自三十年代以來，甲骨文分期斷代研究一直是甲骨學研究中的一個重要課題。

在甲骨文分期斷代中應采取什麼標準？長期以來，學術界都采用董作賓先生的〈甲骨文斷代研究例〉[8]中列舉的五期分法，十項標準。特別是多用其中的稱謂、貞人、字體來分期。由于在殷墟所出的甲骨刻辭中，屬小片的居多，缺乏稱謂與貞人，所以依據字體進行分期又是學者們最喜用的方法。眾所周知，董先生的〈甲骨文斷代研究例〉在甲骨學史上是件劃時代的大事，對甲骨文研究影響很大。至今文中的許多觀點，仍具有指導意義。但是，隨著甲骨文新資料的不斷出土和斷代研究的逐漸深入，不少學者感到〈斷代例〉中的一些標準有需要修改和補充之處。近二十年來，越來越多的學者認識到同一個王世可以有不同的卜辭組，而同一組卜辭亦可存在於不同的王世。正因爲某一王世中存在有不同組別的

---

[7] 黃天樹〈關于無名類、歷類卜辭中用辭性質的考察〉，《陝西師大學報（哲學社會科學版）》1993 年 3 期。

[8] 董作賓〈甲骨文斷代研究例〉，《歷史語言研究所集刊外編－慶祝蔡元培先生六十五歲論文集》上冊，1933 年。

卜辭，各組的字體、書風等就會有所差異。如果只憑字體斷代，有時會出現錯誤。如過去認爲從早期至中、晚期癸、庚、辛、午、未、辰、羌、占、子、酉等幾個常用字演變的規律是：

特別是其中四邊出鋒的癸字，字下面加一彎折筆劃的占字，一直被甲骨文研究者認爲是第五期的典型字體。而這種「晚期」的字形，在花東 H3 武丁前期的甲骨刻辭中比比皆是。由此可見，甲骨文的斷代，要從多方面考慮，要注意區分不同的卜辭組，要研究卜辭的內容（稱謂、貞人、事類、字體、文例等），還應十分注意甲骨文出土的地層、坑位、共出陶器的形態，特別是對於那些時代較早的卜辭，考古學的地層、坑位，更是非常重要的斷代標準。所以，對甲骨文的分期斷代，必需對以上各項因素作綜合分析，才能得出正確的結論。

二、對「非王卜辭」及商代家族形態的研究提供了珍貴的資料

從甲骨文發現以後至 1938 年之前，學術界都認爲殷墟卜辭全屬商王的卜辭。1938 年，貝塚茂樹先生最先提出「子卜貞卜辭」不是王卜辭的看法[9]。但他的新見解在學術界沒有引起多大反響。1956 年，陳夢家先生認爲第五次發掘的《乙》8691－9052「可能是嬪妃之作」，「時王自卜，大卜以外，很可能有王室貴官之參與卜事的[10]」。1958 年，李學勤先生明確提出「非王卜辭」的名稱，並總結了「非王卜辭」的四個特徵：（一）問疑者不是商王；（二）沒有王卜，辭中也不提到王；（三）沒有商先王名號，而有另一套先祖名號；（四）沒有符合于商王系的親屬稱謂系統，而有另一套親屬稱謂系統[11]。自七十年代以來，又有一些學者對「非王卜辭」的時代、內容、特徵、性質等問題作了較詳細的論述[12]。目前大多數學者都接受了「非王卜辭」這一提法。但是，由于在某些「非王卜辭」的前辭和命辭中偶爾出現王，在先王名號與親屬稱謂上，與王的卜辭也有一些相同之處，少數學者對此提出不同的意見[13]。這些不同意見的爭論，涉及到對「非王卜辭」特徵的看法。1995 年黃天樹先生對李學勤提出的「非王卜辭」四個特徵修正爲以下三點：1．卜辭的主人不是商王而是子；2．偶爾有王卜，辭中極少

---

[9] 貝塚茂樹〈論殷金文中所見圖像文字吏〉，《東方學報》京都第 9 冊，1938 年。

[10] 陳夢家《殷墟卜辭綜述》166－167 頁，科學出版社，1956 年。

[11] 李學勤〈帝乙時代的非王卜辭〉，《考古學報》1958 年 1 期。

[12] 林澐〈從武丁時代的幾種「子卜辭」試論商代家族形態〉，《古文字研究》第 1 輯，中華書局，1979 年。彭裕商〈非王卜辭研究〉，《古文字研究》第 13 輯，中華書局，1986 年。

[13] 李瑾〈論「非王卜辭」與中國古代社會之差異－三評「非王卜辭」說〉，《華中師院學報》1984 年 6 期。陳煒湛《甲骨文簡論》96－98 頁，上海古籍出版社，1987 年。

提到王；3‧先王名號和親屬稱謂系統有些見於王卜辭有些不見於王卜辭[14]。筆者認爲黃先生的意見是可取的。從花東 H3 甲骨卜辭的先王名號與親屬稱謂看，有妣庚（最常見）、妣甲、妣丁、妣己、祖甲、祖乙、祖丁、祖辛、大乙、大丁、大甲、兄丁、子癸等。基本上都見於王卜辭－賓組卜辭。至今尚未發現父輩稱謂，也未見另一套特別的先祖名號和親屬稱謂系統。如上文所述，H3 甲骨卜辭的主人是「子」，其性質當屬「非王卜辭」。我們認爲 H3 卜辭中的先王名號與親屬稱謂與王卜辭基本相似，只表示「子」與王有較密切的血緣關係，並不影響卜辭的性質。所以，在「非王卜辭」的幾項特徵中，第一項卜辭的主人不是王應是最重要的特徵。

「非王卜辭」的主人身份，是一些殷人家族的族長[15]。因此，一些學者在研究商代的家族形態時，大量引用和深入分析「非王卜辭」中的有關資料[16]。花東 H3 甲骨卜辭在數量上較「子組卜辭」、「午組卜辭」爲多，在內容上也比「子」、「午」二組豐富。如「子組卜辭」中的人物約六十位[17]，但據目前初步統計，H3 卜辭中已有七十多位。又如祭祀時的祭品，H3 坑有牛（牡、牝）、羊（牂、羘）、牢、宰、豕（豭）、白豕、羌、戋、嚳等。其中一次祭祀妣庚用「百牛又五」（H3：89），一次祭祀用一百多頭牛，在其他非王卜辭中是未見到的[18]。僅從這兩點就反映出 H3 甲骨坑的主人「子」所統領的家族，是一個人口較多、擁有大量財富的顯赫家族。綜上所述，花東 H3 甲骨刻辭將對「非王卜辭」及商代家族形態的研究提供不少新穎的寶貴資料，有著重要意義。

由于花東 H3 的刻辭甲骨尚未進行全面整理，本文的一些看法只是初步的，錯誤之處，在所難免，望批評指正。

---

[14] 黃天樹〈關於非王卜辭的一些問題〉，《陝西師大學報（哲學社會科學版）》，1995 年 4 期。

[15] 林澐〈從武丁時代的幾種「子卜辭」試論商代家族形態〉，《古文字研究》第 1 輯，1979 年。彭裕商〈非王卜辭研究〉，《古文字研究》第 13 輯，中華書局，1986 年。

[16] 朱鳳瀚〈商周家族形態研究〉，35－88、154－220 頁，天津古籍出版社，1990 年。

[17] 黃天樹〈子組卜辭研究〉（提交「紀念于省吾教授百年誕辰暨中國古文字學研討會」的論文，1996 年，長春。

[18] 在「非王卜辭」中，一次祭祀用牲最多的是「午組卜辭」中的《乙》5405「羊百业五十八」。

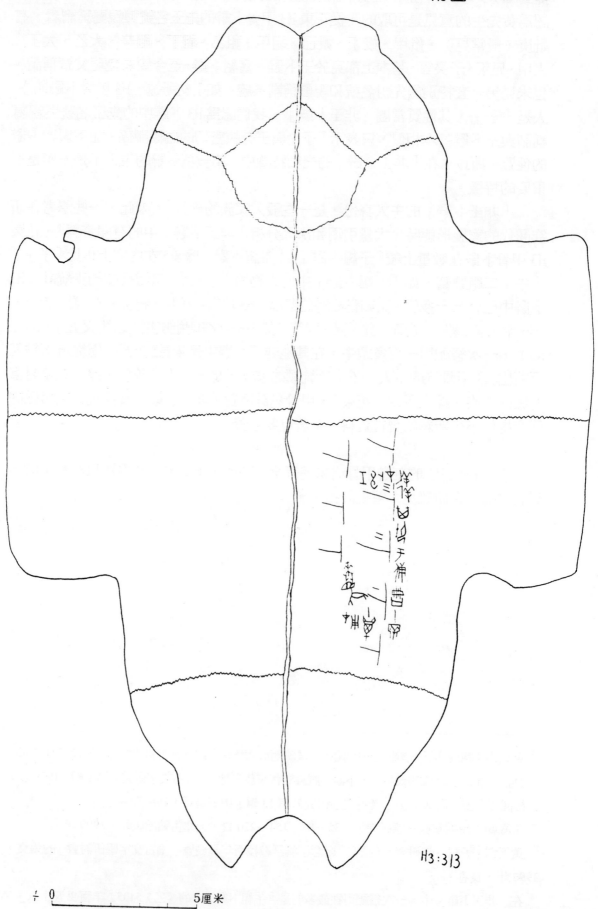

H3:313

0   5厘米

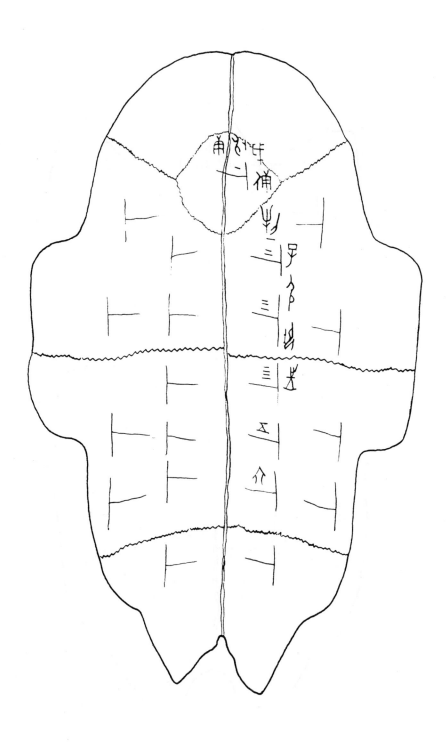

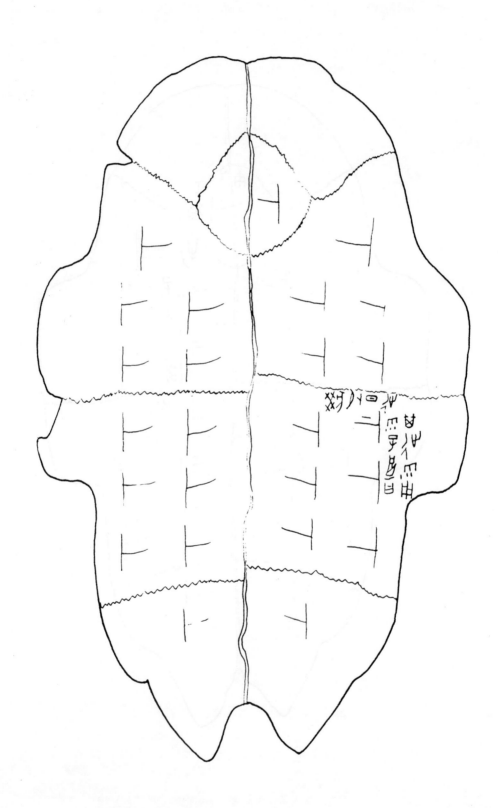

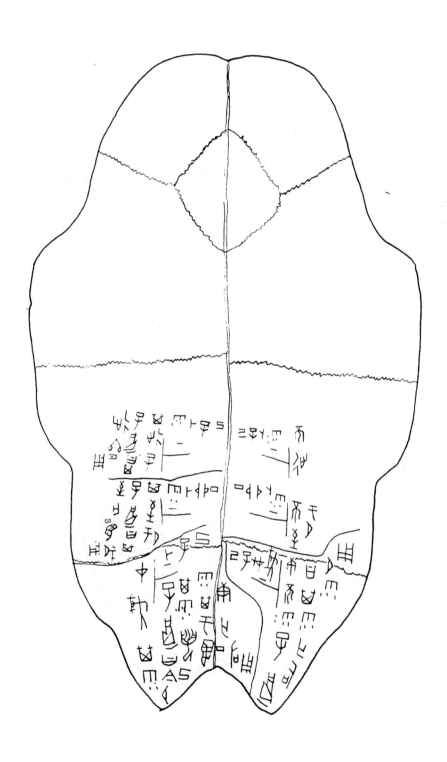

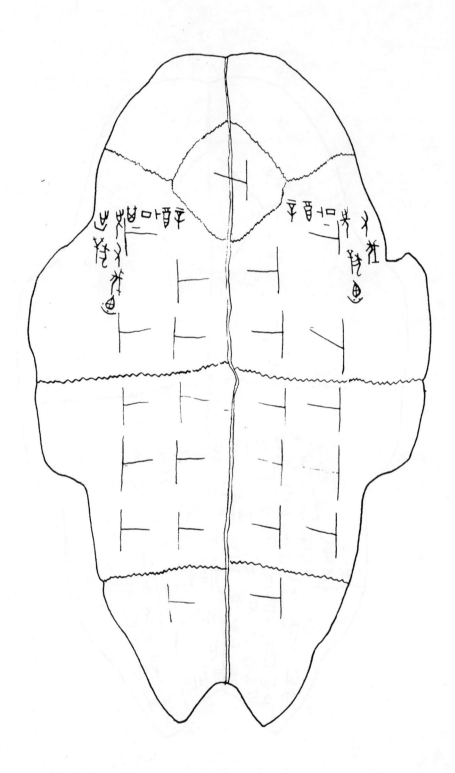

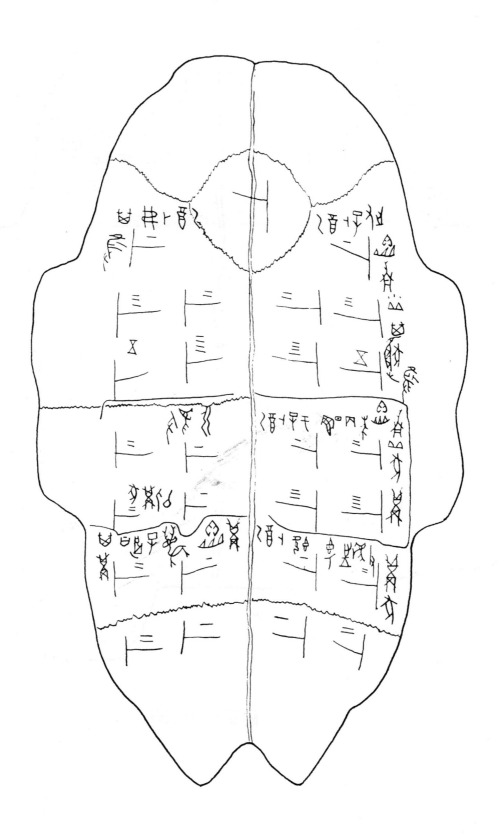

附圖八.H₃:1380

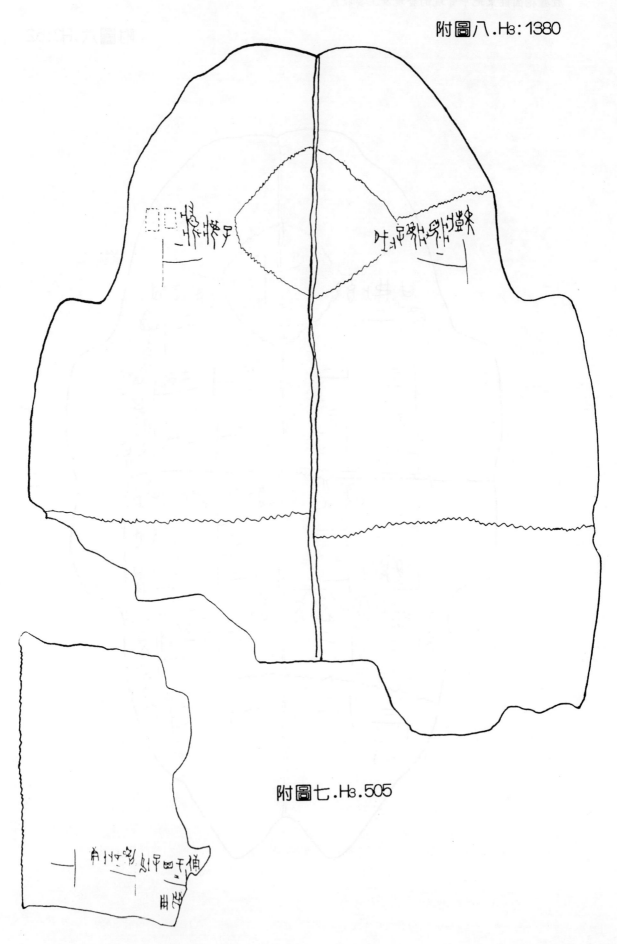

附圖七.H₃.505

從「鹵小臣」說武丁對西北征伐的經濟目的

楊升南[*]

提要：

　　甲骨文鹵字是一個不多見的字，與西周金文相比勘而得到正確釋讀，並在相關的甲骨卜辭中都能得到合理解釋。鹵是鹽，甲骨文中的「鹵小臣」是商代的一個主鹽務的大臣。今山西省西部及陝西省省東部是重要的鹽產地，也是銅礦豐富地區之一。武丁時期長期對活動於這一帶地區的亘方、土方、吾方、羌方進行征伐，其目的是為了保護獲得鹽與銅礦資源。

關鍵詞：鹵　小臣　武丁　征伐　鹽　銅

　　殷墟甲骨文中，在武丁時代的卜辭裏有「⊕小臣其又（有）邑」的一片甲骨。此片甲骨現收藏于山東省博物館，首次著錄于《甲骨文合集》，收入該書第三冊第 5596 片。辭中「小臣」前一字，有的釋為鹵，有的釋為西，有的乾脆存疑，迄無定論。此字的正確釋讀，實關涉到商代社會經濟中一重要門類和武丁朝不斷向西北征討的契機，故撰此文略加申論。

一、說⊕字

　　此字的基本構形為「○」、「十」、「∷」，「○」象一盛物的袋囊，「十」象束袋囊的繩，以便于提挈，「∷」小點則象囊中所盛米粒狀物體。這個字余永

---

[*] 楊升南，男，1938 年 2 月生，四川省平昌縣人。1964 年畢業于四川大學歷史系考古專業，同年九月到中國科學院哲學社會科學部（現名中國社會科學院）歷史研究所從事先秦史研究。先後任助理研究員、副研究員、研究員，先秦史研究室主任兼本院研究生院教授。著有《商代經濟史》、《春秋戰國政治史》、合著《中國政治制度通史》先秦卷、《中國古代文明與圖象的形成》、《中國古代軍事制度史》、《甲骨文合集》圖版及釋文等十餘部。撰寫學術論文數十篇。

梁在 1928 年發表的《殷虛文字續考》（載清華研究院《國學論叢》一卷四號）中就釋作鹽鹵的鹵字：

> 《集韻》盧同鹽。《兔盤》「賜兔鹵百䚊」。⊕，予疑即鹵字，可證也。從口與皿同。《書契後編》上三十二頁之⊕字，殆亦鹵字。食鹽爲日常所用，故宜有此字也。

郭沫若在 1933 年出版的《卜辭通纂》中，在考釋第 238 片時，對此字列爲不識之字而畫其原形，而在 1937 年《殷契萃編考釋》時，對該書第 1585 片上出現的這個字，也釋爲鹵：

> 此殘片存「鹵一」二字，均呈陽文者乃泥塞字畫間，未被剔去，至高于周遭之骨面。

余、郭二氏之後，則有將此字列爲未識或未成定論之列，1965 年增編的《甲骨文編》中，將此字收入《附錄上》的第 112 頁（下）第 2 字和 123 頁（下）的第 4 字，該書「編輯凡例」中說：「不能辨認的字，或其字雖經人考釋而尙未成定論者，略依其偏旁所從分類，收入《附錄上》。」其後李孝定先生編述的《甲骨文字集釋》（1971 年出版），收此字入《待考》卷中，該書第 4648 頁第 4 字收入《後上》23.1 片甲骨上一字。據此書「凡例」云：「諸家有釋而未能成爲定論者，屬之《待考》一卷，不可識之字屬之《待考》一卷」（原文如此）。此書《待考》祇有一卷，卷中之字皆是被視爲「不可識之字」。1996 年中華書局出版由于省吾先生主編的《甲骨文字詁林》四卷本，書中將這個字編爲 1103 號而未出隸定字頭，亦被列爲不識之字，姚孝遂先生所加的「按」語中說：「卜辭亦假⊕作西。」是此字沒有正確隸讀，祇是一個假借，正確隸釋則闕如。

其實，這個字余永梁、郭沫若釋作鹵是可從的。徐中舒先生主編的《甲骨文字典》（1988 年四川辭書出版社出版）中，就采用余、郭之說，該書從「解字」、「釋義」，兩個方面對此字加以分析：

> 【解字】象盛鹽于容器之形。⊕爲容器，其中之∴爲鹽粒。鹽爲細小顆粒，嫌與他物相混，故幷狀其盛之之器，金文鹵字作⊗（兔盤），與甲骨文同，或以鹵是干鹵本字（《兩周金文辭大系·兔盤》），不確。《説文》：「鹵，西方鹹地也，從西省，象鹽形。安定有鹵縣。東方謂之㪿，西方謂之鹵。」按《説文》謂鹵從西省，不確。
> 【釋義】疑即鹽鹵字本義，或爲薦鹵之祭。

此字在西周和春秋初年的金文中兩見，懿王時《兔盤》銘文（見附圖）：

五月初吉，王在周，令作冊內史易（賜）免⊗百陵。

春秋初年《晉姜鼎》銘（見附圖）：

易（賜）⊗積千兩。

兩銘中的⊗字，諸家皆釋作鹵。《免盤》的「百」後一字，郭沫若在《大系考釋》中認爲是隘類容器：

本銘所錫者，殆系鹽鹵。陵字與隘之結構相近，從由乃缶屬，大約即盛鹽之器也。

馬承源在《商周青銅器銘文選》三《免盤》下說此字云：

右旁象手持容器狀，當爲盛鹽鹵的容器，其量質未詳。

此容器當爲一量器，但其量值不可知。《晉姜鼎》中的「鹵積」即「積鹽」，「千兩」的「兩」，秦以前（戰國）無以兩爲重量單位的。白川靜以爲「兩」即車輛的「兩」，是此次晉姜得到鹽千車。「積鹽」即徵收稅貢。白川靜《金文通釋》卷四《晉姜鼎》：

賣字用爲貯，賣即是積的初文，是徵租之意。鹵賣是徵收鹽鹵。千兩的兩是車兩。

是西周、春秋時鹽的計量單位，或以某種容器，或以車爲計，一車的量值今亦不可知。

鹵字秦篆作鹵，與甲骨、金文的⊕、⊗字間演變之迹甚明。

甲骨文「西」字期作甴形，晚期作⊗、⊗形，與鹵字形同而無數小點，是鹵字的同形異聲字，與甲骨文中的月與夕、使與事爲同形異聲字一樣。《說文》鹵字下云「從西省」，應爲西字「從鹵省」。是西字假鹵字形而省其數小點。西字的演變，見高明《古文字類編》第 501 頁（見附圖）。

二、對相關甲骨卜辭的疏證

此字在甲骨文中相關的卜辭不多，約有 10 餘條，且多數辭殘而不易明其義。現將比較完整的卜辭列于下并略加說明：

（1）鹵小臣其又（有）邑。　　　　　　　　《合集》5596（見附圖）
（2）壬午……令弜……取鹵。二月。　　　　《合集》7022（見附圖）
（3）……【不】氏（致）鹵【若】　　　　　《合集》19497（見附圖）
（4）己酉卜，宁，貞戎鹵。　　　　　　　　《合集》7023 正（見附圖）
　　　　□氏（致）鹵五。　　　　　　　　　《合集》7023 反（見附圖）
（5）乙卯卜，鹵十用（「用」字缺刻橫劃）
　　　　惟十鹵以乙。　　　　　　　　　　　《合集》22294（見附圖）
（6）鹵十，三牢。　　　　　　　　　　　　《合集》22246（見附圖）
（7）己未卜，貞燎酒鹵晉大甲。　　　　　　《合集》1441（見附圖）
（8）王鹵禦于（或作「乙……王禦鹵」）　　《合集》21428（見附圖）

　　在上舉卜辭中，釋作鹵皆文義無礙。（2）辭中「弜」是人名，「取鹵」即取鹽。甲骨卜辭「取」後皆是一種物品，如常見的牛、羊、豕等。如：

呼取牛百致　　　　　　　　　　　　　　　《合集》93 反
貞呼取羊　　　　　　　　　　　　　　　　《合集》8811 反
貞呼取豕　　　　　　　　　　　　　　　　《合集》8814
呼取白馬致　　　　　　　　　　　　　　　《合集》945 正

鹵是鹽，一種重要的物資，當然可以「取」的。（3）辭的「致」字，是諸侯或臣下、貴族向王貢納各類物品的一個用詞，如：

臿致三十馬允其執羌　　　　　　　　　　　《合集》500 正
即致昜其五百佳六　　　　　　　　　　　　《合集》93 正
貞商其致齒　　　　　　　　　　　　　　　《合集》19302
貞周致巫　　　　　　　　　　　　　　　　《合集》5654

此辭中所「致」的「鹵」，與上引諸辭中所「致」的馬、昜、齒、巫一樣，是一具體的而不是一種抽象的其他事物。鹵作為可食用的鹽，正與其相當。（4）、（5）、（6）辭中的「鹵五」、「鹵十」、「十鹵」之鹵，是一個量度單位。幾「鹵」的「鹵」或相當于今日常用「包」、「袋」量詞，指幾包或幾袋鹵（鹽）。但其量值無法得知。（5）辭和（6）辭中的「十鹵」的「十」字，有的釋作「禦」，有的釋作「午」，這兩版甲骨屬于「午組」卜辭，「午組」卜辭中，禦祭的禦作「𠂤」形，（5）辭同版上一條禦祭妣庚卜辭：

　　　丁巳卜，禦三牢于妣庚。

禦字作「𠂤」形。午組甲骨的干支「午」字作「𠂤」和「𠂤」兩形，後一形中的

圓圈變成圓點，兩圓點還是很明顯的，而「鹵十」、「十鹵」的「十」字均作一豎畫而無表示由圓圈填實的圓點，且「午鹵」、「鹵午」亦不能成詞。故以釋作「十」較爲合理。

（5）辭中的「鹵十用」，（6）辭的「鹵十，三牢」，是以「鹵」作爲祭品的獻祭行爲。（7）辭是以「鹵」獻祭大甲。（8）辭是商王以「鹵」禦祭名「乙」的先祖。鹽是一種重要祭品，《周禮·天官·鹽人》云：

> 祭祀，共（供）其苦鹽散鹽。

鄭玄注云：

> 杜子春讀苦爲盬，謂出鹽直用不湅治。鄭司農云：散鹽，湅治者。（鄭）玄謂散鹽，釂水爲鹽。

甲骨文鹵字，草率急就寫時中無點而與西字的另一種寫法易相混。但就上引諸辭中，若釋作「西」則文義難通。如（2）的「取鹵」，（3）辭的「致鹵」，（5）辭的「十鹵」，釋作「西」皆難通。

三、小臣與鹵小臣

殷墟甲骨文中有關「小臣」的刻辭數量不算少，姚孝遂、肖丁主編《殷墟甲骨刻辭類纂》中，類集了 80 片甲骨上有「小臣」刻辭 88 條。陳夢家、胡厚宣、于省吾等先生都對小臣的性質、地位作過研究，而對「小臣」作系統考察研究的論文則有張永山的《殷契小臣辨正》（載胡厚宣主編《甲骨文與殷商史》，上海古籍出版社，1983 年）。鍾柏生的《卜辭職官泛稱之一——臣》（載《中國文字》新第二期，1985 年 12 月出版）。張、鍾兩文，後來居上，持論是可以接受的。

綜觀甲骨刻辭，「小臣」的地位有兩種，誠如張永山文中所言：「**第一類是非奴隸等級，第二類是奴隸等級。**」我們在本文中只涉及到「非奴隸等級」的小臣，這類「小臣」在甲骨文中有三種表示法，一是只稱「小臣」，如：

貞惟小臣令眾黍	《合集》12
小臣入二	《合集》1823 反
貞小臣允出	《合集》5582

二是「小臣」後綴以私名，如：

小臣禽	《合集》5572 反
丙子小臣中	《合集》5575
小臣妥	《合集》5578
惟小臣口	《合集》27889
……小臣高……來艱自……	《合集》5576

此類刻辭，顯示禽、中、妥、口、高等人被以「小臣」的稱號。三是「小臣」前加一限定詞，如：

馬小臣	《合集》27881

「小臣」前的這一限定詞更多見的是加在「小」和「臣」之間，成為「小＊臣」式，如：

小丘臣	《合集》5602
小多馬羌臣	《合集》5717
小耤臣	《合集》5603
小刈臣	《乙》5915
小眾人臣	《合集》5597
小疾臣	《合集》5598

「小丘臣」即「丘小臣」，「小多馬羌臣」即「多馬羌小臣」，同樣，「小耤臣」、「小刈臣」、「小眾人臣」、「小疾臣」即「耤小臣」、「刈小臣」、「眾人小臣」、「疾小臣」。「小臣」前一詞是職掌範圍名，這是甲骨文的一種倒裝句式。于省吾《甲骨文字釋林‧釋小臣的職別》云：

> 甲骨文和商代金文每用倒句，例如「又于十立伊又九」即「又于伊十立又九」的倒句。商器宰槐角的「佳王廿祀翌又五」即「佳王廿又五祀翌」的倒句。……「小丘臣」即「丘小臣」的倒句。「丘小臣」是主管丘居的小臣……，「令奐小耤（藉）臣」，即「令藉小臣奐」的倒裝句，也即令主管耕藉小臣奐的省語……「佳小臣令眾黍」……就是說，由小臣令眾人從事種黍。……「小眾人臣」即主管眾人的小臣。……「小多馬羌臣」即主管多馬羌的小臣。

這類形式的「小臣」，其前一詞是表示此「小臣」的職掌範圍。這一認識在甲骨學者間是無大分歧的。若此，則「鹵小臣」的職務則是負責商朝「鹵」事的一位小臣。此字若釋「鹵」不誤的話，則他是商朝的一位鹽務官員。

甲骨文中小臣的地位有高低。于省吾先生說「如禽和奐每從事祭祀和征伐（《左傳‧成公十三年》「國之大事，在祀與戎」），其地位等于後世的大臣」，

「而稱爲小臣」,「他們和一般小臣的地位頗爲懸殊。」(見《釋小臣的職別》)。「鹵小臣」的甲骨在迄今所見的卜辭中,只此一見,無從作進一步比較研究,但僅此一條刻辭,卻也說明一些問題,這條刻辭的前段已殘,似不完整,但後段則是完整的,即前引(1)辭:

> 鹵小臣其又(有)邑

辭中的「又」字假爲「有無」的「有」,「其」字爲句中副詞,無義,或爲時間副詞,將要之意(楊樹達《詞詮》卷四)。此辭義爲卜問鹵小臣擁有邑之事。凡擁有邑的人,其地位皆是較爲顯赫的人物。《國語·晉語四》晉文公回國即位後發布的經濟政策稱「公食貢,大夫食邑,士食田,庶人食力,工商食官,皂隸食職,官宰食加。」甲骨文中明言有「邑」的人物,有望乘、婦好、唐等:

……找望乘邑	《合集》7071
乙酉……【婦】好邑……	《合集》32761
貞帝疾唐邑	《合集》14208

望乘、婦好在武丁甲骨文中,皆是地位顯赫人物,唐在武丁卜辭中稱爲「唐子」:

貞于唐子伐	《合集》972

又稱爲「唐侯」:

口亥卜王……唐不佳侯唐	《合集》39703

唐向王室納貢:

唐入二,庭	《合集》9269

顯然,唐也是武丁朝一位顯赫人物。

由望乘、婦好、唐等有邑的人物相參照,擁有邑的「鹵小臣」,在武丁朝中的地位也是不會低的,把他的職務定作主掌武丁朝的鹽務大臣,當不會相差太遠。由「鹵小臣」這一職務的地位和它所職司的範圍,知在商代武丁時期,鹽業生產已處于十分重要的地位,國家設有專職官吏主管其事。鹽是生活所必須,人人得而用之,故掌其事者稱爲「小臣」。

四、鹽的產地與武丁對西北的征伐

我國古代鹽的產地自古有海鹽與池鹽之分，海鹽產于今山東境古稱青州地區，在《禹貢》的各州貢品中，只有青州一地有鹽貢：

> 海岱惟青州：嵎夷既略，濰淄其道。厥土白墳，海濱廣斥。厥田上下，厥賦中上。厥貢鹽絺，海物惟錯。

所貢的鹽是海鹽，齊太公封齊，通魚鹽之利而興，其後管仲繼其務而桓公為霸主。池鹽則主要產在河東，即今山西省境內。《說文》「鹽」字下云：

> 河東鹽池也，袤五十里，廣七里，周百六十里。

段玉裁注：

> 《地理志》：河東郡安邑，鹽池在西南。《郡國志》亦云：安邑有鹽池。左氏傳曰：郇瑕氏之地，沃饒而近鹽。

河東安邑鹽池，在今山西省運城市的東南，這裏有巨大的鹽池。此處的鹽見于文字記載最早是《左傳》，魯成公六年（公元前 585 年）晉國準備遷都，晉國的「諸大夫」們就看中了這裏「沃饒而近鹽」的鹽業資源，可使「國利君樂」，是在此時這裏的鹽業已開發而使民獲利。戰國時地屬魏，稱為鹽氏縣，西漢時改作安邑而在此設鹽官，管理鹽業生產。宋、元時期在這裏設置轉鹽運使，遂築城駐運司，故名其地為「運城」。春秋初年的《晉姜鼎》銘載，晉姜因「君晉邦」有功，晉君「嘉遣我，易鹵積千兩」。馬承源《商周青銅器銘文選》四云，此是「指晉公以受貢之鹽千兩賜于晉姜」，由此青銅器銘文知晉地的鹽，在春秋初年就已具有相當規模的開發。

今山西省西部、陝西省東部及北部，從河套地區沿黃河到晉西南，是古代產鹽區，西漢時期在這一帶設有鹽官的縣就有七處之多。據《漢書·地理志》載，在河東晉地設鹽官的縣有：

河東郡安邑縣（今山西省夏縣）

太原郡晉陽縣（今太原市）

雁門郡樓煩縣（今山西北部寧武縣附近）

雁門郡沃陽縣（今內蒙古涼城縣西南）

在今黃河西岸陝西省東部、內蒙古西南部有：

上郡獨樂縣（今陝西米脂縣西北）

上郡龜茲縣（今陝西省榆林市西北）

西河郡富昌縣（今內蒙古準格爾旗東南）

黃河的河套地區有兩處鹽官：

　　朔方郡沃野縣（今內蒙古臨河縣西南）

　　五原郡成宜縣（今內蒙古烏拉特前旗東南黃河北岸）

這些地方鹽業的開發早到何時，文獻、考古學上都沒有線索，而這一地區鹽業資源的豐富程度，從西漢時設鹽官就可知。商代武丁時就有專司鹽務的「鹵小臣」，對鹽業的開發亦有相當水準，以滿足國民所需。

　　還需要注意的是，今山西省境內，不僅有豐富的鹽資源，而且鑄造青銅器的銅、鉛資源也很豐富，主要集中在晉西南。據 1985 年山西省測繪局編繪的《山西省地圖冊》的「文字說明」稱：

　　　　銅礦儲量三百萬噸，居全國第五位，主要集中分布于中條山區的桓曲和聞喜。襄汾和靈丘也有少量分布。

以一個礦區論，桓曲縣的銅儲量則名列前矛。在上述《地圖冊》的桓曲縣「文字說明」中稱：

　　　　境內地下礦藏已探明的有金、銀、銅、鐵、煤、石英石等二十多種。其中以銅蘊藏量爲最著，居全國第二位。中條山有色金屬公司當前爲我國最大的銅礦之一。

我國古代文獻中記載產銅的地點，據石璋如先生統計，有 124 個縣 161 處產地。其中屬山西境內的有 12 處，僅次于湖南省和雲南兩省，與遼寧省相同而位居第三（見〈殷代的鑄銅工藝〉載《史語所集刊》第 26 本）。據 1985 年山西省測繪局編繪的《山西省地圖冊》的「文字說明」中統計探明產銅的縣有 19 縣。這些縣是：

　　　　樓煩、孟縣、靈丘、五臺、原平、代縣、繁峙、保德、方山、和順、昔陽、襄垣、陽城、翼城、古縣、芮城、聞喜、夏縣、桓曲。

桓曲縣境內的中條山地區是我國古代最大產銅基地之一。那裏古代採銅井和煉銅渣比比皆是。從礦井一木支架上採取木炭，用碳十四測年，其年代爲距今 2315 ±75 年（西元前 365±75 年），爲戰國中期（見李延年：《中條山古銅礦冶遺址初步考察研究》，載《文物季刊》1993 年 2 期）。這是上層礦井，且所測還不多，實際開採年代，當還應大爲提前。

　　銅、鹽皆是青銅時代一個國家最爲重要的物質資源，青銅器是政治權力的象徵，張光直先生說：

　　　　青銅器在三代政治鬥爭上的中心地位，對三代王室而言，青銅器不是官廷中的奢侈品、點綴品，而是政治權力鬥爭上的必要手段。沒有青銅器，三代

的朝廷就打不了天下；沒有銅錫礦，三代的朝廷就沒有青銅器（《考古學專題六講》第 126 頁）。

學者們都看到了武丁對舌方、土方等方國的戰爭目的是爲銅資源。石璋如先生說：

武丁是殷代鑄銅最盛的時期，所以要維護銅礦的來源，不惜大動兵力，或三千，或五千，甚至王自親征。從地域與征伐來觀察，討伐舌方，實際上是等于銅礦資源的戰爭（見《殷代的鑄銅工藝》）。

張光直先生也說：

商代都城則沿著山東、河南山地邊緣巡逡遷徙，從采礦的角度來說，也可以說是爲采礦，也便于爲采礦而從事的戰爭（見于《考古學專題六講》第 126 頁）。

這些見解都是很對的，但是以前的學者只注意到戰爭爲保護或爭奪銅礦這一目的，是因爲甲骨文中的鹵字雖早被余永梁先生釋出而未被學者所注意，而「鹵小臣其有邑」的一片甲骨，藏于山東省博物館，在 1982 年出齊的《甲骨文合集》中方首次刊布。其實，武丁時期征討的最爲重要的敵對方國亙方、舌方、土方、羌方、基方等的地域，經學者們的長期研究，皆指出在晉、陝兩省之間，其覆蓋面大致與前舉的西漢時所設有鹽官的地域範圍相當（見陳夢家《殷墟卜辭綜述》之第八章〈方國地理〉五、六節，島邦男《殷虛卜辭研究》第二篇第二章〈殷的方國〉，鍾柏生《武丁時期的方國地望考》，鄭杰祥《商代地理概論》第三章〈商代的四土和邦族方國〉之三、四兩節等）。

鹽是國民生活必須，人們天天不可離，且無論貴賤皆需要。武丁大力對西北亙方、基方、舌方、羌方、土方的征伐，一個重要經濟目的應當就是爲保護鹽業資源。

免盤

211

晉姜鼎

《古文字類編》西字字形

第一编　古文字

西

5596

7022

19497

1441

21171

四期 佚二〇

五期 粹九〇七

一期 前七三七二

三期 甲七四〇

周早 戌甬鼎

周中 伯瞉殷

周晚 散盘

春秋 秦公殷

战国 东亚四西都布

战国 印印拳

十二城国 陶香录

春秋 石鼓吴人

战国 盟书

7023 正

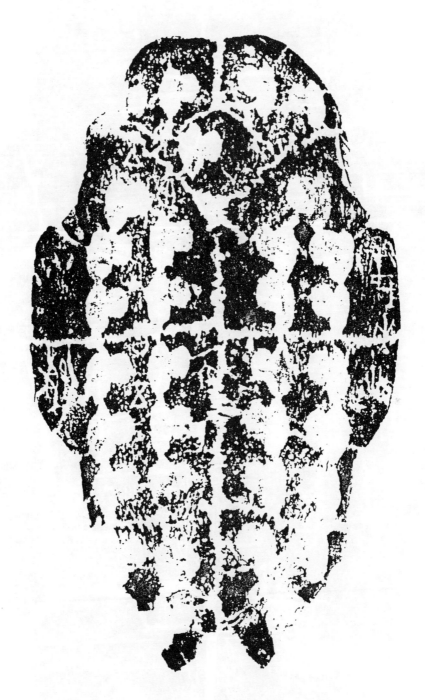

7023 反

22294

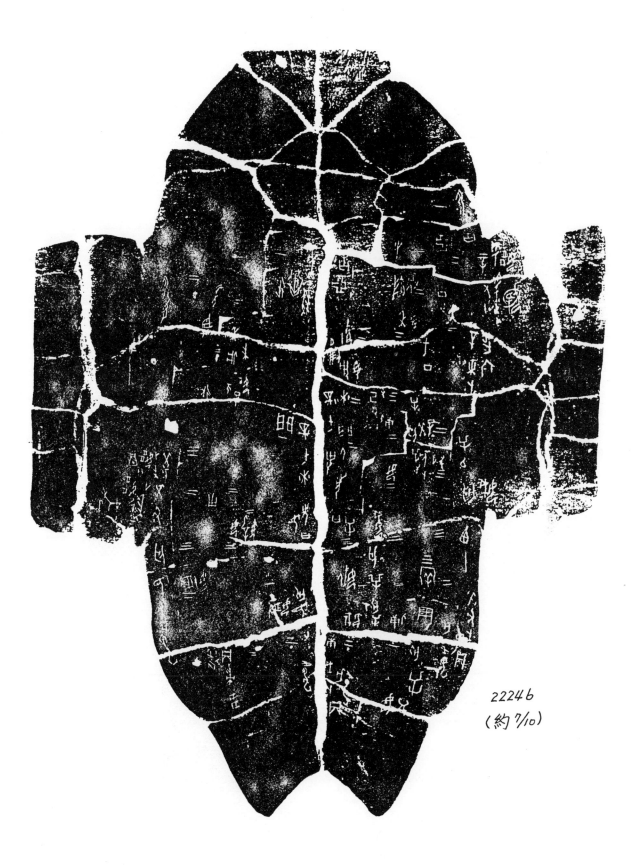

22246
(約 7/10)

從鹵小臣說武丁征伐西北的經濟目的

218

甲骨文發現一百周年學術研討會　　1998.5.10-12
臺灣師範大學國文系‧中央研究院歷史語言研究所合辦

甲骨文斷代研究對殷墟考古的意義

中國社會科學院考古研究所　　鄭振香

提要：

　　本文首先闡述甲骨文發現的重要意義及前輩學者在甲骨文、商代史研究方面的貢獻。接著簡介董作賓先生關於甲骨文分期斷代的基本觀點，特別是為判斷殷墟各期文化的年代提供了依據。最後論述殷墟考古新發現促進了殷墟文化分期和甲骨文斷代研究的不斷深入，並列舉出小屯南地的甲骨文，解決了「𠂤組」、「午組」卜辭屬於武丁時代的問題；婦好墓的發掘，提出「𠂤組卜辭」早於「賓組卜辭」的問題，並以此為契機，甲骨學者提出「歷組卜辭」屬於武丁至祖庚時期的論斷；小屯東北地一號灰坑內出土的陶文和朱書文字，為判斷殷墟一期早段的年代提供了線索。

關鍵詞：殷墟　　殷墟文化分期　　甲骨文斷代

　　自一八九九年甲骨文被發現至今已有百年。殷墟這一商代晚期都城的發現，是由甲骨文的發現為契機的。在早期的古文字學家中，以羅振玉、王國維為代表，他們收集甲骨文，並對其內容進行精心研究，在甲骨卜辭中發現了商代先公先王的名字，證明甲骨文為殷代遺物。嗣後王國維對甲骨卜辭中出現的王亥、王恆、上甲諸先公先王進行了詳細考證，撰寫了著名的〈殷卜辭中所見先公先王考〉和〈續考〉證實《史記‧殷本紀》所記載的商王朝世系是可信的，並據卜辭對〈殷本紀〉作了某些糾正，同時根據卜辭中受祀之王訖於康祖丁、武祖乙、文祖丁（即康丁、武乙、文丁）之稱謂，確認「帝乙之世尚宅殷虛」[1]，斷定古本《竹書紀年》所云：「自盤

---

[1]　王國維：〈說殷〉，《觀堂集林》第二冊 524-525 頁，中華書局，1959 年。

庚徙殷，至紂之亡……更不遷都」之說符合歷史事實。甲骨文在安陽洹水南岸小屯村的發現，使《史記‧項羽本紀》洹水南為殷墟的記載得到證實。故甲骨文的發現將我國的信史提早到三千多年以前；也提高了我國古代文獻的學術價值。這是我國學術界引以自豪的。

壹、董氏甲骨斷代研究的意義

羅、王二氏在確定甲骨文為商代文化遺物之後，就曾根據稱謂分析不同王世的甲骨卜辭。如他們對「父甲一牡、父庚一牡、父辛一牡」（《後編》卷上25葉），這片卜辭取得共識。王國維云：「此片當為武丁時所卜，父甲父庚父辛即陽甲盤庚小辛，皆小乙之兄而武丁之諸父也。[2]」此外，王氏還對其他少數卜辭的王世作過考證。雖然限於當時的條件，但據稱謂確定王世，給後學以有益的啟示。

一九二八年，中央研究院歷史語言研究所成立了考古組，同年十月董作賓先生等到安陽小屯村進行考古試掘。後由李濟先生任組長，並主持領導殷墟的發掘工作，而董先生多次參加發掘，「大龜四版」的發現，貞人說的確立[3]，為他以後的甲骨文分期斷代研究奠定了基礎，成果卓著。一九三三年董先生積數年的研究心得，發表了〈甲骨文斷代研究例〉[4]這一重要編著，他將殷墟甲骨文分為五期：第一期武丁；第二期祖庚、祖甲；第三期廩辛、康丁；第四期武乙、文丁；第五期：帝乙、帝辛。並提出斷代研究的各項標準，還對各項標準進行了闡述。由於其研究基於科學發掘和對實物資料的觀察上，因此他的論述紮實深厚，產生較大影響。但由於甲骨文所延續的時間相當長，前後跨越二百多年，其內涵又極為複雜多樣，在中國田野考古尚處於早期階段，限於當時的發掘水平和認識，導致他對某些甲骨文的年代的誤判。但無論如何，董先生對甲骨文的分期斷代研究，在殷墟考古中是起有重要作用的。

貳、甲骨文斷代為殷墟文化年代提供依據

對殷墟文化進行分期研究，在一九三〇年代所作工作甚少，可說是一個薄弱環節，但稍加留意，也不難找出一些線索。如〈安陽侯家莊出土之甲骨文字〉這篇報告中，就比較具體地描述了與帝乙、帝辛時期卜辭同出陶片和與廩辛時期「大龜七版」共存陶片的不同特點，與我們後來所分的殷墟文化第四、第三期陶器特徵基本符合。

對殷墟文化作比較系統分期研究工作的，大致起步於五十年代後期。北京大學鄒衡教授利用三十年代和五十年代殷墟的發掘資料，撰寫了題為〈試論殷墟文化分期〉[5]一文，他將殷墟出土的陶器、青銅器等文化遺物，按形制演變分為四期七組，

2 王國維：〈殷卜辭中所見先公先王考〉，《觀堂集林》第二冊434頁，中華書局，1959年。

3 董作賓：〈大龜四版考釋〉，《安陽發掘報告》第三冊，1931年

4 董作賓：〈甲骨文斷代研究例〉，《慶祝蔡元培先生六十五歲論文集》上冊，1933年。

5 鄒衡：〈試論殷墟文化分期〉，《北京大學學報‧人文科學》1964年4.5期合刊。

並對所分四期的年代作了推斷。鄒先生注意了「自組卜辭」與殷墟早期器類的關係，從考古類型學方面證實「自組卜辭」屬於殷墟文化早期，可是這一研究成果並未引起有關學者足夠的重視。

一九五九年，考古研究所安陽發掘隊根據大司空村遺址的發掘資料，將其分爲早、晚兩期，稱之爲「大司空村一期」和「大司空村二期」[6]並據所分第一期灰坑內出土的一片刻有「辛貞在衣」卜辭字體，推斷「大司空村一期」約相當於武丁時期；以爲「大司空村二期」的延續時間較久，約自廩辛至帝辛時期。一九六二年秋季，我們又一次對該址進行了發掘[7]，獲得了較多的資料，但沒有發現前述的屬於「大司空一期」的文化遺存，只在一座較早的灰坑（H45）內出土較多陶片，從常見的鬲、簋、豆的形制特點與「大司空村一期」的同類器有明顯區別，其年代當較晚，可以另分爲一個發展階段，故稱該期爲「大司空村二期」。而原來所分的「大司空村二期」，依據陶器類別和制的變化，可細分爲兩個發展階段，較早階段的陶器形制與一九五五年河南省文物工作隊在小屯東南地所發掘的一號灰坑所出陶器形制雷同[8]，而在這個灰坑中伴出有一塊刻字卜骨，其字體屬康丁至武乙時期，我們將這一階段定爲「大司空村第三期」；而後一階段的陶器群與後崗圓形祭祀坑所出的同類陶器形制接近[9]，後崗圓祭祀坑出土有一件銘「戍嗣子」的銅鼎，銘文共三十字，其中「王」字結構與董氏所分第五期乙、辛時期卜辭「王」字相似；鼎的形制亦較晚。故將其定爲「大司空村四期」。

大司空村遺址所分四期，基本上代表了殷墟文化的演變過程，故統稱爲殷墟文化一、二、三、四期。第一、二期也稱殷墟文化早期；第三、四期稱殷墟文化晚期。關於所分四期的年代，是以董氏甲骨文斷代五期說爲依據，根據當時我們的認識作出判斷的。但由於資料的限制，對第二期的年代尚難作出判斷。從陶器觀察，第二期與第三期陶器的形制、紋飾差異較大，尚存在缺環。因此說，只是殷墟文化分期斷代的一個框架。

參、考古新發現促進殷墟文化和甲骨文斷代研究

相關學科在發展中總是相互影響，相互促進的。甲骨文斷代爲殷墟各期文化提供了年代依據。同樣田野考古新發現爲研究甲骨文提供了新的資料或研究某些問題的線索。我們只要想一想一九七０年代以來，殷墟考古新發現對研究殷墟文化和甲骨文研究的影響，就不難看出兩者之間密不可分的關係，例如：

一九七三年小屯南地甲骨文的發現[10]，是五十年代以來殷墟出土甲骨文最多的

---

[6] 中國科學院考古研究所安陽發掘隊：〈1958-1959 年殷墟發掘簡報〉，《考古》1961 年第 2 期。

[7] 中國科學院考古研究所安陽發掘隊：〈1962 年安陽大司空村發掘簡報〉，《考古》1964 年 8 期。

[8] 河南省文化局文物工作隊：〈1955 年秋安陽小屯殷墟的發掘〉，《考古學報》1958 年第 3 期。

[9] 中國社會科學院考古研究所編著：《殷墟發掘報告》265-279 頁，文物出版社，1987 年。

[10] 中國科學院考古研究所安陽工作隊：〈1973 年安陽小屯南地掘簡報〉，《考古》1975 年第 1

一次。這批新資料有助於對不同地點出土的甲骨文進行比較研究。尤其是該遺址的 T534A 層中發現了「自組卜辭」與小屯南地早期（相當於「大司空期一期」）的陶器共存，證明「自組卜辭」屬於早期。據稱謂爲武丁時代。從而解決了「自組卜辭」長期存在的早、晚期之爭，糾正了董氏的誤斷。一九七九年肖楠發表了〈略論午組卜辭〉一文[11]，闡述打破 T534A 層的 H102 所出陶簋、鬲的形制特點，據此認爲 H102 屬於小屯南地早期，而坑中伴出一片「午組卜辭」卜甲，因而證明此卜辭屬於早期。「自組」、「午組」年代的確定，也使殷墟文化第一期屬於武丁時代得到確證。

一九七六年，我們在小屯西北地發掘殷王武丁配偶婦好墓（76AXM5）之後[12]，對其年代問題曾引起學術界的爭論。爲從考古學上進一步探求答案，隨後發掘了位於婦好墓偏東的小屯十七、十八號墓[13]，結果在兩座墓中都出土了成組的陶器，從它們的形制考察均屬於殷墟文化第二期。而十八號墓出土的銅禮器中之簋、尊、卣、斝、盤均與婦好墓所出的同類銅禮器雷同。同時在一件尊和一件斝上分別鑄有「子漁」銘文，而「帚好」和「子漁」都是武丁時代「賓組卜辭」中的重要人物，由此證實婦好墓屬於武丁時代，並取得多數學者的認同。一些學者之所以認爲婦好墓屬於殷墟文化晚期，主要基於墓中出有大量複層花紋的銅禮器，傳統說法認爲此類花紋出現較晚；另一原因是董作賓先生所訂定的第四期武乙、文丁時期的「歷組卜辭」中也有「帚好」的緣故。當然不同意見的爭論，是正常現象，也引起甲骨學者的思考。

對於甲骨文中存在兩個「帚好」的問題，最先是李學勤撰文揭開其奧秘[14]。他從「歷組」的字體演變、卜辭文例、出現的人名、占卜事項等方面，證明此組卜辭與「賓組」、「出組」卜辭同時，提出「歷組卜辭其實是武丁晚年到祖庚時期的卜辭，歷組和賓組的婦好，實際是同一個人。」這一論述引起甲骨學家的重視，有學者撰文贊同這一意見，但也有學者持「歷組卜辭」晚期說。這一有爭議的問題，至今雖未取得一致看法，但它推動了對甲骨文研究的不斷深入。而且拓寬了研究領域，如雙方對不同時期甲骨的整治、鑽鑿方法與形制特點等也進行了比較認真的研究。道理總會愈辯愈明，我們相信在已有資料和今後的發掘中定會找到爲雙方信服的證據。

當確定婦好墓屬於殷墟文化第二期，其年代爲武丁晚期，由此說明武丁一代跨越殷墟文化一、二兩期。這樣不難悟出與殷墟一期陶器共存的「自組卜辭」，其出

期。

11 肖楠〈略論午組卜辭〉，《考古》1979 年第 6 期。

12 中國社會科學院考古研究所編著：《殷墟婦好墓》，文物出版社，1980 年。

13 中國社會科學院考古研究所安陽工作隊：〈安陽小屯村北的兩座殷代墓〉，《考古學報》1987 年第 4 期。

14 李學勤，〈論「婦好」墓的年代及有關問題〉，《文物》1977 年第 11 期。

現時間當早於「賓組卜辭」[15]另外，從婦好墓中出有「婦好」和「司母辛」銘文的銅器考察，推測乙、辛周祭祀譜中的武丁配偶「妣辛」就是婦好。從而揭開了甲骨文中兩者間的關係。這是考古發現與甲骨文相結合研究的一個收穫。

近年李學勤先生在《殷墟甲骨分期研究》這一重要著作中，對「自組卜辭」又作了比較深入的分析，指出小屯南地所出之「自組卜辭」屬於自組小字類。認爲「自組卜辭」中卜人「扶」的大字類是最早的，但仍屬於武丁時代[16]。

一九八七年我們在小屯東北地發掘了一座灰坑[17]，坑內出土的陶器，以圜底盆、淺腹平底圈足盤爲主，另有盉、器蓋和簋、豆等殘陶片，從其形制考察，明顯早於原訂的殷墟一期，故將這類器物訂爲殷墟文化一期偏早階段；而將前者稱爲殷墟一期偏晚階段。這座灰坑中，還出土有刻有「五」字的陶盤；另在一塊「將軍盔」殘片上發現有朱書文字，共六字，分四行，由左向右書寫：「曰□ㄣ禽延雨」，「雨」字下無三點，其字體無小屯十八號墓所出的朱書玉戈上的文字工有序。此坑的陶器有較早特點，而文字也似較早。聯繫文獻上有關盤庚徙殷的記載，可以認爲殷墟文化一期早段大致代表了盤庚遷殷之前。

一九九一年秋，安陽隊在花園莊村東又發現一座儲存甲骨的窖穴[18]，坑內共出土甲骨 1500 多片，其中刻辭的甲骨有 500 多片，這一重要發現曾在發表的「簡報」和《殷墟的發現與研究·補記》中作過介紹和初步研究。目前資料尚在全面整理中。據坑內同出的陶片觀察，接近殷墟文化一期晚段，屬武丁時代。由卜辭中多見「子卜貞」，又有「子見帚好」等記載，當與殷王室有密切關係。推測這批卜辭可能與已發現的某一組卜辭有關連，也可能是一種新的類別，有待於進一步研究。但有一點應肯定，考古發掘對甲骨文研究的重要性。如這批卜辭爲研究武丁時期甲骨文的儲藏地點、內容等問題提供了極其重要的新資料。

肆、結語

一九六〇年代，我們依據大司空村遺址的資料作出的文化分期工作，還是初步的。那時其他遺址的發掘資料，尚未系統整理，不便於作綜合研究，因此僅有一個分爲四期的框架。對所分四期的年代，基本上依據董氏甲骨文分期斷代的觀點外，還參考了有關銅器的銘文。

一九七〇年代以來，殷墟的發掘與研究工作有了長足的進步。如在整理以往發掘資料中，復原了很多陶器標本，深化了對各期文化面貌的認識。同時田野考古也

---

15 鄭振香、陳志達：〈論婦好墓對殷墟文化和卜辭斷代的意義〉，《考古》1981 年第 6 期。

16 李學勤、彭裕商：《殷墟甲骨分期研究》76-81 頁，上海古籍出版社，1996 年。

17 中國社會科學院考古研究所安陽工作隊：〈1987 年安陽小屯村東北地的發掘〉，《考古》1989 年第 10 期。

18 中國社會科學院考古研究所安陽工作隊：〈1991 年安陽花園莊東地、南地發掘簡報〉，《考古》1993 年第 6 期。

有較多的新發現，爲研究殷墟文化分期創造了有利條件：從而補充了第一期早段的資料，填補了第二期與第三期之間的缺環，劃分出第二期文化偏晚階段[19]。使殷墟文化由早期到晚期之間基本銜接。

考古新發現也爲甲骨文斷代研究提供了新證據或可供參考的線索，推動了這門學科的不斷深入。如：小屯南甲骨文的大量發現，據文化層疊壓關係證實了「𠂤組」「午組」卜辭屬於武丁時代；婦好墓和小屯十八號墓的發現，說明殷墟文化第二期上限可到武丁時代，由此還提出了「𠂤組卜辭」早於「賓組卜辭」的論斷，並爲甲骨學家重新認識「歷組卜辭」的年代提供了新機遇；一九八七年小屯東北地一號灰坑的發現，補充了殷墟第一期早段的資料，由陶片上的文字分析，似有偏早特點，這給研究早期甲骨文不無啓示。

值得高興的是，近年甲骨學者在研究工作中極爲重視與考古學相結合，注意甲骨的出土地點、層位和共存的其他文化遺物的關係；分組分類的方法被普遍運用；研究各組之間的傳承關係和大體同時的各組、類之間的共同點及其差異，等等。由於方法的改進，思路的拓寬，使甲骨學斷代研究取得了顯著成果，可以說甲骨文研究上了一個新台階。我們在對殷墟文化的年代推斷上也吸了甲骨文斷代代研究的新見解。下面將殷墟各期文化的年代簡述如下：

第一期早段：約相當盤庚遷殷至武初期

晚段：約相當武丁晚期

第二期早段：約相當武丁晚期

晚段：約相當祖庚、祖甲時期

第三期：約相當廩辛至文丁時期

第四期：約相當帝乙、帝辛時間

我們的工作是在早期古文字學家和海峽兩岸老一輩考古學家的研究工作基礎上起步的。多位大師在甲骨文、殷墟考古、商代歷史諸多方面的研究領域中作出了卓越貢獻，取得了輝煌成果，爲我們創造了良好條件。我們要繼承和發揚前輩學者開創的事業和優良學風，加強海峽兩岸和國外相關學科的專家、學者之間的學術交流、將甲骨文、殷墟文化和商史研究推向更高的層次。

一九九八年二月十四日

---

[19] 中國社會科學院考古研究所編著：《殷墟的發現與研究》，212-216 頁，科學出版社，1994年。

「㪯」字的形音義

--爲紀念殷墟甲骨文發現一百週年而作

吉林大學古籍研究所　吳振武[*]

提要：

　　殷墟戰爭卜辭和西周早、中期金文中屢見「㪯」字（㪯、㪯），前輩與時賢多有討論，但眾說紛紜，迄無定論。本文從形、音、義三方面論證「㪯」有可能是「殺」字的表意初文。在「粵武王既㪯殷」（牆盤）、「丁酉卜：令豪征㪯㪯」（《合》6561）、「壬午卜，伐㪯，㪯」（《合》6854）等句子中，「㪯（殺）」字可據《爾雅・釋詁》訓克。又，早期卜辭中與「㪯」字用法大體相同的「㪯」（㪯）、「㪯」（㪯）二字，當有可能分別是金文所云「彤沙」之「沙」的象形初文和「殺」字異體。前者在卜辭中借爲「殺」。

關鍵詞： 殺　古文字　考釋

---

[*] 吳振武，男，1957 年 12 月生於上海，祖籍浙江杭州。1978 年考入吉林大學歷史系考古專業，師從于省吾教授。1981 年獲歷史學碩士學位，1984 年獲歷史學博士學位。現任吉林大學古籍研究所教授博士生導師，研究生院副院長。曾與同道合作編撰《殷墟甲骨刻辭類纂》等專著四種，獨立發表〈趙十六年守相信平君鈹考〉等學術論文四十餘篇。

壹 引言

在殷墟戰爭卜辭中，常見一個寫作𢦏、𢦏等形的字。其在西周金文中，則作𢦏、𢦏等形。現在比較嚴謹的古文字學家，爲了把它跟從「才」的「𢦏」字分開，一般都隸定成「𢦏」。

「𢦏」字的結構並不複雜，但卻困擾古文字學家近一個世紀。歷史上究竟有多少學者討論過這個字，筆者無法精確統計。僅據平日泛覽所及，已知有「𢦏」、「蠶」、「屠」、「誅」、「勦」、「捷」、「芟」、「戠」、「搏」、「折」、「戒」、「截」、「醎」等十幾種釋法。即在釋「𢦏」說中，又有「災」、「哉」、「斬」、「裁」等不同讀法。專門討論此字的文章，也已看到六、七篇之多，最近的一篇，是 1996 年黃盛璋先生發表的。如用「眾說紛紜，迄無定論」這句套話來形容，是一點也不誇張的。

本文不打算介紹評述歷來各家之說。理由是據筆者已掌握的資料和數年前做過的嘗試，知道這樣做的話，需要用很長的篇幅；而這樣的篇幅在讀者方面，卻未必會有興趣。但是在正面提出我們的看法之前，有必要說明這樣幾層意思：

一、上列已知的各種釋法，若從形、音、義三角度外加文獻印證這一條來全面衡量，幾乎都是有缺陷的，很難令人滿意。如以比較流行的「𢦏」、「捷」、「截」三釋爲例，因古文字中真正的「𢦏」、「捷」(古文寫法)、「截」在寫法上都無法與之相聯繫 [1]，故知其說必皆有問題。

二、雖然我們認爲已知的各種釋法都有缺陷，但在眾多學者的反復研討過程中，亦出現過若干合理成份。如管燮初先生最先看出「𢦏」與「𢦏」是兩個完全不同的字[2]。又比如有好幾位學者先後看出此字在卜辭和金文中是「克」、「戰勝」的意思。本文將要提出的看法，正是在充分吸收各家合理說法之基礎上形成的。因此，前輩與時賢的研討之功不可沒。

三、曾發專文討論此字的王顯先生和黃盛璋先生，都曾在各自的論文中強調

---

[1] 從「才」的「𢦏」字甲金文中常見，一般的古文字字書都有收錄。「捷」字見憲鼎、呂行壺、庚壺等器，寫法可與三體石經「捷」字古文相印證。「截」字古作「戠」，見《屯》2232 片，宋鎮豪先生釋，參其著〈甲骨文「出日」、「入日」考〉，文化部文物局古文獻研究室編《出土文獻研究》，35 頁，文物出版社，1985 年，北京。

[2] 參其著《殷墟甲骨刻辭的語法研究》，13 頁，中國科學院，1953 年，北京；又，〈說𢦏〉，《中國語文》1978 年第 3 期，206 頁，北京。

，「此字必須於形、音、義均能找到著落，並有合理解釋，才能獲得徹底解決」(黃盛璋先生語)[3]。本文討論「ᵗ戈」字，亦懸此標準立論。至于得失如何，能否做到「圓通無礙」(王顯先生語)，則有待讀者批評指教。

下面分節從形、音、義三方面論證我們的看法，即：「ᵗ戈」有可能是「殺」字的初文。同時也設專節討論早期卜辭中用法與「ᵗ戈」相同的「戋」、「伐」二字。

貳　「ᵗ戈」字的形

在殷墟卜辭中，「ᵗ戈」字主要作下揭二形：

　　《甲骨文編》490-491頁

前一種寫法多見於早期卜辭，特別是在賓組卜辭中最為常見。後一種寫法則在早、中、晚各期卜辭中都能見到。從字形上看，前一種寫法顯然要比後一種寫法更原始一些。

在西周金文中，確切的「ᵗ戈」字衹出現過三次，皆見於早、中期銘文，作：

　墨方鼎(成)　　　牆盤(恭)　　　癲鐘三(孝)[4]

無論在字形上，還是在用法上，其與卜辭「ᵗ戈」字有明確的承繼關係，是毫無疑義的。

關於「ᵗ戈」字的字形分析，我們認為劉翔等著《商周古文字讀本》指其「象以戈斷人首」的說法最為合理[5]。在此之前，陳煒湛先生亦曾謂：「此字所從之ᵗ與ᵗᵗᵗ等字之所從相倣，其非後世之中(引者按：指《說文》訓「艸木初生也」之「中」)至為明顯，疑乃人之頭髮形，以喻人首。殺敵取首級，縛之於戈

---

[3] 參王顯〈讀了《說ᵗ戈》以後〉，《中國語文》1980年第2期，137-139頁，北京；黃盛璋〈「ᵗ戈」為「截」之初文形、音、義證〉，吉林大學古文字研究室編《于省吾教授百年誕辰紀念文集》，233-238頁，吉林大學出版社，1996年，長春。(附按：在黃文發表之前，劉楚堂、范毓周等先生亦主張釋「ᵗ戈」為「截」。)

[4] 三器銘拓分別見上海博物館商周青銅器銘文選編寫組編《商周青銅器銘文選》第一卷18頁、118-119頁、153頁，文物出版社，1986年，北京。

[5] 見該書48頁注(14)，語文出版社，1989年，北京。

，得勝之徵也。」[6]按陳先生謂字象「殺敵取首級，縛之於戈」云云，恐怕是從「𢦏」字在卜辭中的用法上揣度出來的，未必合乎事實；但他從甲骨中所見的 𢦏 （㚔－若）、𢦏 𢦏 （妻）、𢦏 等字看出「𢦏」字所從的 𢦏 象人頭髮形，並謂其「以喻人首」，則是有道理的。大家都知道，古代「五刑」中的殺刑，也即大辟之刑，最主要的方法就是「割頭」；其在「象刑」，則以「布衣無領」當之[7]。故從字形上講，將「𢦏」視為「殺」字的表意初文，不僅沒有障礙，也是合乎情理的。

「殺」字小篆作𢦏。《說文》曰：「**殺，戮也。从殳，𢦏聲。……𢦏，古文殺；𢦏，古文殺；𢦏，古文殺；𢦏，古文殺；𢦏，籀文殺。**」（據段注本）按在出土文字資料中，跟「殺」字小篆寫法對得上號的，目前祇能追溯到睡虎地秦簡[8]；在早於秦簡的古文字資料中，則還未見有這樣寫法的「殺」字。

先秦古文字中，比較肯定的「殺」字出現在西周晚期。進入東周以後，已知的「殺」字亦見過不少。這些「殺」字按其結構，可分為下揭三類：

甲　𢦏　䜌比鼎（厲）　　𢦏　䜌比簋（厲）
　　𢦏　庚壺（春秋）[9]

---

[6] 見其著〈甲骨文同義詞研究〉，國際中國古文字學研討會論文集編輯委員會編《古文字學論集》初編，139-140頁，香港中文大學中國文化研究所吳多泰中國語文研究中心，1983年，香港。

[7] 參呂思勉《先秦史》425-429頁，太平書局，1968年，香港；又，裘錫圭〈甲骨文中所見的商代五刑－並釋「刖」、「剢」二字〉，載其著《古文字論集》，210頁，中華書局，1992年，北京。

[8] 看漢語大字典字形組編《秦漢魏晉篆隸字形表》206-207頁，四川辭書出版社，1985年，成都。

[9] 䜌比鼎銘拓見注4所引書第一卷266頁；䜌比簋銘拓見中國社會學院考古研究所編《殷周金文集成》第八冊217頁，中華書局，1987年，北京；皆裘錫圭先生釋，參其著〈釋「𢦏」〉，紀念容庚先生百年誕辰暨中國古文字學學術研討會論文，1994年8月，廣州-東莞；又，郭錦〈䜌攸比鼎銘文三則－兼論中國早期之法律觀念及其法律的性質〉，《第二屆國際中國古文字學研討會論文集》續編，287-288頁，香港中文大學中國語言及文學系，1995年，香港。庚壺銘文摹本及X光照片見張光遠〈春秋晚期齊莊公時庚壺考〉，《故宮季刊》第十六卷第3期，98、100頁，圖版壹拾-壹肆，1982年，臺北；張政烺先生釋，參其著〈庚壺釋文〉，載注1所引《出土文獻研究》，129-130頁；又，李家浩〈庚壺銘文及其年代〉，《古文字研究》第19輯，94頁，中華書局，1992年，北京。

乙　　[字形]　叔弓鎛（春秋）

　　　[字形]　[字形]　[字形]　莒叔之仲子平鐘（春秋）[10]

丙　　[字形]　[字形]　[字形]　侯馬盟書（春秋末）

　　　[字形]　楚帛書（戰國）

　　　[字形]　[字形]　[字形]　包山楚簡（戰國）[11]

此外，宣王時器駒父盨銘文中的[字形]字，當是甲類「殺」字的簡寫或殘文[12]；滕壬生《楚系簡帛文字編》「殺」字條下所錄江陵磚瓦廠楚簡[字形]字[13]，當是丙類寫法的變體或有異於丙類寫法的一種新寫法。

甲類寫法中象[字形]比鼎、庚壺等器上的「殺」字，學者多用三體石經「殺」字古文作[字形]、[字形]者和上引《說文》「殺」字古文第三體證明[14]。這種「殺」字如照隸古定的辦法，可以寫作「[字形]」或「[字形]」。《集韻·黠韻》「殺」字古文作「[字形]」者，即來源于此。乙類寫法中的前三形，左邊所從與「[字形]」字所從同（反書者按正書算），可隸定成「[字形]」。李家浩先生曾據古文字「攴」、「戈」二旁往往相通，謂其「有可能是古文『殺』字的異體」[15]，當可信從。漢隸「殺」字或作[字形][16]，是「殺」可从「戈」之明證。

「[字形]」字所從之[字形]，跟「[字形]」、「[字形]」所從之[字形]當有關係。前面曾提到，

---

[10] 叔弓鎛銘文摹本見注 4 所引書第二卷 573-578 頁，文物出版社，1987 年，北京；莒叔之仲子平鐘銘拓見注 9 所引《殷周金文集成》第一冊 173-181 頁，中華書局，1984 年，北京；皆李家浩先生釋，參其著〈齊國文字中的「遂」〉，《湖北大學學報》（哲學社會科學版）1992 年第 3 期，30-37 頁，武漢。

[11] 侯馬盟書見山西省文物工作委員會編《侯馬盟書》267 頁 156：21、268 頁 156：22、273 頁 185：2，文物出版社，1976 年，北京。楚帛書見饒宗頤、曾憲通《楚地出土文獻三種研究》圖版九一，中華書局，1993 年，北京。包山楚簡見張光裕主編《包山楚簡文字編》228 頁，藝文印書館，1992 年，臺北。

[12] 盨銘云：「我乃至于淮，小大邦亡敢不殺，具逆王命。」銘中「殺」字似當讀「遂」訓順。拓本見注 4 所引書第一卷 282 頁。

[13] 共三例，見該書 259 頁，湖北教育出版社，1995 年，武漢。原始資料尚未發表。

[14] 三體石經「殺」字看商承祚《石刻篆文編》3·24 下，中華書局香港分局，1976 年，香港。

[15] 參注 10 所引李文。

[16] 看黃濬《尊古齋金石集》287 頁漢隸殘石，上海古籍出版社，1990 年，上海。

甲骨文中有 ㄓ 字[17]。其在西周早期金文中,則作 ㄓ[18]。「㪃」、「㦣」所从之 ㄓ,即來源于此。根據裘錫圭先生曾討論過的甲骨文「㫃＝㫃」、「㫃＝㦣」等現象來看[19],「㦣」字所从的 ㄓ,可理解爲等于 ㄓ,也即等于「㪃」、「㦣」所从的 ㄓ。至于髮部加不加點,似無關緊要。上揭兩比簋「殺」字和莒叔之仲子平鐘「殺」字第三形,最能說明問題。猜想加點的寫法,或是爲了描繪毛髮散落狀;而 ㄓ、ㄓ 等字,很可能就是披是披頭散髮之「散」的象形初文。因此,視「㦣」爲「殺」字初文,實際上是可以和「殺」字的甲、乙兩類寫法互證的。

上揭「殺」字的丙類寫法,構形始終不明。過去曾見幾種解釋,皆難令人信服。今若從「㦣」爲「殺」之初文看,或假定駒父盨 ㄓ 爲「㪃」(殺)字之簡寫,則此類「殺」字所从之 ㄓ 或 ㄓ、ㄓ 的上半部分,自當由 ㄓ 形變來(前揭牆盤「㦣」字所从之 ㄓ 與之最近)。至于其下部所从,可能的解釋有多種,如看成「示」或「林之省」等等,一時尚難確定。前引江陵磚瓦廠楚簡「殺」作 ㄓ,左下部似已改從「介」。《說文》「殺」字古文第二體作 ㄓ,研究者多認爲是加注「介」聲,或可參校。

綜上所述,視「㦣」爲「殺」字初文,不僅在構形上可獲合理之解釋;更重要的是,在字形方面,亦可從已知的先秦「殺」字中得到較大的支持。

參 「㦣」字的音

上一節從形上論「㦣」可看作是「殺」字的初文。這一節談「㦣」字的音。

「㦣」字既然是「殺」字的初文,那末它的讀音自然也應跟「殺」字相同。湊巧的是,戰國文字資料可以反映這一點。

在戰國璽印文字中,有一種寫法比較特別的「歲」及「歲」旁:

「千歲」吉語璽[20]

---

[17] 見《合》1115、1780 等片。

[18] 見 ㄓ 鼎,《考古》1981 年第 6 期,558 頁,北京。

[19] 參裘錫圭〈說「㫃」「㦣」〉,載注 7 所引其著《古文字論集》,99-104 頁。

[20] 羅福頤主編《古璽彙編》4425、4426、4429,文物出版社,1981 年,北京。另參看同書 4427、4428 同文璽。

「孫溦」私璽[21]

這種「歲」字所從的 ⚘，跟前揭牆盤「⚘」字幾乎完全一樣，自然也應看作「⚘」。

　　眾所周知，「歲」本從「步」「戉」聲，後亦變作從「步」從「戈」，這兩種寫法在西周金文中都可見到[22]。現在戰國璽印變作 ⚘，顯然應分析成從「止」「⚘」聲。上古「殺」和「歲」都是心母月部字，所以「歲」能有機會被改造成用「殺」字的初文「⚘」作聲符[23]。這一改造過程，可以在下引出自春秋鼢鐘銘文的三個「歲」字上看得很清楚：

歲 M10：75　　歲 M10：67　　戈 M10：79[24]

因此我們認爲，上揭古璽「歲」字的寫法，完全可以從音上證明「⚘」即讀如「殺」。

　　根據我們在上一節中的分析，「⚘」字無疑是一個會意字。但從 ⚘、⚘ 等字象人披頭散髮形看，我們又疑「⚘」字所從的 ⚘ 和「殺」、「殺」所從的 ⚘ 即讀作「散」，在構形中兼有表音之功能。上古「散」、「殺」都是心母字。「散」隸元部，「殺」隸月部，元、月二部有陽入對轉之關係[25]。故「⚘」字從 ⚘，「殺」、「殺」等字從 ⚘，均有可能兼取其聲。「殺」古有散義，或亦與此有關。

　　總之，從上述情況看，說「⚘」字的讀音即如「殺」，並非無根之空談。

肆　「⚘」字的義

21　加藤慈雨樓《平盦考藏古璽印選》第一冊233頁，臨川書店，1980年，京都。

22　看孫海波《甲骨文編》61頁，中華書局，1965年，北京；容庚《金文編》87頁，中華書局，1985年，北京。

23　甲金文中常見借「戉」爲「歲」，而從「戉」得聲的「沝」，《說文》謂「讀若椒樧之樧」。又，上一節所引金文「殺」(殺)字，在原銘中均以「殺殺」形式出現，係一形容鐘聲和諧優美之詞，李家浩先生在注10所引文中疑當讀作「嬔嬔」，亦可參校。

24　見河南省文物研究所等編《淅川下寺春秋楚墓》264、280、273，文物出版社，1991年，北京。另可參看注20所引書0798燕「長藏(殺)」璽。

25　參裘錫圭〈甲骨文中所見的商代農業〉，載注7所引其著《古文字論集》，171-172頁；王力《同源字典》，578-579頁，商務印書館，1982年，北京。又，包山楚簡中有「霰」字(91

　　形、音既已談過，最後落實到義。本節將从「戉」字的用法上，看釋「戉」爲「殺」是否合適。先從文意比較顯豁的西周金文說起。

　　恭王時的牆盤銘云：

粵武王既戉殷，微史烈祖迺來見武王[26]。

鑄於牆盤之後的癲鐘三，出「戉」的一句與牆盤同，惟漏鑄一「迺」字。

　　曾有學者指出，盤銘「粵武王既戉殷」，猶歌尊云「惟武王既克大邑商」[27]，是知「戉」當克講。《爾雅·釋詁》曰：「劉、殺，克也。」「戉」當克講，正與「殺」之故訓相吻合[28]。而且《楚辭·天問》有云：「武發殺殷，何所悒？」「殺殷」的說法，也自可與「戉殷」之稱相印證。

　　成王時的壆方鼎云：

惟周公于征伐東夷，豐伯、薄姑咸戉。

鼎銘前云周公往伐東夷，後云豐伯、薄姑「咸戉」，這個「戉」字若釋「殺」訓克，顯然也是合適的。《尚書·君奭》：「後暨武王，誕將天威，咸劉厥敵。」「劉」古訓殺訓克[29]，「咸劉」的說法，可與鼎銘「咸戉」相參證。

　　金文既明，再看卜辭中的「戉」。下面所引，都是比較完整的。如：

自組[30]

1.　辛丑卜：王重霥敦，戉。　　《合》20500[31]

2.　壬寅卜：㞢于□征方，戉。二月。　　《合》20444

3.　辛卯卜，王貞：弜其戉方。　　《合》20442。

自賓間組

號簡），或即「霰」字異體。

[26] 本文所引甲金文原句，除需要討論的字外，一般都酌取通行的釋法寫定。如本句「粵」原作「雩」、「烈」原作「剌」，本文直接用「粵」、「烈」寫出，餘可類推。

[27] 參唐復年《金文鑒賞》，201頁，北京燕山出版社，1991年，北京。

[28] 「克」亦可訓殺，《公羊傳·隱公元年》：「夏五月，鄭伯克段于鄢。克之者何，殺之也。」參郝懿行《爾雅義疏》上之一，43頁下-45頁下，中國書店影印清咸豐六年漱芳齋刻本，1982年，北京。

[29] 參注28所引郝懿行書，頁同；又，徐朝華《爾雅今注》，25頁，南開大學出版社，1994年，天津。

[30] 關於殷墟卜辭的分組與斷代，參黃天樹《殷墟王卜辭的分類與斷代》，文津出版社，1991年，臺北；李學勤、彭裕商《殷墟甲骨分期研究》，上海古籍出版社，1996年，上海。

[31] 本文所引卜辭出處，「合」指《甲骨文合集》，《屯》指《小屯南地甲骨》，「懷」指《懷特氏等所藏甲骨文集》，「英」指《英國所藏甲骨集》。

4. 庚子卜：呼征歸人于衕，"戈。　《合》20502

5. 丁酉卜：令豙征茵，"戈。　《合》6561

6. 癸未[卜]：令豙伐茵，亡不若。允"戈。　《合》6564

7. 朕人三千伐難，"戈。　《合》6835

8. 乙酉卜：方弗"戈∨。十二月。　《合》6773

9. 壬申[卜，貞]：雀克"戈兄。

　　壬申卜，貞：雀弗其克"戈兄。　《合》19191+19193。

10. 己卯卜，王：咸"戈兄。余曰：「雀咋人伐[臣]。」　《合》7020

自歷間組

11. 壬戌卜，貞：王生月敦佣，不啟"戈。

　　丙辰卜：敦，"戈。　《合》34120

賓組

12. 癸巳卜，𣪊貞：旬亡憂。王繇曰：「有咎，其有來艱。」迄至五日
　　丁酉，允有來艱自西。沚馘告曰：「土方征于我東鄙，"戈二邑。吾
　　方亦侵我西鄙田。」　《合》6057

13. 己未卜，𣪊貞：王殞三千人呼伐姘方，"戈。　《合》6641

14. 癸卯卜，𣪊貞：呼雀衛伐亘，"戈。十二月。

　　勿呼雀衛伐亘，弗其"戈。　《合》6948

15. 壬戌卜：伐𠭤，"戈。二月。　《合》6854

16. 丁酉卜，𣪊貞：王重乙敦缶，"戈。三月。　《合》6867

17. 乙亥卜，內貞：今乙亥子商敢基方，弗其"戈。　《合》6577

18. 辛丑[卜]，內貞：我"戈衛于戔。　《合》6895

19. 貞：我史其"戈方。

　　貞：我史弗其"戈方。

　　貞：方其"戈我史。

　　貞：方弗"戈我史。　《合》9472

20. 壬申卜，𣪊貞：亘戎其"戈我。

　　壬申卜，𣪊貞：亘戎不我"戈。七月。　《合》6943

21. 癸丑卜，爭貞：自今至于丁巳我弗其"戈𢦏。

233

      癸丑卜，爭貞：自今至于丁巳我戋𝌀。王繇曰：「丁巳我毋其戋，
于來甲子戋。」旬又一日癸亥車弗戋，之夕嚮甲子允戋。　《合》
6834

22. 王繇曰：「吉，戋。」之日允戋戋方。十三月。　《合》6649

23. 戊戌卜，㱿貞：戊得方宜，戋。　《合》6764

24. 壬寅卜，㱿貞：子商不啚戋基方。　《合》6571

歷組

25. 壬□𤔲□戋。

    其戋𤔲。　《屯》503

何組

26. 貞：弜用𤔲，重祕行用，戋羌人于之，不雉人。　《合》26896

27. 貞：𤔲行用，戋，不雉眾。　《合》26887

無名組

28. 戊重義行用，遘羌方，有戋。

    弜用義行，弗遘方。　《合》27979

29. 戊其遲毋歸于之，若，戋羌方。

    戊其歸，呼駱，王弗悔。

    其呼戊禦羌方于義即，戋羌方，不喪眾。

    于浮帝呼禦羌方于之，戋。　《合》27972

30. 戊弗及叡方。

    戊及叡方，戋。

    戊甲伐，戋叡方橫。

    弗戋。

    戊及橫，于又𢎡。　《合》27995

31. 重甲戊伐，有戋。　《合》28065

32. 癸亥卜：王其敦丰方，重戊午，王受有祐，戋。　《屯》2279

33. 重戊毋，往有戋。

    重戊光，往有戋。　《合》27975

34. 乙巳卜：重小臣侃克有戋，侃〔王〕。　《合》27878

黃組

35. 其惟今九祀征，✦戈。王繇曰：「引吉。」 《合》37854

36. ☐貞：其征盂方，叀今☐受祐，不戔✦戈。☐繇曰：「吉。」在十月，王九[祀]。 《懷》1908

37. 己亥卜，在微貞：王令[多]亞其比✦伯伐✦方，不戔✦戈。在十月又☐。《合》36346

38. 乙卯王卜，在森帥貞：余其敦✦，叀十月戊申，✦戈。王繇曰：「吉。」在八月。 《英》2523

　　正如研究者所熟知的那樣，在大量占卜能不能「✦戈」的戰爭卜辭中，往往先云「敦」、「征」、「伐」、「敢」(訓犯)，後云「✦戈」、「不戔(或作𡧛)」、「弗其✦戈」、「有✦戈」；驗辭則多記「允✦戈」、「弗✦戈」。不少研究者已看出，這類卜辭中的「✦戈」，實指戰爭之結果，是克、戰勝的意思[32]。今以前論金文相參校，「✦戈」在卜辭中釋「殺」訓克，亦無不暢明順適。

伍 關於「戈」和「伐」

　　以上分別從形、音、義三方面論證了「✦戈」可視爲「殺」字之初文。本節將討論早期卜辭中與「✦戈」字用法相同的「戈」、「伐」二字。

　　在甲骨學者所劃分的「𠂤組」、「𠂤歷間組」和「歷組」卜辭中，都可見到一個寫作下揭諸形的字：

這個字在「𠂤歷間組」卜辭中最爲常見；在「𠂤組」卜辭中，則僅見於大字類，而且多在黃天樹先生所稱的「✦類」中出現。我們把它隸作「戈」。

　　「戈」字的用法與「✦戈」字基本一樣，如：

𠂤組

39. 丙申卜，王：方戈㝬。 《屯》4429

40. 辛未：王令弜伐光，咸戈。 《合》19957

41. 甲子卜：王从東戈帚侯，戈。

---

[32] 參注2所引管燮初先生，〈說✦戈〉文；又，注6所引陳煒湛先生文，頁同。

乙丑卜：王从南戈帯侯，戈。

丙寅卜：王从西戈帯侯，戈。

丁卯卜：王从北戈帯侯，戈。　　《合》33208

自歷間組

42. 甲辰卜：雀戈帯侯。　　《合》33071

43. 癸卯卜：其克戈周。四月。　　《合》20508

44. 庚寅貞：敦缶于䂊，戈右旅。在□，□月。　　《懷》1640

45. 乙亥卜，貞：今日乙亥王敦興，戈。　　《合》33080

46. 丙子卜：于丁丑戈。

丙子卜：于戊寅戈。

丁丑卜：今日戈蠶。

丁丑卜：戊寅𢦏戈。　　《合》33081

47. 癸亥卜：今月敦猷，戈。　　《合》33077

48. 癸酉卜：王敦猷，甲戊戈。

乙亥卜：弗戈。

乙亥卜：王敦蠶。旬一日乙酉王戈。　　《合》33078+《懷》1638

歷組

49. 癸丑卜：王敦𢘂，戈。十二月。　　《合》33083

50. 辛酉卜：王翌壬戊戈𢘂。十二月。　　《合》33082

51. 己丑貞：子效先戈。在尢，一月。　　《合》32782

52. ☑方出从北土，弗戈北土。　　《合》33050

53. □卯貞：妻在□，羌方弗戈。

□□貞：刊在井，羌方弗戈。　　《屯》2907

　　過去大多數研究者認爲，「戈」與「𢦏」是同一個字的不同寫法。也曾有學者單釋爲「戈」或「𢦏」。

　　實際上，細覈字形可知，「戈」與「𢦏」有三點不同，很難說是同一個字的不同寫法。第一，「戈」從𠬞，而「𢦏」從屮，兩者所從有正倒之不同。第二，「戈」字所從之𠬞或作𠦛，而「𢦏」字所從之屮則從未見有寫作𠦛形的，是知兩者所從有取象上之不同。第三，觀察下揭族名金文中的「戈」：

236

《金文編》820-821頁

可知「戔」字所從之𝀝均在戈頭之內部，而「𢦏」字所從之𝀞均在戈頭之援部，兩者所從有書寫位置之不同。如果說，𝀝、𝀞二旁在書寫時可以正倒無別的話，那末「𢦏」、「戔」二字應有作𝀟、𝀠形的；但事實上，這兩種寫法在可靠的辭例中從未出現過。過去不少研究者在討論時往往將「戔」字寫作𝀟，實在是未作細緻觀察造成的。因此，視「戔」為「𢦏」字異體，在字形上是很難說得通的。至于釋「戈」或釋「戠」，亦難令人相信。雖然照上引族名金文「戈」字看，釋「戔」為「戈」似有一定道理；但在上引第 41 片卜辭中，「戔」與當攻伐講的「戈」字四次並出[33]，足見「戔」字絕無可能再釋「戈」。

　　我們認為，「戔」字很可能是彤沙之「沙」的象形寫法。熟悉銅器銘文的學者都知道，古代繫在戈上的紅色纓子，在西周金文中稱「彤沙」。其形象與繫縛位置，可從前引寫得比較原始的族名「戈」上窺知一二。根據「戔」字本身的寫法和它在卜辭中與「𢦏」字用法相同這一點，我們有理由推測「戔」可能就是彤沙之「沙」的象形初文。也就是說，「戔」字所從的𝀝，實為纓絡之象形，其讀音即如「沙」[34]。上古「沙」和「殺」都是心母字。「沙」屬歌部，「殺」屬月部，歌、月陰入對轉。故早期卜辭可借彤沙之「沙」的象形初文來當「𢦏」（殺）用[35]。這從卜辭的用字情況來看，是一點也不奇怪的。

　　在「𠂤組」大字卜辭和「歷組」卜辭中，還出現過一個從「人」從「戔」的字：

　　　　　𝀡　自組　　　　𝀢　歷組

我們把它隸作「伐」。

　　「伐」字在卜辭中祇出現過兩次，用法亦與「𢦏」字同。

　　自組

---

[33] 辭中「戈帝侯」之「戈」，黃天樹、張玉金二位都曾指出用為動詞，有攻伐之義。黃說見注 30 所引其著《殷墟王卜辭的分類與斷代》39-40 頁；張說見其著《甲骨文虛詞詞典》71 頁，中華書局，1994 年，北京。按從曾侯乙墓竹簡稱戈頭為「果」看，當攻伐講的「戈」似應讀作「敤」。「敤」、「伐」二字《廣雅‧釋詁》並訓擊。

[34] 劉桓先生也曾看出「戔」字所從之𝀝象戈纓形，他在〈釋戔〉一文中謂：「𝀠、𝀟必象揮戈時戈纓上下翻動形。」按劉氏仍將「戔」、「𢦏」看成一字，並最終將其釋為「𢦏」。看其著《殷契存稿》114-115 頁，黑龍江教育出版社，1992 年，哈爾濱。

[35] 參《釋名‧釋姿容》：「摩娑，猶末殺也。手上下之言也。」

237

54. 庚戌卜：令比伐光，咸伐 。《合》19773

歷組

55. 丁巳卜：王在□旅，允伐。在羲。《合》33087

此字過去曾有學者認爲是「戈伐」合文，也有學者懷疑是「伐𢦏」合文或「𢦏」字異體[36]。按從字形和用法看，視爲「𢦏」字異體是合理的。其結構可分析爲從「伐」「戈」聲（「戈」旁公用[37]），或從「伐」「巾」（音沙）聲。古「殺」「伐」義近[38]。「伐」在字形上象以戈擊人，在讀音上則以彤沙之「沙」的象形初文爲聲符，說它是「𢦏」（殺）字異體，自然是很順當的。

多年前，裘錫圭先生在討論「歷組」卜辭的時代時，曾特別討論過武丁時期各組卜辭的用字習慣問題；在其所舉不同組卜辭占卜事項比較中，亦涉及不少這方面的例子[39]。從裘先生所提到一些例子看，不同組卜辭在用字習慣上，既有正體和異體之不同，也有通用字和假借字之不同。這種有意識的分組觀察比較方法，跟過去孤立觀察或「打混仗」的方法是大不相同的。這對於我們正確釋讀、理解卜辭，顯然具有非常積極的意義。本節辨「戈」爲「𢦏」之借字，並由「戈」推論「伐」是「𢦏」字之異體，便是以這種分組觀察爲基礎的。其所得之結果，希望不會給人以含混不清之感。

陸 餘論

筆者常常在想，「殺」在古今都是一個很常用的字，但自從裘錫圭先生在〈釋「求」〉一文中重新論定卜辭中通常被認爲是「殺」字古文的𢏐實爲「求」字後[40]，甲骨文中就再也找不到大家公認的「殺」字了。同樣，西周早、中期金文中也始終未發現過真正的「殺」字。這似乎有點奇怪。

其實，在甲骨文和西周早、中期金文中，恐怕並不是真的沒有「殺」字，祇

---

[36] 參注 34 所引劉桓先生文；注 30 所引黃天樹先生書，299-300 頁。

[37] 參拙作〈古文字中的借筆字〉，中國古文字研究會成立十週年學術研討會論文，1988 年 7 月，長春。

[38] 侯馬盟書屢見「見之行道而弗殺者」一語，其中「弗殺」二字，有的片作「不伐殺」，看注 11 所引《侯馬盟書》271 頁 179：12。

[39] 參其著〈論「歷組卜辭」的時代〉，載注 7 所引《古文字論集》，277-320 頁。

[40] 看注 7 所引《古文字論集》59-69 頁。

不過是一直未被我們認識而已。假如本文對「𢧜」及「戈」、「伐」等字所作的種種推論能夠成立，那末這一問題自然也就不存在了。祇是就目前所能看到的資料立論，語氣上自應多作保留。最後的論定，或許還要寄希望於未來可能發現的新資料。

最後，附帶談一下戰國璽印中的「戢」字。

《古璽彙編》3889 是下揭一方三晉私璽：

　　「公孫戢」

璽文左邊一字舊無釋。我們認為，此字從「𢧜」從「耳」，殆即「職」(聝)字異體。「職」字後世俗作「職」(《說文》：「聝，殺也。」)。作「戢」與作「職」，造字意圖正是相同的。

1992 年 2 月初稿　1998 年 3 月重訂

殷墟卜辭所記商代都邑的探討

鄭杰祥[*]

　　根據文獻記載，商王朝建立之後曾經多次遷都，直至商王盤庚時期，其都邑才穩定於殷，即卜辭中所稱做的商地。《尙書・盤庚上》云：「先王有服，恪謹天命，茲猶不常寧，不常厥邑，于今五邦。」這說明商王朝至盤庚時期至少已經遷都了五次。其所遷都邑名稱，以古本《竹書紀年》、《史記・殷本紀》和《帝王世紀》記載的比較詳細，但是並不完全一致，茲將三書所記列表如下，以便比較：

引書／都邑／王名	《竹書紀年》（《太平御覽》卷八十三引）	《史記・殷本紀》	《帝王世紀》
湯		湯始居亳	殷湯都亳
外　丙	外丙居亳		
仲　壬	仲壬居亳		
太　甲			
沃　丁	沃丁居亳		
太　庚	太庚居亳		
小　甲	小甲居亳		
雍　己	雍己居亳		
太　戊			
仲　丁	仲丁…自亳遷于囂	中丁遷于隞	仲丁自亳徙囂
外　壬	外壬居囂		
河亶甲	河亶甲整自囂遷于相	河亶甲居相	河亶甲徙相

---

[*] 河南省社會科學院考古研究所研究員

祖　乙	祖乙居庇	祖乙遷于邢	祖乙徙耿
祖　辛			
沃　甲	開甲居庇		
祖　丁	祖丁居庇		
南　庚	南庚自庇遷奄		
陽　甲	陽甲居奄		
盤　庚	盤庚自奄遷於北蒙曰「殷」	盤庚乃遂涉河南治亳	盤庚徙都殷

上列三書所記商王朝的都邑名稱，大多見於殷墟卜辭，茲根據卜辭紀錄並結合文獻記載和考古資料，對這些都邑的名稱和地望，依次討論如下：

一、釋亳與亳地

亳是商王朝的第一個都邑。卜辭亳字寫做「𠅛」，從「亼」，從「𡴀」[1]，或「𡴀」，「𡴀」當為「𡴀」字省文，亳字初文當為「𠅛」。許慎《說文‧高部》云：「亳，京兆杜陵亭也，從高省，乇聲。」按此釋亳從乇聲殆誤，亳屬並紐，乇屬端紐，林義光《文源》早已指出「亳與乇不同音」，亳字不當從乇得聲明顯可見。況且卜辭乇字皆寫做「𡳿」，從無寫做「𡴀」或「𡴀」者，卜辭亳字聲符皆寫做「𡴀」或「𡴀」，從無寫做「𡳿」者，後世亳字聲符從「乇」者，乃「𡴀」之形誤，不足為據。今按卜辭「𡴀」字當即丰字初文，如卜辭云：「王曰即大乙㲋于白麓眉宰丰。」（《甲骨文合集》35501 以下簡稱《合集》）[2]「宰丰」的丰字即寫做「𡴀」。《說文‧土部》云：「封，爵諸侯之土也，……𡎐，籀文從丰。」段玉裁注：「從土，丰聲也。」卜辭封字寫做「𡴀」，正是從土從丰之形。又如邦字，《說文‧邑部》云：「邦，國也，從邑，丰聲。𤰫，古文。」卜辭邦字寫做「𤰫」，金文邦字多寫做「𨛬」[3]，正與《說文》所釋相同。王國維《古籀疏證》云：「古封，邦一字，《說文》邦之古文作『𤰫』，……，『𡴀』丰之訛。」[4]

---

[1] 胡厚宣主編：《甲骨文合集》，中華書局，1978－1983 年版。

[2] 胡厚宣主編：《甲骨文合集》，中華書局，1978－1983 年版。

[3] 容庚：《金文編》，中華書局，1985 年。

[4] 《王國維遺書》，上海古籍書店，1983 年。

是知卜辭亳字當從高，從丰，丰、亳聲同，皆屬並紐，亳字當從丰字得聲。

關於亳字本義，丁山先生以爲亳「象草生臺觀之下形，當然是堡字本字。」[5]徐中舒先生則認爲亳「象人爲之穴居形，殷代早期皆爲穴居，『𠆢』象穴上正出之階梯及其上覆蓋之形，『冂』象丘上累土之高，『丫』象橫梁之楷柱。」[6]今按：亳字本字從亼，從丰，亼字多見於一期卜辭，亦即高字，《說文・高部》云：「高，崇也，象臺觀高之形。」《說文・生部》又云：「丰，草盛丰丰也，從生，上下達也。」《廣雅・釋宮》又云：「丰，階也。」卜辭丰字寫做「丫」，本象一株枝葉茂盛的草節節向上生長之狀，故又引申爲階梯之義，因此，卜辭亳字應是一個形聲兼會意字，從高，丰聲，又象置階梯於臺觀之下可上下通達於臺觀之形。

亳字在卜辭中多做爲地名和亳地之社的社名，亳地之社卜辭稱之爲「亳土」，「亳土」即亳社。王國維《殷禮征文》云：「土字，卜辭假爲社字，《詩・大雅》：『乃立冢土』，《傳》云：『冢土，大社也。』《商頌》：『宅殷土茫茫』，《史記・三代世表》引作『殷社茫茫』，《公羊・僖三十一年傳》：『諸侯祭土』，何注：『土謂社也』，是古固以土爲社矣。」[7]陳夢家先生據此以爲「卜辭所祭某土即某地之社，如亳土即亳地之社。」[8]卜辭所記商人曾多次對亳社進行隆重的祭祀，如卜辭云：

　　　癸丑卜：其侑于亳社？　　　　《合集》28106

　　　其有燎亳社，有雨？　　　　《合集》28108

　　　戊子卜：其有歲于亳社，三小牢？十小牢？　　　　《合集》28109

　　　其侑亳社？吉。　　　《合集》28110

　　　……亳社重小牢？　　　《合集》28113

　　　其求于亳社？　　　《小屯南地甲骨》[9]（以下簡稱《屯南》）59

　　　辛巳貞：雨不既，其燎于亳社？　　　《屯南》665

　　　于亳社御？　　　《合集》32675

商人對亳社的祭祀之所以如此隆重，顯然是因爲亳社位於商王朝的第一個國都亳邑，商前期的九位國王皆立都於此，而這正是商王朝的第一個全盛時期，其

---

[5] 丁山：《商周史料考證》，27頁，中華書局，1988年版。

[6] 徐中舒主編：《甲骨文字典》，四川辭書出版社，1988年版。

[7]《王國維遺書》，上海古籍書店，1983年版。

[8] 陳夢家：《殷墟卜辭綜述》，584頁，科學出版社，1956年版。

[9] 中國社會科學院考古研究所：《小屯南地甲骨》，中華書局，1980年版。

後都邑雖遷，亳社與亳邑尚存，而且從卜辭記錄來看，它仍然是商王朝的一個重地。商代亳邑在殷墟卜辭中單稱做亳，如卜辭云：

貞：于亳？　　　　《合集》7841

甲午王卜，在亳貞：今……瑪亡災？　　　　《合集》36555

由卜辭所記可知，商王武丁和帝辛都曾去過亳地。關於商代亳邑的地望，史學界歷來眾說紛紜，至今未能定論。首先是西漢司馬遷提出，「湯起于亳」的亳地在關中（《史記·六國表》）。東漢許慎承襲其說，指出關中之亳在「京兆杜陵」（《說文·高部》），即今陝西省西安市東南隅，此可稱爲關中社亳說。其二是大約與司馬遷同時，董仲舒則認爲「故湯受命而王……作宮邑于下洛之陽」（《春秋繁露·三代改制質文》）。東漢班固、鄭玄承襲此說，指出「下洛之陽」的亳在今河南省偃師市境（《尚書·尚書序》孔疏引），此地後人稱爲西亳，可稱之爲偃師西亳說。其三是晉人皇甫謐主張「殷有三亳，二亳在梁國，一亳在河南。谷熟爲南亳，即湯都也；蒙爲北亳，即景亳，湯所盟地；……」（《太平御覽》卷155引）谷熟即今河南省商丘縣東南的谷熟鎮，此可稱之爲谷熟南亳說。其四是晉人杜預認爲「梁國蒙縣北有亳城」，當爲湯所都，也就是皇甫謐所說的北亳，地在今山東省曹縣南，此可稱之爲蒙縣北亳說。其五是近世丁山先生主張「成湯的故居」亳邑，「疑即春秋時齊國的博縣」，也即漢代「泰山郡的博縣」[10]，地在今山東省泰安市西南，此亳位於諸亳之東，可稱之泰安東亳說。其六是岑仲勉先生又認爲「以古史勘古迹，認湯都亳在現時的內黃，實比其他各說更爲可據。」[11]地即今河南省內黃縣，內黃古屬衛地，此可稱之爲內黃衛亳說。

以上這六種意見雖然都有一定的文獻記載作依據，但是正如岑仲勉先生所說「惟能否成立，則尚有待於發掘的判定。」[12]五十年代以來，在中原地區發現了兩種新型的考古學文化，即二里岡文化和二里頭文化，這兩種新型的考古學文化的發現，推動著對商都亳邑地望的探索進入一個新的階段。二里岡文化以五十年代初首次發現於鄭州二里岡而命名[13]，關於二里岡文化的相對年代，當時的鄒衡先生通過對該文化與殷墟文化的詳細比對和分析，指出二里岡文化與殷墟文化之間既早晚有別，又互相銜接；眾所皆知，殷墟文化是屬於商王遷殷以後的商代後

---

[10] 丁山：《商周史料考證》27頁，中華書局，1988年版。

[11] 岑仲勉：《黃河變遷史》，101－102頁，人民出版社，1957年版。

[12] 岑仲勉：《黃河變遷史》，101－102頁，人民出版社，1957年版。

[13] 河南省文化局文物工作隊：《鄭州二里岡》，科學出版社，1958年版。

期文化，二里岡文化既早於殷墟文化，二者又一脈相承，顯然它應屬於商代前期文化[14]，這在學術界已成共識。有據於此，五十年代的學術界，曾把鄭州二里岡遺址與文獻所記商王仲丁所遷的囂都聯繫起來，意謂它可能是商代前期囂都的遺跡。基於這個認識，五十年代末，徐旭生先生在前往豫西調查「夏墟」的同時，也注意到早於囂都的「湯都西亳」遺跡。他在偃師市西南的二里頭村南側，發現一處大型的文化遺址，這就是著名的二里頭文化遺址。徐先生通過調查指出：「**據估計此遺址範圍東西約長 3～3.5 公里，南北寬約 1.5 公里。這一遺址的遺物與鄭州洛達廟、洛陽東干溝的遺物性質相類似，大約屬於商代早期。**」[15]洛達廟文化遺存又稱之爲「洛達廟類型」文化[16]，也就是後來所稱作的二里頭文化；它早於二里岡文化，又與後者有著密切的聯繫。徐先生既然認爲它「屬於商代早期」，又與文獻所記湯都西亳的地望大致符合，由此結論說：「**此次我們看到此遺址頗廣大，……那在當時實為一大都會，為商湯都城的可能性很不小。**」[17]徐先生的這次調查，揭開了我國學術界運用田野考古資料來探索商都亳邑地望的新的一頁。以後的發掘證明，二里頭遺址的文化內涵非常豐富[18]，該遺址的二里頭文化遺存可以分爲四期，其中二、三、四期遺存中不僅發現有大型的宮殿建築基址，而且發現有鑄銅、燒陶和製造骨器的手工業作坊基址，還發現有大型墓葬，並且出有成群而精美的青銅器和玉器等。所有這些都顯示著二里頭遺址應是當時的一座王都，因此在相當長的時間內，學術界群遵徐說，認爲二里頭遺址應當就是湯都西亳的遺跡。直至七十年代末期，隨著「鄭州商城」的發現和全面揭露，該城做爲王都的性質和地位日益突出起來。鄒衡先生通過對二里頭文化和二里岡文化全面而系統的研究，結合文獻記載，提出了鄭州商城爲湯都亳邑的新說[19]。他認爲二里頭文化主要分布於以二里頭遺址爲中心的伊、洛河流域，這裡正是文獻所記夏人活動的中心區，參考碳十四測定的年代（經過樹輪校正），二里頭文化的早期當在公元前 1915 年左右，這與文獻所記夏王朝的前期年代基本符合，因此，二里頭文化應是夏王朝時期夏人的文化遺存，也就是夏文化，做爲王都的二里頭遺址，應是夏朝王都的遺跡。而稍晚於二里頭文化的二里岡文化，則是分布於以

---

[14] 鄒衡：《試論鄭州新發現的殷商文化遺址》，《考古學報》，1956 年版。

[15] 徐旭生：《1959 年夏豫西調查「夏墟」的初步報告》，《考古》，1959 年 11 期。

[16] 河南省文物工作隊：《鄭州洛達廟商代遺址試掘簡報》，《文物參考資料》，1957 年 10 期。

[17] 徐旭生：《1959 年夏豫西調查「夏墟」的初步報告》，《考古》，1959 年 11 期。

[18] 鄭光：《二里頭遺址的發掘》，《夏文化研究論集》，中華書局，1996 年版。

[19] 鄒衡：《夏商周考古學論文集》，文物出版社，1980 年版。

鄭州商城為中心的廣大地區，它融合了二里頭文化的精華，又保持著自己的特色，顯然應是商人滅夏以後所創造的文化遺存，也就是早商文化。這個時期的鄭州商城，根據對東城牆內出土木碳的碳十四測定（經過樹輪校正），其時代為公元前 1620 年至前 1595 年，與文獻所記商初年代基本符合。而且城址規模宏大，文化內涵也非常豐富，城垣周長約 6960 公尺，將近 7 公里，城內面積約 300 萬平方公尺。城南 600 公尺處和城西 1100 公尺處，各有一條東西長約 3600 公尺和南北長約 900 公尺的夯土牆基，可能是該城外廓城的殘跡。城內的東北隅發現有大片的夯土基址，總面積約 35 萬平方公尺，應當就是當時的宮殿區。在南城牆外約 500 公尺處的南關外和北城牆外約 200 公尺處的紫荆山北地，發現有鑄銅手工業作坊遺址；在北城牆外約 300 公尺處發現有製骨手工業作坊遺址；在西城外約 1300 公尺處的銘功路西，發現有製陶手工業作坊遺址。另外，在東城牆南段外側的向陽食品廠，西城牆南段外側的順城街和北段外側的張寨南街，都發現有成群的青銅器窖藏坑；在東城牆北段外側的白家莊，南段外側的楊莊和西城牆以外的人民公園等地，還發現有賠葬青銅器的墓地。所有這些都說明鄭州商城應是一座商初的王都，也即商都亳邑。《左氏春秋經‧襄公十一年》：「公會晉侯，……同盟于亳城北。」杜預注：「亳城，鄭地。」五十年代初，在商城東北和白家莊一帶，曾發現有成批的戰國時期的戳印有「亳」和「亳丘」二字的陶印文字，這「亳城」、「亳丘」的地望就在鄭州商城遺址，說明在東周時期，這裡仍然稱做亳地[20]，丘者墟也，所謂「亳丘」，應當就是指的商代亳邑的廢墟。在鄒氏所創「二里岡文化為早商文化」一說後的八十年代初，在偃師市尸鄉溝一帶也發現了一座二里岡文化時期的城址，現稱之為「偃師商城」，這座城址與文獻所記「湯都西亳」的地望恰相符合，因此，趙芝荃等先生首先認為它應當就是湯都亳邑[21]，這一發現加強了「湯都西亳」說的論據。其後不久，在山西省垣曲縣南又發現了一座二里岡文化時期的城址，現稱之為「垣曲商城」，陳昌遠先生又認為這座商城才應是商湯都亳的遺迹[22]。

以上是五十年代以來，學術界主要依據考古資料探索商都亳邑所形成的四種意見，即一、二里頭遺址商亳說；二、鄭州商城商亳說；三、偃師商城商亳說；四、垣曲商城商亳說，當前學術界討論商都亳邑主要集中於這四說之間。筆者傾

[20] 鄒衡：《夏商周考古學論文集》，文物出版社，1980 年版。

[21] 趙芝荃等：《偃師商城的發現及其意義》，光明日報，1984 年 4 月 4 日第 3 版。

[22] 陳昌遠：《商族起源地望發微》，《歷史研究》，1987 年 1 期。

向於鄒氏「鄭州商城爲商都亳邑」一說，以爲二里頭遺址實爲夏都，鄭州商城與它同時的偃師商城和垣曲商城相比，規模最大，文化內涵也最爲豐富，而且又位於整個二里岡文化分布的中心區，認作商都亳邑，更加符合實際[23]。不僅如此，從殷墟卜辭所記與亳地相系聯的地名來看，卜辭亳地也應當就在鄭州商城。如卜辭云：

> ……商貞：……于亳亡災？
>
> 甲午王卜，在亳貞：今……璌亡災？　　　《合集》36555
>
> □午卜，在商貞：今……于亳亡災？
>
> 甲寅王卜，在亳貞：今日……璌亡災？　　　《合集》36567
>
> 癸卯王卜，貞：旬亡災？在十月又一，王征人方，在商。
>
> 癸丑王卜，貞：旬亡災？在十月又一，王征人方，在亳。
>
> 癸亥王卜，貞：旬亡災？在十月又一，王征人方，在璌。
>
> 《英國所藏甲骨集》[24]2524

以上所引皆爲五期卜辭。從上引卜辭可知，亳地與商地、璌地和璌地見於同版卜辭，五期卜辭中的商地，當即今河南省淇縣城，說詳下文。第一版卜辭殘缺，不能測知商、亳二地之間的距離；第二版卜辭記爲□午日商王在商地卜問：今日前往亳地有無災禍，然後又在第九日甲寅在亳地卜問前往璌地有無災禍，可知商、亳二地之間，當在九日路程之內。從第三版卜辭可知，亳地又是商王征人方所經過的一個地方。關於人方的地望，以往郭沫若、董作賓、陳夢家諸先生都認爲卜辭人方即後世所稱做的淮夷，生活於今安徽地區的淮河下游一帶[25]，位於商王朝的東南方，當無疑問。因此，商王從商邑出發征人方所經過的亳地，也必然應在商邑的南方或東南方，今鄭州商城位於淇縣南偏西 100 餘公里，與卜辭中亳地地望是基本符合的。商王之所以不從商邑直走東南征伐人方，大概是因爲今河南淇縣東南屬於黃淮平原，自古地勢低窪（現海拔 70 公尺左右，古代當更低），河流縱橫，沼澤眾多，極不利於商王的行軍活動。而從商邑出發，沿著現在的京廣鐵路向南直達黃河北岸，這條路線地處太行山東麓，古黃河的西岸，地勢高平（現海拔在 120 公尺以上），交通則便利許多；並且鄭州以北的黃河正位

---

[23] 鄭杰祥：《夏史初探》，中州古籍出版社，1988 年版。

[24] 李學勤等：《英國所藏甲骨集》，中華書局，1985 年版。

[25] 郭沫若：《卜辭通纂・征伐部分》，文求堂，1933 年版。

董作賓：《殷歷譜・帝辛日譜》，《歷史語言研究所專刊》，1945 年。

陳夢家《殷墟卜辭綜述・方國地理》，科學出版社，1956 年版。

於進入黃淮平原的入口處，河道狹窄，自古以來就是一處重要的黃河渡口，所以商王從這裡渡過黃河，路經鄭州商城亳地，再從這裡東南征伐人方，行軍是比較便當的。上引第三版卜辭記述商王於癸丑日以後離開亳地前往征伐人方，又於第十日癸亥到達了鴅地，鴅地所在，我以爲當即《春秋左傳・文公十五年》所說的厥貉[26]，高士奇《春秋地名考略》以爲其地在今河南省項城縣，位於鄭州商城東南約 200 公里，正當商代亳邑和人方之間。亳地與鴅地相距甚近，如卜辭云：

> 甲寅王卜，在亳貞：今日……鴅亡災？ 　　　　《合集》36567
>
> 甲寅卜，在鴅貞：王今夕亡禍？ 　　　　《合集》36565
>
> 乙卯王卜，在鴅貞

此鴅地距亳地只有一天的路程，我以爲它應即古代的鴻溝[27]，《史記・封禪書》以爲是夏禹所開，其實是分流黃河的一條自然河道，從鄭州以北的黃河南岸流出，東經鄭州，北流入古圃田澤，又東經今河南中牟縣向東南流去，卜辭所記的鴅地大致在今中牟縣一帶，西距鄭州約 30 公里。總之，結合文獻記載和考古資料，證以對卜辭所記與亳地相系聯的地名的考證，可知鄭州商城即應爲商代前期亳都，又當爲後期卜辭所記的亳邑。

二、釋囂與囂地

商王仲丁所遷都邑，史書記載略有不同，古本《竹書紀年》云：仲丁「自亳徙於囂」，《尚書・商書序》記爲「仲丁遷于囂」，《史記・殷本紀》又記爲「帝仲丁遷于隞」，《索隱》云：「隞亦作囂，並音敖字。」囂與隞同音假借，二者當爲一地。囂與嚻，不少學者都認爲「囂」是「嚻」字的形訛，但是影宋本和鮑刻本的《太平御覽》所引《竹書紀年》皆寫做「囂」。眾所周知，《竹書紀年》原是地下出土的考古資料，比較後世文獻記載要可靠一些，因此，商王仲丁所遷的都邑應以《竹書紀年》爲準，本作「囂」，《尚書序》才變做「嚻」，《史記》又假借爲「隞」。再者囂與嚻形、意相近，古或相通，未必是形訛。按「囂」，從四口、從臣；「嚻」，從四口、從頁，卜辭臣字象豎目之形，頁、百二字，《說文・頁部・百部》皆云：「頭也。」眼睛處於頭部的主要部位，可以代表頭部，

---

[26] 鄭杰祥：《商代地理概論》，359－363 頁，中州古籍出版社，1994 年版。

[27] 鄭杰祥：《商代地理概論》，359－63 頁，中州古籍出版社，1994 年版。

故頁、目、臣三字意近相通，如面字，《說文‧面部》云：「𩇓，顏前也，從百，象人面形。」《隸釋》據《石經》所錄《尚書》面字則從目寫做「𩒋」，卜辭面字寫做「⊡」，又從臣寫做「◉」，此可爲百與目與臣三字相通之佳證。《說文‧㗊部》云：「囂，語聲也。」又云：「嚚，聲也。」臣與頁既意近相通，則囂與嚚形、意相近，因此也當相通。卜辭有「囂」無「嚚」，囂字與視字見於同版卜辭，其辭云：

      ……𢿫……⊠ 　　　　《合集》18650

𢿫字從五口、從臣，當即囂字本字；⊠字陳邦懷等先生釋作視[28]，茲從其說。視字在卜辭中多作爲地名和方國名，如卜辭云：

    辛卯卜，在視貞：王今夕亡禍？　　　《合集》36553
    甲午卜，在視貞：……從東，重今日弗悔？……　　　　《合集》378556
    視入。　　　　《合集》9294

此視地當即後世的巿地，位於今鄭州市西北約 15 公里，說詳拙作《商代地理概論》[29]。與此同版的囂字可能也是地名，如果推測不誤，則卜辭囂地可能就是商王仲丁所遷的囂地，也就是後世所稱的嚚地和敖地。其地所在，《尚書序》孔穎達疏引李顒曰：「嚚在陳留浚儀縣。」又引皇甫謐云：「仲丁自亳徙囂，在河北也，或曰今河南敖倉，二者未知孰是。」東晉陳留浚儀即今河南省開封市，西晉河南敖倉在今河南省鄭州市北。近世丁山先生則以爲仲丁遷敖當即卜辭中的爻地，在今山東省沂蒙山區的蒙陰和滕縣一帶[30]。五十年代在滕縣曾出土有商代爻族銅器群[31]，加強了丁山先生這一說法。以上諸說之中，李顒一說不知何據，而且在今開封市一帶迄今尚未發現任何商代文化遺存，因此是不足爲信的。丁山先生一說，「爻」與「敖」二字雖然可以同音假借，但是並不能證明卜辭爻地就是仲丁所遷的敖地。而且仲丁所都囂地的「囂」字已見於殷墟卜辭，不可能再稱都邑爲爻地。再者，在今蒙陰和滕縣一帶，迄今還未發現商代前期文化遺存，特別是還未發現重要的商代前期文化遺存，因此丁氏一說也同樣是不足爲據的。皇甫謐主張囂地在河南敖倉一說，論據則比較充分，此地稱敖文獻多有記載，《詩經‧小雅‧車攻》云：「搏狩于敖。」鄭玄箋：「敖，鄭地，今近滎陽。」《左

---

[28] 李孝定：《甲骨文字集釋》卷八引，臺灣中央研究院歷史語言研究所，1965 年編輯出版。

[29] 鄭杰祥：《商代地理概論》，261 頁，中州古籍出版社，1988 年版。

[30] 丁山：《商周史料考證》29 頁，中華書局，1988 年。

[31] 孔繁銀：《山東滕縣井亭煤礦等地發現商代銅器及古遺址、墓葬》，《文物》，1959 年 12
    期。

傳·宣公十二年》：「晉師在敖、鄗之間。」杜預注：「敖、鄗二山在滎陽縣西
北。」《水經·濟水注》：「濟水又東逕敖山北，《詩》所謂『搏狩于敖』者也。
其山上有城，即殷帝仲丁之所遷也。皇甫謐《帝王世紀》曰：『仲丁自亳徙囂于
河上』者也，或曰隞矣。秦置倉于其中，故亦曰敖倉城也。」《括地志》云：「滎
陽故城在鄭州滎澤縣西南十七里。殷時敖地，……在敖山之陽。」唐代滎陽故城
即今鄭州市西北郊的古滎鎮。丁山先生早年曾引《穆天子傳》以證此說，《穆天
子傳》云：「丁丑，天子北征。戊寅，舍于河上。……終喪于囂氏。己卯，天子
濟于河囂氏之遂，舍于茅尺。癸未，至于野王。」丁氏云：「此經行之路，約在
大河兩岸，……茅尺即春秋時攢茅（按：楊守敬《水經注疏》以爲在今河南省獲
嘉縣西北），野王故城，在今懷慶（按：即今河南省沁陽市），與東北之攢茅甚
近。穆王……自囂氏之遂濟河，至于攢茅，是囂氏，必近于河濱，且近于攢茅。
考之春秋地理，敖山正與攢茅隔河相望，是《穆天子傳》所稱囂氏，即是敖氏，
《殷本紀》云：『仲丁遷于隞』，隞乃秦漢以後之名，本當如《紀年》作囂也。」
[32]丁氏在這裡進一步論證了仲丁所居的囂地，應在今鄭州市北的黃河南岸敖山一
帶，是可信的，只是這裡本當如《紀年》應稱做「囂」地。近年來考古工作者在
敖山以南的古滎鄉鄭莊村西、溝趙鄉西、連河村北、祥營村東、趙村西、石佛鄉
窪劉村北、蘭寨村東、關莊村西南、小雙橋西南等地，發現了多處商代「白家莊
期」的文化遺存[33]，其中小雙橋遺址規模最大，文化內涵也最爲豐富。根據迄今
爲止的調查和發掘所知，該遺址位于古代敖山以南約10公里，遺址的總面積約
144萬平方公尺。在遺址的中心區有一處高臺建築，臺的形狀呈饅頭狀，周長250
公尺，現存高度12公尺，層層夯打而成；高臺面上發現有厚約0.8公尺的紅燒
土堆積和大量的灰燼，臺的南側疊壓有白家莊期的文化層，可知此臺的時代最晚
也當在「白家莊文化」期[34]。這座高臺建築可能就是古代文獻所稱作的「泰壇」
和「圜丘」，《爾雅·釋天》云：「祭天曰燔柴。」《廣雅·釋天》云：「圜丘
大壇，祭天也。」古大、泰相通，「大壇」即「泰壇」。《太平御覽》卷527《郊
丘》部引《禮記外傳》云：「王者冬至之日，祭昊天上帝于圜丘。」《禮記·祭
法》云：「燔柴于泰壇，祭天也。」鄭玄注：壇，「封土爲祭處也。」孔穎達疏：

---

[32] 丁山：《由三代都邑論其民族文化》，《中央研究院歷史語言研究所集刊》第五本第一分冊，
1935年。

[33] 張松林：《鄭州市西北郊考古調查報告》，《中原文物》，1986年4期。

[34] 河南省文化研究所：《鄭州小雙橋遺址的調查和試掘》，《鄭州商城考古新發現與研究》，
中州古籍出版社，1993年版。

「燔柴于泰壇者,謂積薪于壇上而取玉及牲置柴上燔之,使氣達于天也。」這座高臺建築上雖未發現玉器和燒骨,但仍存有大量的灰燼和紅燒土,足證它應當就是當時人們燔柴祭天之處。在臺的西處約 50 公尺處,發現一條東北－西南走向的壕溝,壕溝填土內出有白家莊期的陶片、石板塊和兩件大型商代前期的青銅建築飾件。壕溝的西側發現有三座殘存的夯土建築基址,其中一號基址（95 Z X4H J1）現存面積較大,南北殘長約 10 公尺,東西殘寬約 50 公尺,夯土基址面上並發現有較多的柱礎坑、柱礎石,可見這一地面建築規模較大,規格較高,上述壕溝內所出大型青銅建築飾件,當與此一建築有著密切的關係。特別值得注意的是在夯土建築基址的周圍,還發現有眾多的祭祀坑穴,其中有人祭坑（95 Z X5 H45）一個,坑內埋有人骨 4 具,一具側身屈肢,一具俯身屈肢,均爲幼年女性,另外兩具僅存頭蓋骨的頂骨部分;狗祭坑（95 Z X4H 59）一個,坑內埋有狗骨一具,骨架西側放置一件殘破的長方形穿孔石器;牛祭坑 15 個,坑內皆埋有多少不等的牛頭或牛角,其種屬皆爲黃牛,合計牛的數量在六十頭以上,這是迄今爲止我國所發現的最早的大型牛祭遺存。另外在這些坑內還出有豬、狗、鹿、象的殘骨以及與玉、綠松石飾、小件銅器、青銅爵、斝殘片、原始瓷片和石器、陶器,並且在一些白家莊期陶缸的殘片上發現有朱書文字等[35]。這些遺跡、遺物當與上述高臺建築爲一整體,都是當時人們祭祀天地神祖的場所。《爾雅・釋天》云:「祭地曰瘞埋。」郭璞注:「既祭,埋藏之。」郝懿行《爾雅義疏》云:「瘞埋者亦兼牲玉而言。」上述各坑所出人和動物殘骨以及玉石等器,都應是當時統治者祭祀天地神祖所留下來的遺物。坑內所出大量的牛骨頭,這也和文獻所記我國古代國王祭祀天地神祖的制度相符合,《周禮・地官・封人》云:「凡祭祀,飾其牛牲。」同書《牛人》又云:「牛人掌養國之公牛,以待國家之政令。凡祭祀,共其享牛求牛。」《禮記・王制》:「祭天地之牛角繭栗。」《尚書・召誥》:「若翼日乙卯,周公朝至于洛,則達觀于新邑營。越三日丁巳,用牲于郊,牛二。越翼日戊午,乃社于新邑,牛一、羊一、豕一。」《逸周書・作雒解》:「乃設丘兆于南郊以祀上帝,配以后稷。」「上帝」即指天帝,「后稷」爲周人始祖,祭祀上帝和后稷爲周人最隆重的祭祀,皆需用牛。《禮記・郊特牲》云:「萬物本乎天,人本乎祖,此所以配上帝也。郊之祭也,大報本反始也。」又說:「于郊,故謂之郊,……帝牛不吉,以爲稷牛。」孔穎達疏:郊祭天帝既以后稷爲配,故必養兩頭牛以備用,若祭祀天帝之牛不良或有死傷,就用祭后稷之牛來代替,再選用其他牛以祭后稷。總之,牛牲成爲當時最爲貴重的祭品,因此也是周人祭

---

[35] 河南省文化研究所等:《1995 年鄭州小雙橋遺址的發掘》,《華夏考古》,1996 年 3 期。

祀天帝始祖的必備用品。《論語・爲政》云：「周因于殷禮，所損益可知也。」
周人此制當源於商，小雙橋遺址發現大量的以牛頭爲主體的動物骨骼，很可能就
是「白家莊」文化時期的商王經常祭祀天帝始祖神社的場所。「白家莊期」文化
以首次發現于鄭州白家莊遺址而得名[36]，它屬於二里岡文化末期階段的遺存[37]，
該期文化層疊壓在鄭州商城城址之上，略晚於鄭州商城，大致相當於文獻所記商
王仲丁的時代，因而小雙橋遺址應當就是一處商王仲丁時代的大型祭祀遺址。根
據文獻記載，此類祭祀的場所多設於都邑的南郊，據此推測，則商王仲丁所居的
囂都，應當就在文獻所記今小雙橋以北的敖山一帶，它或即卜辭中的囂地，南距
卜辭視地約 10 公里。

三、釋相與相地

商王河亶甲居於相，文獻記載無異詞。相地見於殷墟卜辭，其辭云：
　　……相……亡禍？　　　二告。　　　　　《合集》18410
　　相字寫做「🌳」，從木，從橫目之形；也有寫做「🌲」（《合集》18411），
從木，從豎目之形者。橫目和豎目在卜辭中往往混用，如「疾目」之目，多寫做
橫目形，但《合集》13627「疾目」之目就寫做豎目之形，「小臣」之臣，多寫
做豎目之形，而《合集》630「小臣」之臣就寫做橫目之形；卜辭面字寫做「🔲」
（《合集》21427），或寫做「🥚」（《合集》7020），卜辭「🌲日」（《合集》
38158），《殷墟甲骨刻辭類纂》[38]釋做「相日」，皆其例證。卜辭相地或即河亶
甲所居的相地，其地所在，《尙書・商書序》：「河亶甲居相。」孔傳曰：「相，
地名，在河北。」陸德明《經典釋文》云：「今魏郡有相縣。」「縣」當爲「州」
字之誤，唐代魏郡相州即今河南省安陽市。《史記・殷本紀・正義》引《括地志》
云：「故殷城在相州內黃縣東南十三里，即河亶甲所築都之，故名殷城也。」《元
和郡縣圖志・相州》內黃縣下又云：「故殷城在縣東南十里，殷王河亶甲居相，
因築此城。」唐代內黃縣即今河南省內黃縣。近世丁山先生則以爲「相的地望，
也可以《紀年》所謂『河亶甲征藍夷，再征班方』測之，…可能即沛郡的相縣」

---

[36] 河南省文化局文物工作隊第一隊：《鄭州白家莊遺址發掘簡報》，《文物參考資料》，1954
年 6 期。

[37] 安金槐：《關于鄭州商代二里岡期陶器分期問題的再研究》，《華夏考古》1988 年 4 期。

[38] 姚孝遂主編：《殷墟甲骨刻辭類纂》231 頁，中華書局 1992 年版。

[39]。陳夢家先生承襲此說，以爲「河亶甲所遷之相，即《灕水注》所說漢沛郡的相縣，今符離集西北九十里」[40]，此符離集在今安徽省宿州市北。今按：當以相地在內黃一說爲是。《呂氏春秋・音初》云：「殷整甲徙宅西河，猶思故處，實始作爲西音。」畢沅《新校注》：「按《竹書紀年》：『河亶甲名整，元年，自囂遷于相。』即其事也。」古代西河有二：一在今山西省西部的黃河沿岸，《禮記・檀弓》上：子夏「退而老于西河之上」，鄭玄注：「西河，龍門至華陰之地。」二在今河南省東北的古黃河沿岸，《太平寰宇記》卷 55 相州安陽縣西河條下引《隋圖經》云：「卜商子夏、田子方、段干木所游之地，以魏、趙多儒學，齊、魯及鄒，皆謂此爲西河，非龍門之西河也。」安陽、內黃二縣相鄰。《史記・孔子世家》：「婦人有保西河之志。」《索隱》云：「此西河在衛地，非魏之西河也。」方詩銘《古本〈竹書紀年〉輯證》云：「《呂氏春秋・音初》：『殷整甲徙宅河西，猶思故處，實始作爲西音。』『整甲』即『河亶甲整』，『徙宅河西』即『遷于相』，『故處』即『囂』，所記爲一事。」[41]內黃相地現稱亳城鄉，正位于古代黃河的西側和囂地以東，又屬於春秋衛地，是知《呂氏春秋》所說「殷整甲徙宅西河」和唐人所記河亶甲居相的地望恰相符合。值得注意的是此地還有一處大型的古代文化遺址，俗稱「商王中宗陵」，現稱之爲「劉茨範遺址」，《中國文物地圖集・河南分冊》內黃縣下云：劉茨範遺址位於「亳城鄉劉茨範村東，西積約 8 萬平方米，文化層厚 1・5 米。采集有仰韶文化、龍山文化和商文化的各種陶片，原傳爲商中宗陵。」[42]八十年代初，鄒衡先生曾專程來這裡進行考古調查，他發現此遺址地勢「稍微隆起」，估計原來應是類似豫魯皖等地的孤堆。并在遺址地面上拾到仰韶（似安陽後岡類型）、龍山（似後岡中晚期）、二里岡期上層、殷墟文化以及西周、東周陶片。據此可以初略斷定，遺址的年代延續時間相當長久，似乎是以商文化爲主。由此他結論說：劉茨範遺址「儘管此處無更早的文獻證明其爲『商王中宗太戊陵寢』，但至少有早商遺址，且此處距《括地志》所記之相地即今亳城鄉（或鎮）僅 2・5 公里，很有可能此處即劉茨範遺址本來就是河亶甲所居之相地。」[43]鄒說可信，這裡既有較早的文獻記載，又有考古資料作證，因此它很有可能就是商王河亶甲所居的相地，也或即卜辭中的相

---

[39] 丁山《商周史料考正》30 頁　中華書局 1988 年版

[40] 陳夢家《殷墟卜辭綜述》251 頁　科學出版社 1956 年版

[41] 方詩銘　王修齡《古本〈竹書紀年〉疏證》　上海古籍出版社 1981 年版

[42] 國家文物局主編《中國文物地圖集・河南分冊》292 頁　中國地圖出版社 1991 年版

[43] 鄒衡　〈內黃商都考略〉，《中原文物》1992 年 3 期

地。

四、釋邢與邢地

　　商王祖乙所遷都邑，文獻記載略有不同，古本《竹書紀年》云：「祖乙勝即位，居庇。」《尚書·商書序》云：「祖乙圮于耿。」《史記·殷本紀》：「祖乙遷于邢。」《索隱》云：「邢音耿，近代，本亦作耿。」邢與耿古音同，二者當指為一地，但邢與庇形、音、義皆不同，當為兩個不同的地方。今本《竹書紀年》云：「祖乙元年己巳，王即位，自相遷于耿。二年，圮于耿，自耿遷于庇。」可知祖乙曾先遷于耿而後又遷于庇地。耿邢所在，眾說紛紜，皇甫謐《帝王世紀》云：「殷祖乙徙耿，為河所毀，今河東皮氏耿鄉是也。」西晉皮氏即今山西省河津縣。《說文·邑部》：「邢，周公子所封，地近河內懷。」《左傳·宣公六年》杜預注：「邢丘，今河內平皋縣。」近世王國維《觀堂集林·說耿》云：「祖乙遷耿，當即此也。」西晉河內平皋縣即今河南省溫縣東南北平皋村。丁山《商周史料考證》則以為「坰、耿古文音義同，字通。『祖乙圮于耿』，耿即大『坰』，在定陶」[44]。即今山東定陶縣。《漢書·地理志·襄國縣》下班固自注云：「故邢國。」《讀史方輿紀要》卷十五順德府邢臺縣下云：「襄國城，在今城西南，殷祖乙遷都于邢，即此城也。」明代邢臺縣即今河北省邢臺市。以上四說，唯邢臺一說不僅文獻記載明確，更重要的是還有較多的考古資料作為旁證。自五十年代以來，考古工作者在今邢臺市周圍的曹演莊[45]、南大郭村[46]、尹郭村北區[47]，在邢臺以南的邯鄲澗溝[48]、杜莊[49]以及邢臺以北的藁城臺西[50]等地，發現較多的商代遺址，這些遺址多涵有商代白家莊期文化和殷墟文化的遺存，其相對年代和商王祖乙及其以後商王所處的年代大致相當。其中以曹演莊遺址規模最大，該遺址被京廣鐵路分為東西兩個部分，東部被現代建築所壓，面積不詳；西部遺址面積約20000平方米，在這裏發現有陶窯、房基、窖穴以及大量的石器、陶器和小件銅

[44] 丁山：《商周史料考證》33頁　中華書局1988版

[45] 河北省文物管理委員會：〈邢臺曹演莊遺址發掘報告〉，《考古學報》1958年4期

[46] 唐雲明：〈邢臺南大郭村商代遺址探掘報告〉，《文物》1957年3期

[47] 河北省文物局工作隊：〈邢臺尹郭村商代遺址及戰國墓葬試掘簡報〉，《文物》1960年4期

[48] 北京大學、河北省文物局邯鄲考古發掘隊：〈1957年邯鄲發掘簡報〉，《考古》1959年10期

[49] 鄒衡：《試論殷墟文化分期》，《北京大學學報》1964年4期

[50] 河北省文物研究所：《藁城臺西商代遺址》，文物出版社1985年版

器等商代早期和晚期的文化遺存，看來是當時的手工業作坊和居民生活區，遺址的中心可能在鐵路以東的地區[51]。這處遺址不僅規模巨大，而且位于周商文化遺址群的中心，特別是它與文獻所記古邢國的地望恰相符合，這可能不是偶然的巧合，似與商王祖乙所遷的邢地有著密切的關系。再者，歷年來在邢臺地區還發現有井候夫人《姜氏鼎》、井候將領《臣揀簋》等帶銘銅器[52]，其中《臣揀簋》已確定爲周初銅器。金文井爲邢字本字，容庚《金文編》卷五井字條下：「井，孳乳為邢，國名。」[53]這批銅器的發現，進一步證明了在西周初期，這裏確已成爲邢國所在地。但是周初的邢地當是沿襲著商代的邢地而來，史載商代有邢侯，皇甫謐《帝王世紀》云：「邢侯為紂三公，以忠諫被誅。」殷墟卜辭也記有井地，其辭云：

　　……貞：利在井，羌方弗災？　　　　《小屯南地甲骨》2907[54]

利又稱子利，它辭云：「貞：子利無疾？小告。」（《懷》[55]965）　可知他是商王朝的王室貴族。井地即邢地。羌方是商代的游牧部族，主要生活于太行山以西地區，經常越過太行山進入華北平原，因而對商王朝的西部和北部構成威脅，殷墟卜辭多記有商王朝與羌方發生衝突和戰爭。進入西周以後，羌方又稱爲戎族，也同樣與西周王朝發生衝突，上述《臣諫簋》銘文云：「唯戎大出于軝，井侯搏戎。」李學勤等先生釋云：「此『軝』地當指古代泜水，即今河北省元氏縣南的槐河，位于今邢臺市北。『戎』即文獻所記的『北戎』，他們多數生活在『今山西省的南部和東南部』，此次『東出井陘南下』，而大出于今元氏縣境的泜水流域，邢侯出兵搏戰，有力的證明邢的初封就在今河北邢臺。」[56]此條卜辭所記與《臣諫簋》所記內容性質大致相同，意即商王在某日卜問：利在邢地駐守，羌方不來犯吧？由此可知，至遲在商代晚期，邢地仍是商王朝防御羌方侵犯的一個重地，這個邢地應當就是周初的邢國所在，也就是現在的邢臺地區，根據考古資料和文獻記載，它也應是商王祖乙所遷的邢地。

---

[51] 同注 45。

[52] 李學勤等：〈元氏銅器與西周的邢國〉　《考古》1979 年 1 期

[53] 容庚：《金文編》　中華書局 1985 年版

[54] 中國社會科學院：《小屯南地甲骨》　中華書局 1980 年版

[55] 許進雄：《懷特氏等收藏甲骨文集》　加拿大皇家安大略博物館 1979 年版

[56] 同注 52。

五、釋商與商地

商王祖乙遷于庇，南庚自庇遷于奄，其說見於《太平御覽·皇王部》所引《竹書紀年》；庇、奄二地不見於殷墟卜辭，討論在茲從略。商王盤庚遷於殷，文獻記載略相同，古本《竹書紀年》云：「自盤庚徙殷，至紂之滅，二百七十三年（原作七百七十三年，從朱右曾《汲冢紀年存真》改）更不徙都。」根據對安陽殷墟的考古發掘可知[57]，這個記載基本上是可信的。但是殷墟卜辭只稱殷都爲商而從不稱殷，正如羅振玉所說：「史稱盤庚以後商改稱殷，而遍搜卜辭，既不見殷字，又屢言入商，田游所至曰往曰出，商獨言入……。」[58]卜辭迄今還未發現記有殷地，但是所記商地甚多，它有兩種涵義，其一是指爲王畿，如卜辭云：

南方　　西方　　北方　　東方　　商　　　《小屯南地甲骨》　1126

己巳王卜貞：‥‥歲商受‥‥？王占曰：吉

東土受年？

南土受年？吉

西土受年？吉

北土受年？吉　　　　　　《合集》　　36975

這里把商地置于四方四土之中，顯然它應是指的王畿。但是卜辭所記的商地更多的則是指一個具體的地名，如卜辭云：

丙戌卜，爭貞：在商無禍？　　　　《合集》　7814

貞：不至于商？五月　　　　　　　《合集》7818

貞：勿歸于商？　　　　　　　　　《合集》7820

辛酉卜，尹貞：王步自商，無災？　《合集》24228

癸卯卜，在商貞：王旬無禍？　　　《合集》36550

己巳貞：示先人于商？　　　　　　《合集》28099

由上引卜辭可知，商地顯然又是一個具體的地名；最後一辭的「示」即神主，古代天子出征及巡守必載神主隨行，《禮記·曾子問》：「曾子問曰：『古者師行，必以遷廟主行乎？』孔子曰：『天子巡守，以遷廟主行，載以齊車。』」《尚書·甘誓》：「用命賞于祖，弗用命戮于社。」孔傳曰：「天子親征，必載遷廟之祖

---

[57] 中國社會科學院考古研究所編著：《殷墟的發現和研究》　科學出版社 1994 年版

[58] 羅振玉：《殷墟書契考釋》1914 年石印本

主行，又載社主行。」《左傳·定公四年》云：「君以軍行，被社釁鼓，祝奉以從。」孔穎達疏：「禮，軍行必以廟主社主從。」《史記·伯夷列傳》：「及至西伯卒，武王載木主，號為文王，東伐紂。」返回王都之後，也必送回神主于宗廟和社、夏、周如此，商代也應當如此，可知卜辭「示先入于商」一語，意即商王卜問神主先回歸商邑是否吉利，由此可知商邑必是當時的王都無疑。《詩經·商頌·殷武》云：「商邑翼翼，四方之極。」毛傳曰：「商邑，京師也。」是宋人仍稱自己祖先的都邑爲商邑。

商都之商當源于族名，商族之商當源於該族以祭大火星宿著稱于世而得名。按商字本義，歷來說解不同，《說文·㕯部》云：「商，從外知內也，從㕯，章省聲。」段玉裁注：「從外知內，了了章著曰商。」謂商字有洞悉明察之義。商承祚先生謂商字古文「象架上置物之形」[59]。王玉哲先生謂：「『商』還是以族名爲是。……甲骨文的商字作『』或『』形，上面的『』，即鳳凰的鳳字上部之鳥冠，大概商人以『』代表他們所崇拜的圖騰；而『』，徐中舒先生說似穴居形，所以我們說『商』字似乎是商族用以稱呼自己的族名。」[60]朱芳圃先生則謂「商，星名也。《左傳·襄公九年》：『陶唐氏之火正閼伯居商丘，祀大火，而火紀時焉。相土因之，故商主大火。』《公羊傳·昭公十七年》：『大辰者何？大火也。』何注：『大火謂心』星。字象辛置上，，物之安也。……蓋商人祭祀時，設燭薪于上，以象徵大火之星。或增，象星形，意尤明顯；又增口，附加之形符也。考心宿三星爲東方七宿之一，在房宿之東，尾宿之西，中有一等大星，其色極紅，故謂之大火，商人主之，始以名其部族，繼以名其國邑及朝代。」[61]。以上各說，當以朱說近是。殷墟卜辭「」字從「」從「」，「」象高臺祭壇，「」即辛字，辛字卜辭又寫字（卜辭薛、辥所從之辛多寫作「」），此當爲大火星宿之象形字。大火星宿在天文學上一般指爲東宮蒼龍七宿中的心宿二，但在古代也有把房、心、尾三宿合稱爲大火者，《爾雅·釋天》云：「大辰、房、心、尾也，大火謂之大辰。」邢昺疏：「大辰，房、心、尾之總名也。」郝懿行《爾雅義疏》引李巡曰：「大辰，蒼龍宿之體，最爲明，故曰房、心、尾也。」「大火」以心宿爲主體，此宿位于東宮蒼龍七宿的中心部位，故稱之爲心宿。由于心宿位于大辰三宿的中心部位，最爲明亮，故后人也有單稱此宿爲「大火」或「大辰」者，郝懿行《爾雅義疏》又云：「即言『大辰』

---

[59] 商承祚：《說文中之古文考》　上海古籍出版社 1983 年版

[60] 王玉哲：〈商族的來源地望試探〉，《歷史研究》1984 年 1 期

[61] 朱芳圃：《殷周文字釋叢》，中華書局 1962 年版

房、心、尾，又言心爲『大辰』者，心三星最明大，舉頭即見，故《詩》屢言三星，皆謂心也。」這個解說概括了古人對大火或大辰涵義的兩種看法。房心尾三宿聯接起來，西方人認爲像個蠍子，因此在西方天文學上稱之爲"天蠍星座"，在我國則稱之爲大火或大辰。茲將房、心、尾三宿圖與卜辭商，辛二字字形排列對照如下，以供參考：

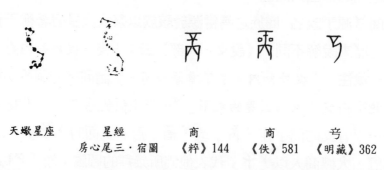

天蠍星座	星經	商	商	亏
房心尾三·宿圖	《粹》144	《佚》581	《明藏》362	

天蝎星座，大火星宿的形狀正與「弓」字字形相同，由此可見，卜辭商字當是一個會意字，象置大火星宿于祭壇之上，作祭祀之形。

大約在公元前 2000 多年前，生活於北緯 35 度左右的黃河中下游地區的人們，在黃昏時刻發現月亮發紅的大火星宿出現於東方地平線上的時候，很快就感覺到氣候變暖，春回大地，從而預示著新的一年的農業生產季節即將到來。這對於主要從事農業生產的人們說，是關乎一年生計的重大問題，於是人們在長期的生產和生活實踐中，逐漸認識和掌握了大火星宿的出沒運行和季節變化之間的密切關係，並由專人負責觀測它的出沒運行情況，以便正確地安排農業生產和生活。對於大火星宿的出現，人們奉爲神靈，舉行隆重的祭祀，實際也是慶祝春季的到來，開始準備春耕播種。正如氣象學家竺可楨先生所說：「對於這些古代最早的農民來說，春季或生長季節的來臨等這種知識，乃是生產上急切所需要的。對于華北尤其如此，那兒的冬季更長、更冷。當公元前二至三千年時，天蝎座的中央部分，包括心宿二─中國的『火』星（按：此星古名『火』或『大火』）─約於春分昏見，這成為一個大的時節。一個特任的官吏守望著這個星宿在東方地平線上的出現。」[62]這個「特任的官吏」就是我國古代所稱作的「火正」，如上所述，關伯就曾擔任「陶唐氏之火正，……祀大火，而火紀時焉。」他曾以觀測和祭祀大火星宿而著稱于世，商字本字正象置大火星宿于祭壇之上，以祭祀之形，因此，以他爲首領的部族就被世人稱之爲「商」族，「商」族者，祭大火星

---

[62] 竺可楨：《竺可楨文集·二十八宿的起源》　科學出版社 1979 年版

宿之族也。以后該族所建立的國家政權就稱之爲商王朝，商王盤庚以后所居的都
邑就稱之爲「商」邑。

商朝王都稱「商」不僅見于卜辭，而且也見于周初的銅器銘文和文獻記載，
《利簋》銘文云：「武王征商，隹甲子朝。」《尚書·牧誓》云：「時甲子昧爽，
王朝至于商郊牧野。」這裏所說的「商」和「商郊」，就是指的商都和商都的郊
區。商都稱殷，始見於《尚書·盤庚》上云：「盤庚遷于殷，民不適有居。」此
文雖屬商代文獻，但已經過周人的訓釋。《逸周書·度邑解》云：「九牧之師見
王于殷郊，王乃升汾之阜以望商邑。」這裏既稱「商郊」爲「殷郊」，又稱商都
爲「商邑」，可知自西周以後，「商」，「殷」才開始混用，稱殷即指爲商，稱
商也即指爲殷。因此商王朝滅亡以后的商都，既稱作殷墟，又稱作商墟，《左傳·
定公四年》：「分康叔以大路，少帛……，命以《康誥》，而封于『殷墟』。」
《史記·衛康叔世家》又云：「封康叔爲衛君，居河濟間故『商墟』。」關於殷
墟和商墟的地望，文獻記載有二：其一在安陽，《史記·項羽本紀》：「項羽乃
與期洹水南殷墟上。」《集解》引應劭曰：「洹水在湯陰界，殷墟，故殷都也。」
又引臣瓚曰：「洹水在今安陽縣北。」《索隱》又引《汲冢古文》云：「盤庚自
奄遷于北蒙，曰殷墟，南去鄴州三十里。」東漢的湯陰即今河南省湯陰縣，當時
的安陽在湯陰縣境。《水經·洹水》：「洹水"又東北出山過鄴縣南。」酈道元
注：「洹水出山東逕殷墟北。《竹書紀年》曰：『盤庚即位，自奄遷于北蒙曰殷。』」
楊守敬疏引《括地志》云：「相州安陽縣本盤庚所都，即北蒙殷墟。」《大清一
統志·河南彰德府》古迹條下：「殷墟，在安陽縣北。」又云：「鄴縣故城在臨
漳縣西。」清代安陽縣即今河南省安陽市，臨漳縣即今河北省臨漳縣，鄴縣故城
今稱作鄴鎮，在今臨漳縣西。商代故都殷墟所在，根據半個多世紀以來幾代考古
學者的調查和發掘，現已得知，它「位于今河南省安陽市西北郊，橫跨洹河南北
兩岸及其附近的２０多個自然村」地區。其「範圍東西長約６公里，南北長約５
公里，總面積約有３０平方公里」[63]，在這裏「先後發掘了小屯村的宮殿遺址，
武官村，侯家莊的殷王陵，貴族墓葬和殺殉祭祀坑，梅園莊，北辛莊的平民墓區
和鑄銅，制骨作坊遺址等。出土了大批青銅器，玉器，骨器，陶器，石器和甲骨
刻辭等」[64]。所有這些都證明安陽「殷墟，是我國商王朝后期的王都」[65]這是明確
無誤的。其二在淇縣朝歌，《漢書·地理志》河內郡下：「朝歌，紂所都；周武

---

[63] 同注 56 前言。

[64] 國家文物局主編：《中國文物地圖集·河南分冊》269 頁　中國地圖出版社 1991 年版

[65] 同注 56 前言。

王弟康叔所封，更名衛。」杜預《左傳‧定公四年》注：「殷墟，朝歌也。」《史記‧衛康叔世家‧會注考證》引張守節《正義》云：「康叔為衛君，居河，淇間故商墟，即朝歌是也。」《水經‧淇水注》：「淇水又東，右合泉源水。水有二源，一水出朝歌城西北，……。今城內有殷鹿臺，紂昔自投于火處也。」楊守敬疏引《漢書‧張良傳》注：「臣瓚曰：『鹿臺，臺名，今在朝歌城中。』」歷年來考古工作者曾在這裏發現一些商代晚期的青銅器和陶器等遺物，作為都城的遺跡尚有待於進一步的調查和發掘，但是文獻記載比較明確，這裏應是商代末期的又一處都邑。

以上所述兩處殷墟，都應是殷墟卜辭中所稱的「商」邑，大致上一至四期卜辭所記的「商」邑當指為安陽殷墟，商王朝末期開始出現新舊並存的兩處商都，與此相應，五期卜辭中出現「大邑商」，「天邑商」和「商」等地名，其中「大邑商」、「天邑商」是對舊都的尊稱，指為今安陽殷墟，而「商」則當指為新都[66]，即今朝歌墟，它與周初銅器銘文和文獻所記的商地是完全一致的。

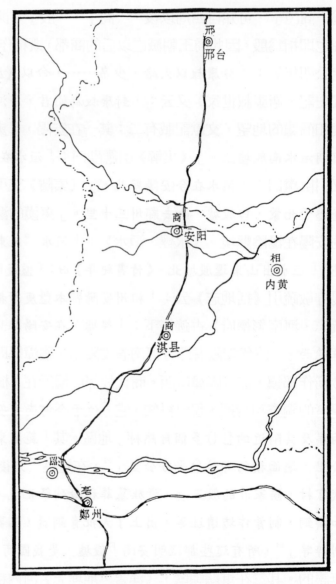

商代都邑示意圖

[66] 詳見鄭杰祥《商代地理概論》4-18 頁　中州古籍出版社 1994 年版

午組卜辭研究

黃天樹[*]

提要

　　本文主要討論午組的內容和時代。在內容一節中，考察的內容有：（1）家族居地。（2）宗廟與祭祀。（3）家族及其內部情況。（4）家族武裝與軍事活動。（5）家族經濟活動。（6）家族與商王的關係。通過全面考察，可以知道，午組的主人（即占卜主體）是一位和商王有著較密切血緣關係的王室成員。所以「非王卜辭」實際上是一種「王室成員的卜辭」。在殷墟卜辭中，占卜主體為商王的卜辭是「王卜辭」；其餘的殷墟卜辭，即便占卜主體是王室成員，也均可歸入非王卜辭。午組即屬非王卜辭。有些甲骨學者稱「王卜辭」為「王室卜辭」是不正確的。非王卜辭的占卜主體可以是王室成員，這一點不能成為否定「非王卜辭」這一名稱的根據。在「時代」一節中，通過對稱謂、人名、事項等諸方面的考察，我們推定午組上限可上及武丁早、中期之交，下限可延伸至武丁晚期之初。

　　午組卜辭這一名稱是陳夢家先生在《殷墟卜辭綜述・斷代》一書中首次提出來的。他說：「所以稱它們為午組者，一則它們字體自成一系，不與賓、自、子三組相同；二則其稱謂也自成一系」（162頁）。可見陳氏對於午組不是根據貞人系聯而是根據字體和內容把午組第一次從董作賓先生的「文武丁卜辭」中劃分出來的，並判定其屬於武丁時代，這是陳氏的創見。午組的「午」雖然不是貞人名（詳拙文〈關於午組卜辭貞人的考察〉，待刊），本文仍採用午組卜辭這一名稱。

* 黃天樹，福建莆田人，1949 年生。高中畢業後，因「文革」而下鄉、做工。1978 年考入陝西師範大學中文系，對中國古文字產生了濃厚的興趣。大學畢業後報考古文字專業研究生，1985 年獲碩士學位。為了繼續深造，1985 年又考入北京大學中文系，跟隨裘錫圭師學習古文字，1988 年獲博士學位。同年分配到陝西師範大學中文系任教。1995 年調入北京，現任首都師範大學中文系教授。主要從事古文字學和古代漢語等方面的教學和研究工作，著有《殷墟王卜辭的分類與斷代》（台北文津出版社 1991 年）等。

一、午組卜辭的特徵

　　午組卜辭約 200 片左右（未計入 1991 年花園莊新出土資料），集中出於小屯 YH127 坑。此外，YH448 以及 1973 年小屯南地、1991 年花園莊東地、南地也出了一些。午組卜辭龜骨並用，但以卜甲居多。書體風格是「好用尖銳的斜筆」（《綜述》162 頁），基本沒有曲筆，異體字比較多。字形的特點是：貞多作鼓腹斜耳的󠄀，少數作稍寬方耳的󠄀或󠄀（屯 2672），于作󠄀，少量作󠄀（合22044），其作尖底的󠄀、󠄀，不作上邊有橫劃的󠄀，重作󠄀、󠄀，用作󠄀，以作󠄀（合 22063），牢作󠄀，羊作󠄀，歲多作橫劃不出頭的󠄀（合 22310），燎作兩側不加火點的󠄀（合 22074），與典賓類作󠄀、出二類作󠄀、歷組作󠄀等不同，󠄀作󠄀（參看《古文字論集》317 頁注 21），祭名侑和有無之有多作󠄀，少量作又（合 22092、21772），司省去口形作󠄀（合 22044）、󠄀（合 22049），六作󠄀，乙作󠄀，丁作󠄀，戊作󠄀、󠄀，庚作󠄀、󠄀、󠄀，甲子之子作󠄀，辰作󠄀（合 22055）、󠄀（合 22077），午作󠄀或󠄀，未作󠄀、󠄀，申作󠄀等。可舉合22093、22043、22074、22099、22186、22191 等為標準片。

　　午組前辭多作「干支卜貞」和「干支卜」兩種。偶爾作「干支貞」（合 22439、22437）、「干支」（合 22065）、「干支＋時間辭＋卜」（合 22093、22048）。占辭不多見，一般單刻於卜辭旁，可以看作是一種簡化了的占辭，見合 22413、22109、22067。驗辭僅看到二例，見合 22104、22476＋22477（筆者綴，見〈甲骨新綴〉，《文博》1998 年 1 期，頁 39－40）。序辭常見，見合 22049、22078、22065、22046。用辭（指占卜事項取用與否的專用辭）也較常見，見合 22116、22060、22074、22187、22045。

二、午組卜辭的內容

(一)、家族居地

　　商人宗族都有自己的屬地。裘錫圭先生指出：「在商代，也許還不存在跟周代完全同義的『大宗』、『小宗』的名稱。但是，商王跟多子族族長們的關係，在實質上顯然就是大宗跟小宗的關係。從王是帝之元子這個意義上說，商王跟周王一樣，也是天下之大宗。」（《古代文史研究新探》306 頁）。在卜辭中，商

王的家族可稱「王家」，如「丁巳卜斾弗入王家」（屯332，歷二）；又稱「我家」，如「貞我家舊老臣亡蚩我」（合 3522，典賓）。商人各宗族之家族或其居地也可稱「家」：

（1） 家亡歷？○又其歷？　屯2672〔午組〕

歷，讀爲「震」。卜辭大意是卜問家族居地是否安寧。

午組家族是一個大的宗族，其下包含若干小的宗族。從下列這條午組卜辭看，小的宗族有自己所居的城邑：

（2） 壬戌卜：子夢見邑卒父戊？　合22065〔午組〕

子夢，人名，是小宗的族長。見，讀爲獻，義爲奉獻。邑卒，當指子夢所居之邑捕獲的俘虜。卜辭大意是說：子夢將其邑裡捕獲的俘虜作爲人牲奉獻給父戊作祭品好嗎？

（3） 戊寅卜：朕出，今夕？　合22478〔午組〕

朕，第一人稱代詞。有一條午組卜詞說「丙子卜貞朕臣商」（屯 2672），意思是講「我臣屬於商王」，說明午組卜辭中的「朕」不是指商王而言的，是指午組家族的族長。出，與「入」相對，（3）中的「出」應指離開家族所居之地外出。

根據上面的分析，可以對午組家族的居地得出這樣三點認識：1、午組家族是由若干小宗族構成的一個大家族。大宗族和小宗族都有自己的居地。2、其居地設有可資防守的城牆，並有宗族武裝防衛。3、小宗族對午組大家族有納貢的義務，如「獻邑卒父戊」即其中之一。

（二）、宗廟與祭祀

午組家族在其居地內建有自己的宗廟：

（4） 己卯卜：午（禦）于多亞？　合22305〔午組〕
（5） 𤰔（興）于宗北？　合22072〔午組〕

亞，是舉行禦祭的場所，即廟室。與「其禦于父甲亞」（合30297，無名組）之「亞」義同。（4）辭卜問是否要在「多亞」（多位先人廟室）舉行禦祭。（5）

中的 ᚼ，或釋「受」，非是。午組「受」字寫法與此不類（參看合 22075、22092）。
疑 ᚼ 爲 ᚷ 之省，即「興」字。興，是午組卜辭常見的祭名（合 22044）。（5）
辭的大意是說：在宗廟的北面舉行「興」祭好不好。據（4）、（5）可以知道：
午組家族擁有自己的宗廟。

午組家族的族長對祭祀十分重視：

（6）　庚午卜：叀斧再（稱），呼帝屖（降）食，受又（祐）？
　　　　合 21073〔午組〕

再，即稱字，訓爲舉。帝，上帝，商人所謂上帝，即是至上神，也是宗祖神。《甲
骨文字釋林》說：「乎帝降食，是呼籲上帝降臨受享，以祈福祐」（343 頁）。

（7）　工（貢）乙狐？○工乙羊？　合 22467〔午組〕
（8）　虫歲于受，工牢？　合 22075〔午組〕

（7）是午組祭祀先人某「乙」時，選卜究竟貢獻牡豕好呢？還是貢獻羊好呢？
（8）的「工牢」即「貢牢」。由此可見該家族對於祭祀所用的牲種十分注意。

（9）　壬辰卜：帥羴于妣乙龏？○壬辰卜：婦羴毓，亡囚？○庚子卜貞：
　　　　於羴帥，亡囚？　合 22077〔午組〕

於，從攴，九聲，可隸作攺，與王卜辭中的「寇寢」（合 319、22548）之「寇」
是同一個字。《甲骨文字釋林·釋寇》說：「寇字均作動詞用。寇寢而用人牲或
物牲，是搜索宅內，以驅疫鬼之祭。」（9）辭是爲婦羴舉行驅疫鬼之祭的。

關於午組的祭祀對象，陳夢家、李學勤先生都做過整理和討論（見《綜述》
162 頁至 165 頁；《考古學報》1958 年 2 期 63 至 65 頁）。我們這次重新整理、
訂補如下。與大致同時的賓組、自組的祭祀對象相較（參看《殷墟甲骨刻辭類纂》
1361 至 1473 頁），可以把午組的祭祀對象大致分爲兩類：

1、同於賓、自組的（有些名同可能實異）：
祖丁　　　　　　合 22184、英 1916
祖戊　　　　　　合 22047、22050、22052
祖庚（庚祖）　　合 22044、22045、22079
祖章　　　　　　合 22184
妣丁　　　　　　合 22069、22070
妣己（己妣）　　合 22050、22206、22112

妣辛	合 19899、22048、屯 2248
妣壬	合 22050
妣癸	合 22048、22050、22074
父乙	合 22083 甲、乙
父丁	合 22046、22056、22093
父戊	合 22045、22065、22101
南庚	屯 2118
盤庚（？）	屯 2671
母庚	屯 2673
下乙	合 22088、22044、22176
入（內）乙	合 22060、22078、22094
乙	合 22467、22078、22094
卜丙	合 22066
天戊	合 22054
庚	合 22048

2、午組獨有的：

祖己	合 22055、22056
祖壬	合 22044、22050
祖癸	屯 2771
三祖庚	合 22188
四祖口	合 22057
妣乙	合 22045、22066、屯 2238
父丙	合 22098
父己	合 22100、22074、22184
母戊	合 22076、22206 乙
兄己	合 19775、19776、22075
兄癸	合 22196
子庚	合 22044、22046、22080
子竹	合 22045
子𣎵	合 22067
石甲	合 22116、22119 甲、屯 2671
上乙	合 22160
侖乙	屯 2698
莫乙	合 22091 甲
內戊	合 22050

司戊	合 22044、22049
內己	合 22044、22055
司己	合 22092、22212
上庚	合 22073
天	合 22055、22453、屯 2241
武	合 22075
受丁	合 22092

從午組的祭祀對象看，既有同於王卜辭賓組、自組的，又有自己獨有的一套祭祀對象。這表明午組家族是一個和商王武丁有著血緣關係、又相對獨立的同姓的父權大家族。

（三）、家族及其內部情況

午組卜辭中提到「子」，例如：

（10） 壬申卜貞：㞢（有）事？

　　　　壬申卜：子其亡事？　合 22069〔午組〕

（11） 囗申卜：𥂤禦子自祖庚至于父戊抑？　合 22101〔午組〕

子、指占卜主體之貴族，即該家族的族長。「子」一方面屬於商王，如「朕臣商」（屯 2672，午組）；另一方面又有遣使、呼令他人的大權，如「今夕遣」（屯 2770，午組）。

除了大族長「子」之外，組成該家族的成員主要有二類。第一類：子夢（合 22065、22145）、子亳（合 22276、22145）、𠂤（𥑊，合 22086、22088）、量（合 22097、22092）。第二類：婦石（合 22099）、婦𢼊（合 22077）、娘（合 22099）、姜（合 22099）、𦉪（合 22099）。第一類是「子」的弟輩或子輩。第二類是「子」的妻妾、弟媳或兒媳。這裡所列舉的家族成員有二個先決條件，一是他必須是生存的人物。二是該人物必須為午組家族所獨有。

大家知道，在王卜辭裡，常常舉行一種「求子」的「桒生」儀式，這是商王祈求王族人丁興旺。午組中也有舉行「桒生」的卜辭，例如：

（12） 戊申卜：桒生五妣于已于父乙？　合 22100〔午組〕

（13） 乙未卜：于妣壬桒生？○于妣辛？○于妣癸？○于妣己桒？○于妣壬桒？　合 22050〔午組〕

（14） 丁巳卜：若翌（？）告子？〇戊午卜貞：婦石力（嘉）？十月。〇戊午卜：婦石嘉？〇戊午卜：娘嘉？〇戊午卜：姜嘉？〇戊午卜：笅嘉？〇辛酉卜：罢率𡳾生？ 合22099〔午組〕

（15） 戊午卜：𣅀率生？三月。 《考古》1993年6期499頁〔午組〕

是午組家族爲期盼家族人丁興旺而舉行率生儀式。

（四）、家族武裝與軍事活動

午組家族擁有自己的宗族武裝，時常進行軍事活動。例如：

（16） 丁未卜：其𢀛戎，翌庚戌？

丁未〔卜〕：不𢀛戎，翌庚戌？ 合22043〔午組〕

（17）口口卜：𢦏？允𢦏。月一。 合22477＋22476〔午組〕

（16）的「戎」，在此泛指戎敵。（17）的「𢦏」，戰勝之義。卜辭是說在一月的某日占卜，命辭問「能戰勝嗎？」驗辭記錄果真戰勝了敵人。

該家族征伐異族的目的，從下列卜辭分析，一是擄掠異族作爲從事勞作的奴隸；二是在祭祀中殺之以爲犧牲。

（18） 丁丑卜：余米直𠬝？ 屯2240〔午組〕

（19） 壬寅卜：余𠂔（倒書）直于父丁𠬝，以戈？

來癸用𠬝于妣癸，石𠬝？ 合22048〔午組〕

（20） 癸未卜：午（𢍏）余于祖庚，羊豕𠬝？

于祖戊𢍏余，羊豕𠬝？ 合22047〔午組〕

（21） 夢𢍏高于妣乙𠬝、鼎？ 合22145〔午組〕

（22） 丁卯卜：用𠬝于兄己？ 合19776（19775同文）〔午組〕

（23） 𠬝于京己妣？ 合22143〔午組〕

（24） 口巳卜：于口己羌五？ 英1918〔午組〕

（25） 辛己卜：叀羌口于口？用。 合22067〔午組〕

（18）的「余」，占卜主體自稱。直，動詞，《說文》：「正見也。」此當省視講。𠬝，俘獲的人牲。米字，午組卜辭中數見，多爲殘辭（合22103、20340）。與（19）參互比照，都用在動詞「直」之前，疑即《說文》「釆」（音辯）字，讀爲「審」，當慎重、謹慎講。上引（18）至（23）的「𠬝」和（24）（25）中的「羌」，都是午組家族通過軍事手段，擄掠來準備在祭祀中殺之以爲犧牲的俘虜。

（五）、宗族經濟狀況

午組有獨立的宗族經濟，下列卜辭可能與農業有關：

（26）　丙戌卜：攺？　　合22088〔午組〕

（27）　乙丑卜：降又雨？　　合22487〔午組〕

（28）　余曰貞：我邘其□□，其雨，聞（？）？　　合22105＋22424〔午組〕

（29）　己攺？○乙亥卜：燎于土，雨？○壬辰卜：雨？　　合22048〔午組〕

（26）至（28）都是占卜氣象的。從（29）卜問「燎于土，雨」看，是祈雨之辭，當與農事有關，反映該家族族長十分關心穀物的豐收。

午組中有關田獵的卜辭僅見下列一條（也可能與農事有關）：

（30）〔丁〕未卜貞：其田于東？○丁未卜：田于西？○庚戌卜貞：余令陕比羌田，亡㫃？○庚戌卜？往田東？○往南？○庚戌卜貞：比羌田于西？㫃？　　合22043〔午組〕

有關畜牧業的卜辭比較常見，例如：

（31）　庚戌卜：朕耳鳴，㞢禦于祖庚羊百㞢用五十八，㞢冊用戕，今日？　　合22099〔午組〕

（32）　丙子卜：秦牛于祖庚？　　合22186〔午組〕

（33）　丁未卜貞：令戌、光㞢獲羌豞五十？　　合22043〔午組〕

（34）　乙酉卜：以（？）豞？　　合22062反〔午組〕

（35）　戊戌㓭我牛于川臤？　　英1921〔午組〕

（31）是占卜主體因患耳鳴而一次用158隻羊來祈禳，表明該家族族長地位高、權勢大，並擁有頗大的畜群。（32）是祈禱祖先佑助，使家族的牛牲興旺。上引諸辭表明該家族的畜牧業十分發達。

（六）、家族與商王的關係

午組家族臣屬於商王室，請看下列卜辭：

（36）　丙子卜貞：朕臣商？　　屯2672〔午組〕

該家族對商王是有貢納的義務：

（37）　□□卜：余□□又（有）工（貢）□□戊午？　合21772〔午組〕

午組家族與商王室的關係，從我們所看到的午組卜辭來看，主要是「占王事」，
例如：

（38）壬申卜貞：子唯占？○弜占？○壬申卜貞：亞雀占？月一。　合22086
　　　〔午組〕

「子唯占」和「亞雀占」係對文，可以看出「子」和亞雀的地位相當。占，很可
能是「占王事」之省。「占王事」即勤勞王事。（38）辭卜問是由午組的族長「子」
還是由亞雀勤勞王事好？

　　通過上面對午組卜辭內容的全面考察，不難看出，午組確屬「非王卜辭」。
在此，我們重申：「王卜辭」的主人是「王」；「非王卜辭」的主人是「子」，
這二種不同性質的卜辭是既有區別又有聯係的。由於午組等非王卜辭的主人
「子」是一位和商王有著較密切血緣關係的王室成員，所以「非王卜辭」實際上
是一種「王室成員的卜辭」。有些甲骨學者稱「王卜辭」爲「王室卜辭」是不正
確的。非王卜辭的主人（即占卜主體）可以是王室成員，這一點不能成爲否定「非
王卜辭」這一名稱的根據。有興趣可參看拙文〈關於非王卜辭的一些問題〉（《陝
西師大學報》1995年4期125至131頁）。

三、午組卜辭的時代

　　關於午組卜辭的時代，各家說法最爲分歧，幾乎涉及到董作賓先生五期分
法中的每個時期。僅就我們所知道的，即有盤庚、小辛、小乙說；武丁說；祖庚
祖甲、廩辛康丁說；武乙、文丁說；帝乙說。各家說法請參看《甲骨文與殷商史》
第三輯179頁和233至234頁的注27至注31。

　　隨著新資料的出土和研究的深入，現在多數的學者都傾向陳夢家先生的「武
丁說」。我們同意陳說，但是對於陳氏的午組「早於賓組」等觀點（詳下），仍
持有不同看法。因此，對午組的時代作進一步深入的研究，應該說至今仍有必要。
下面，擬在前人研究的基礎上，對午組卜辭從主要稱謂、人名、占卜事項、坑位、
鑽鑿、卜骨修治、文例等諸方面作一綜合考察，以確定午組具體屬於武丁「五十

有九年」（《書・無逸》）中的哪個階段。

陳氏在《綜述》（頁 33）中指出：「午組很特別。現在我想它可能比賓組早一些，下列的現象或許可以幫助我們：（1）它沒有足以決定為武丁卜辭的父甲、父乙（即武丁父輩陽甲、小乙）和母庚（即小乙配）的稱謂，……而午組若不是和賓組同時，又異於較晚的自、子兩組，即有可能早於賓組。我們所作的推論，僅止於此。」

實際上。午組是有父乙和母庚稱謂的，見於合 22083、屯 2673。如前所述，午組的「子」和商王有著較密切的血緣關係，因此，午組的父乙和母庚與賓組所指很可能是一樣的，即父乙指武丁之父小乙，母庚指小乙之配。那麼，從父（母）輩的稱謂上可以推定午組屬武丁時代，而且可以推斷午組的占卜主體「子」不僅是與商王同姓的族長，而且和商王武丁輩分相同，很可能是從父弟兄。過去由於受資料限止，有學者認為「乙種子卜辭（樹案：指午組）的祭祀對象，除了一個『下乙』和武丁王室卜辭相同外，幾乎完全是另一個系統，……乙種子卜辭的子與王室血緣關係較遠」（《古文字研究》第一輯 328 至 329 頁）。現在看來與卜辭實際不符。下面我們擬從人名、占卜事項等諸方面來作一綜合考察，以推定午組卜辭的具體時代。

先談午組的人名。

午組有不少生存著的人物，如：王、子、亞雀、夫、𠂤、汝、家、子夢、斤、陜、石、量、束、𠀠（𡩟）、戍、光、新、亳、㲋侯、婦石、婦辛（𡚼、倖）、娥、姜、罭、笭等。在這些人物中，有些人物僅見於午組，對於斷代的作用不大，本文不予討論。有些人物既見於午組又見於其他類別的卜辭，對於考察午組與其他類別卜辭的關係很有幫助，需要討論如下：

亞雀（又稱雀）這個人物既見於前引（38）「亞雀占（王事）」的午組卜辭中，又見於下列各類王卜辭中：

（39）　口辰卜口雀占朕中（事）？二月。于盉。　合 10035（鐵 89・1、前
　　　　6・56・5略同）〔自賓間〕

（40）　雀占王事？　合 10125〔賓一〕

自賓間類、賓一類都是時代較早的武丁卜辭（參看拙著《殷墟王卜辭的分類與斷代》95 至 112 頁，50 至 64 頁）。裘錫圭先生指出：「雀這個人名沒有在賓組晚期和出組卜辭裡出現過，而他在前辭常做『干支卜』的賓組早期卜辭中則是屢見的，在自組卜辭中也出現過。他的活動時期顯然要略早於沚或、望乘等人。」（《古文字論集》302 頁）從卜辭看是可信的。因此上舉（38）等午組卜辭的下限當然不會晚到武丁晚期，很可能是武丁中期之物。

「夫」這個人物見於午組卜辭「乙酉卜貞：夫亡囚」（合 22309），又見於下列各類王卜辭中：

（41）　□未卜〔貞〕，夫□疾？　合 13756〔自小字〕

（42）　戊戌卜徝：徎令夫，弜爰？　合 20165（合 20166、4414 略同）〔近似自組〕

（43）　貞：王求牛于夫？○貞：勿求牛于夫？○夫入二，在𧥓。　合 940 正反〔典賓〕

𠂤這個人物見於午組卜辭「令𠂤復出」（合 22048），又見於下列各類王卜辭中：

（44）　□亥卜王貞：弜弗其以𠂤罙奠？　合 8988〔自小字〕

（45）　甲午貞：其祝𠂤于父丁百小牢？　屯 4404（合 32923 略同）〔歷二〕

（44）是自組小字類。奠，動詞，多指對臣服者的安置。「以𠂤罙奠」似應是「帶著𠂤一起執行奠的任務」的意思（參看《集刊》64 本 3 分 671 頁）。（45）是歷組二類，有「父丁」稱謂，以晚至祖庚時代。因此上引「令𠂤復出」午組的下限可能延伸至武丁晚期。

妭這個人物見於午組「丁亥卜：妭虫（有）疾，其川」（合 22098），又見於典賓類甲橋刻辭中，見英 30 反、文錄 743 反、292 反等。

「虎」這個人物見於午組「戊午：祝虎于妣乙叀盧豕」（合 22065）又見於典賓類（合 9273）、賓三類（合 16496、16523）王卜辭中。

「家」這個人物見於午組「乙酉卜：祝家于莫乙五牢鼎用」（合 22091），又見于賓組三類卜辭（合 18722）中。

現在把上述「人名」小結如下：從亞雀、夫，可以推斷午組的上限可以上及武丁早、中期之交。從𠂤、妭、虎、家，可以推知午組的下限可以延伸至武丁晚期。此外，也說明午組與王卜辭的關係較爲密切。

再談占卜事項。

在午組卜辭裏還可以看到一些與賓組等相同的占卜事項。有一些午組卜辭與賓組等甚至可以肯定是同卜一事，這對判定午組的時代是非常有用的。

（46）　乙巳卜貞：石疾，不延？　合 22092〔午組〕

（47）　丁巳卜：祝石〔于〕子庚豕？　合 22069〔午組〕

（48）　辛酉卜：祝石？　合 22105＋22424〔午組〕

（49）　石卟于庚？　○壬寅卜：𠂤、石卟于妣癸盧豕？　○來癸用反于妣癸，
　　　　石反？　　合 22048〔午組〕

（50）　壬寅卜：卟石于戊？　○卟石于安豕屮口？　　合 22094〔午組，其中
　　　　「壬寅」一辭近自組〕

從（46）可知人物「石」患病，因此（47）至（50）爲「石」舉行禦祭。其中（50）
「壬寅」一辭字體近似自組大字，這是午組與自組大字同卜一事，表明二者至少
有一段時間共存。（49）「石反」是指從石的領地送來的俘虜。卜辭的大意是說：
到癸（卯）用人牲祭祀妣癸時，選用從石的領地送來的人牲好嗎？

　　和午組（49）「石反」相關的，還見於賓組卜辭：

（51）　貞：雀以石係?　○貞：雀不其以石？　　合 6952〔賓一〕

（52）　石以羌?　囗月。　　合 284（合 282 對貞）〔典賓〕

（51）是賓組一類。係，甲骨文字形象人的頸部被縛係形。「石係」與「石」對
貞，故知（51）中的石當是「石係」之省。言「石係」者，是爲了區別於「㕛正
化以王係」（合 1100）中的「王係」以及其他貴族所捕獲的俘虜的。上引午組
（49）、賓一類（51）、典賓類（52）所卜事類是相關的，反映三者之間關係較
爲密切。

　　上引午組卜辭（49）中還提到一位叫做「𠂤」的人物。此人又見於下列各
王卜辭中：

（53）　己卯卜貞：𠂤比邲囦（葬）義？　　合 17176〔自賓間〕

（54）　戊戌卜殼貞：𠂤祀𫝆（今）來秋？　　合 9185（9186、天理 B072 同
　　　　文）〔典賓〕

（55）　☑貞：𠂤〔祀〕今〔來〕秋？　　合 1403〔賓三〕

（53）自賓間類，卜辭大意是說：𠂤跟邲一起去葬義好嗎？（54）是典賓類；（55）
是賓組三類，二者同卜一事。

　　有一批圍繞著人物「𠂤」而占卜的卜辭：

（56）　貞：𠂤其屮囚（憂）？　　合 816 正〔賓一〕

（57）　乙卯卜貞：𠂤亡囚？　　合 4810〔賓一〕

（58）　癸未〔卜〕：𠂤口疾?　　合 4808〔賓一〕

（59）　乙巳卜殼貞：𠂤亡〔疾〕？　○戊貞：五旬屮一日庚申朕𧌏。　　合 13751

　　　　正〔典賓〕

（60）　貞：𤰝其有疾？王固曰：「𤰝其有疾，重丙不庚。」二旬出七日庚
　　　　申朕🐛。　　合 13752〔典賓〕

（61）　重禦𤰝牛于天？　　屯 2241〔午組〕

（62）　庚☒禦☒𤰝☒　　合 22106〔午組〕

（63）　壬申卜：𤰝于✕午（禦）？　　合 22186〔午組〕

　　（56）至（60）賓組。（61）至（63）午組。（59）（60）同卜「𤰝有疾」一事。
從驗辭看，（59）有「五旬又一日」，（60）有「二旬又七日」，可知𤰝生病的
時間拖的很長。朕🐛，楊樹達先生《積微居甲文說・喪朙》讀爲「喪朙」。（59）
腹甲上還刻有「三㞢出二牛」之辭，應當是因𤰝患病而舉行禦除災殃而用的犧牲，
說明商王對此事極爲重視。（61）至（63）的午組卜辭也多次爲𤰝舉行禦祭，說
明午組家族族長對此事也極爲重視。這批卜辭占卜的時間應當相距不會太遠。值
得注意的是，上引（56）腹甲正面尚刻有「于父乙多介子㞢」、「㞢犬于父辛多
介子」之辭，由此可以斷定是在武丁之世。具體的時間，從賓組的類別爲「賓一」、
「典賓」來看，可能在武丁中、晚期之交。
　　午組卜辭中有一位人物「陕」（或做「陕」，是一字異體，指同一個人，
參看合 10613 自明）：

　　（64）　庚戌卜貞：余令陕比羌田，亡囚？　　合 22043〔午組〕

我們過去在討論自組小字類時代時，曾經指出有一批占卜「呼取陕」等的卜辭，
既見於自組小字類又見於典賓類，參看拙著《殷墟王卜辭的分類與斷代》149 至
150 頁。下面，再補充一批呼令「陕」的資料：合 22246（婦女卜辭）、13887、
6050、5473、5708、5709＋4366、376、天理 S169（以上典賓）、合 32926（歷
二）。分析上述資料可以看出：「陕」既是商王武丁的一個臣屬，受商王「呼」、
「令」；同時又是午組、婦女卜辭族長的下屬，也受午組等商人諸宗族族長的
「呼」、「令」。
　　上引（64）午組腹甲上還有一條內容很重要的卜辭：

　　（65）　丁未卜貞：令戉、光出（有）獲羌𠬝五十？　　合 22043〔午組〕

另有一條午組卜辭與（65）有關：

　　（66）　甲辰卜貞：戉以〔羌〕𠬝？　　合 22104〔午組〕

（65）（66）午組卜辭又和下列這條賓組卜辭相聯係：

（67）　甲辰卜亘貞：今三月光呼來？王固曰：其呼來，气至，唯乙。旬有
　　　　二日乙卯，允友來自光，以羌芻五十。　　合94正〔典賓〕

羌芻，是指為牲畜打草的羌族芻人。（65）（66）是午組。（67）是典賓類。二者卜日相近，有共同的人物「光」，所言羌芻數目都是五十，當是圍繞同一件事而占卜的。尤其值得注意的是：午組（66）與典賓類（67）的卜日都是甲辰。因此可以說在甲辰這一天，商王武丁與午組家族族長為同一件事而占卜，只是二者的占卜主體不同而已。

聯繫上引（65）至（67）三條卜辭，可做出如下的推測：三月甲辰日，商王武丁通過占卜決定呼令光來致送羌族芻人；就在同一天甲辰日，午組家族族長也呼令戍來致送羌族芻人。三日之後的丁未日，午組家族的族長令光和戍去擄掠羌芻五十人。八日之後的乙卯日，光完成了這一命令，派人來送了五十羌族芻人。

如果不是把午組當作「非王卜辭」來看，那麼，一定會認為上引（65）至（67）的占卜主體是同一個人。現在，既然知道一是「王卜辭」，一是「非王卜辭」，二者占卜主體是不同的，那麼，為何二者都要為致送羌族五十人而共同占卜呢？我們認為：商人宗族對商王朝是要承擔一定義務的，其中就包含要為商王朝服芻牧之役。因此，為商王服芻牧之役的午組占卜主體也關心致送羌芻一事就很好理解了。

下面，對上引（65）（66）午組卜辭的時代作一推定。拙著《殷墟王卜辭的分類與斷代》（42至47頁）曾推斷典賓類的上限在武丁中、晚期之交，下限可以延伸至祖庚之初。那麼，與午組（65）（66）同卜一事的典賓類（67）的時代是早還是晚呢？由於典賓類（67）卜骨上尚刻有占卜「婦好有子」的生育卜辭，說明此時婦好的年紀尚輕。因此這版典賓類卜骨的時代不會太晚。據此，我們認為上引（65）（66）午組的時代大約在武丁中、晚期之交。

上引（65）（66）午組卜辭中出現的人物「戍」和「光」，是賓組卜辭中常見的活躍人物。下面是有關「戍」或「光」「獲羌」的卜辭，例如：

（68）　□□卜殼貞：戍獲羌？　　合171（172、173、174、176、177同文）
　　　　〔典賓〕

（69）　貞：光獲羌？　　合182（183、184、185大致同文）〔典賓〕

（70）　☑光☑來羌☑　　合245正〔典賓〕

《說文》：「羌，西戎牧羊人也。」因其擅長牧養牲畜，故殷人時常掠取羌人做「羌芻」。「羌」和「羌芻」有時可以互用，例如有一條典賓類卜辭說：「☐貞：☐伲至告曰㞢來以羌？之日伲至告㞢來以羌芻☐」（英756）。正面卜辭說伲來報告說，㞢會來致送羌人。背面驗辭說：到了那一天伲果然來報告說，㞢來致送羌芻。因此（68）至（70）可能與前引（65）至（67）在內容上是有聯係的，也就是說相距的時間不會太遠。（68）至（70）都是清一色的典賓類，說明午組晚期部份與典賓類的早期部份卜辭有一段時間是共存的。也就是說，午組的晚期卜辭可延伸至武丁晚期之初。

最後，我們把比較的範圍再擴大到人名、占卜事項之外，從以下十個方面來考察午組卜辭的時代：

1.坑位

午組卜辭出土於早期地層和灰坑，絕對年代約在武丁時代（參看《考古》1979年6期511頁；1993年6期499頁）。

2.鑽鑿型態

午組屯2240、2238等鑽鑿型態，在賓組的許多卜甲中亦可見到，參看《考古》1979年6期512頁。

3.不同類卜辭見於同版

合22093、22094卜甲上午組與近似𠂤組肥筆類字體同版。

4.卜骨修治

據有關學者研究：胛骨的修治比較粗糙，不切除臼角，是早期的特徵（《集刊》46本1分99至154頁）。午組卜骨從搨本觀察是不切除臼角的，參見合22184、22116、22453。

5.搨面有全白色小圓圈

合 22048 是一版午組腹甲，其上「壬寅」四辭旁邊都有全白的小圓圈，好像是有意鑽出來的圓孔。爲何要這樣做還不清楚。但是，有意鑽出這種小圓孔的甲骨還見於其他類別的甲骨上：合20505（𠂤肥筆類）、合19957正（㞢類）、合20391（𠂤小字）、合20060（𠂤歷間）。由此可見午、𠂤肥筆、㞢類、𠂤小字、𠂤歷間類關係較密切。這種鑽小圓孔的習慣可能是流行於武丁早、中期之交的一種風氣。

6.「𡆥」、「卜」兩字的特書寫法

「𡆥」字在甲骨文裏一般寫作☐☐（《綜類》407至408頁）。少數寫作☐、☐、☐，可能是一時的書寫習慣。例如：合22060、22062（以上午組）、22293、22391、22258、22323、22322、22324、乙8715、8818（以上婦女卜辭）、合20737（𠂤小字）、32044（歷二）。從上述卜辭類別分析，𡆥字這種寫法可能流行於武丁中、晚期之交。同時也反映出午組與婦女、𠂤小字、歷二關係密切。

「卜」字側書作「ㅜ」的卜辭有：合 22187、22487、20360（以上午組）、21523、19954、20860（以上自組肥筆），僅見於午組與自組肥筆類中，可能是一時的書寫習慣，由此可見二者關係比較密切。

7.「月名＋干支卜」的前辭形式

午組的月份除了少量記於卜辭辭末之外見（合 22103），一般冠於卜辭辭首，見合 22116、22117、22098、22050、22073。這種「月名＋干支卜」的前辭形式又大量見於自組小字類（合 20797、19983、20456、20460、19886、20819 等），少量見於自組肥筆類（合 21000）、自歷間類（合 20508）以及婦女卜辭中（合 20086、22300＋21418）。反映出午組與這些類別的關係較爲密切。

8.序辭

午組的序辭有「十一」的合文，見合 22046。這種自「一」契刻至「十一」的序辭除午組外，僅見於王卜辭中的自組小字類合 19787。由此一點，反映出午組和自組小字類的關係較爲密切。

9.「大甲申」類型的文例

「大甲申」（應讀作「大甲甲申」）類型文例請參見拙著《殷墟王卜辭的分類與斷代》200 至 202 頁。這種文例僅見於下列各類卜辭：合 32201、19834、32072、32559、32504、899、964、19765、27219＋34107（以上自歷間）、屯 2953（歷一）、900（歷二）、合 22258（婦女卜辭）、22077、22051（以上午組），應是武丁某個時期流行寫法。

10.句末語氣詞「抑」

殷墟卜辭使用句末語氣詞「抑」等，主要見於自組小字（參看《古文字論集》251 至 255 頁）。少量見於午組（合 22065、22101）、子組（合 21586、21768）、典賓類（合 800、802），由此可見午組與自組小字類、子組、典賓類關係較密切。

小結：「1」至「2」兩項可推定午組是武丁卜辭。「3」至「10」八項和前述人名（見 21 至 22 頁）等可推定午組上限可上及武丁早、中期之交，其下限據前述人名、占卜事項等看，可以延伸至武丁晚期之初。

1998.6.24 校改

甲骨學在歐美：1900-1950

倫敦大學　汪　濤

提要：

　　殷代甲骨文從最早發現到現在已近一百年了。其間，甲骨學已發展成爲一門國際性的學問。十九世紀末二十世紀初是西方學界對古代“死”文字進行考釋和解讀最爲昌盛的時代。埃及的聖書文字，美索不達米亞的楔形文字都被成功地解讀了。在中國，大約在一八九九年左右，王懿榮最早認識到甲骨文的價值並開始收藏。從此，甲骨文由作藥的「龍骨」變成了珍貴的歷史史料，爲學人所重。

　　一九零三年，劉鶚出版了第一部甲骨文拓集《鐵雲藏龜》；次年，孫詒讓寫出了《契文舉例》，對甲骨文做了初步的考釋。其後的一、二十年間，羅振玉和王國維將甲骨學推入學術殿堂。三十年代以後，隨著殷虛考古的進展，甲骨學得到了很大發展，一些重大問題，例如分期斷代有了關鍵性突破。

　　大約也在一九零三年左右，住在山東的美國傳教士方法斂和英國傳教士庫壽齡開始收集刻有文字的甲骨。隨著甲骨文流入歐美，西方學者始驚中國文字源頭之早，並積極開始了他們對此種上古文字的探討。到四十年代末，西方收藏用摹寫，拍照，墨拓形式出版的甲骨文集子有七種之多；論文和專著亦近百篇。與中國學者擅長于文字考釋所不同的是，西方學者主要是利用甲骨文材料研究商代的歷史文化，宗教與藝術；並喜歡討論中國文的起源及其性質。

　　中國學者對歐美出版的甲骨文拓集都比較熟悉，但是對西方學者的研究，特別是從文字學角度和史學角度來探討甲骨文的成果甚少。而這些成果正是我們進一步深入研究甲骨學史所必須知道的。在這篇文章裡，我將對方法斂、金璋、吉卜生、明義士、白瑞華等人的研究做一介紹，並討論他們與中國學者的關係及他們對西方漢學界產生的影響。本文的著重點是回顧並評價西方學者在頭半世紀對甲骨文研究的成果和教訓。對西方漢學界最近四十年來的甲骨學研究，我將著另文論之。

甲骨學在歐美：1900-1950

倫敦大學　汪　濤

　　在《甲骨學五十年》中，董作賓先生總結了殷代甲骨文從發現到研究的開頭五十年的情況；他寫道：「五十年之內，這種學問，竟逐漸蔚為當世的顯學，全世界的學者競相研討，乃能洋洋大觀，有如許的成績。……不過甲骨學得有今日，實出於各國多數學者的共同努力，集干狐之腋以成裘，決不是少數人所應該矜伐的。」[1]作為過來人，董先生對西方的甲骨學研究採取了比較寬容和賞識態度。一般來說，中國學者對外國學者整理的甲骨材料是很注意的；幾本甲骨書目對外國學者著述也盡量收入[2]。但除此之外，中國學術界對西方甲骨研究的具體情況和內容並不十分了解。其實，西方漢學界自身至今也缺乏對甲骨學與漢學研究總體發展關係的檢討。本文正是針對這點，試將西方，主要是歐洲和北美的甲骨學研究開頭五十年的成果做一回顧，既為中國研究甲骨的學者借鑒，同時也是對西方漢學界的歷史做一點反省。

　　大約在本世紀初葉，住在中國的許多外國人都開始收藏甲骨[3]。主要的原因大概是一九零零年，義和拳起義，八國聯軍入京，京城遭難。甲骨文最早的收藏家王懿榮跳井自盡；他的收藏於是流散。除了被中國收藏家劉鶚（鐵雲）買去大部分外，也有一些零散部分落到外國機構和收藏者手中；天津的英國人辦的新學書院就得到一些，並於一九零五年始，陳列在書院內博物館中。京城之亂，古董商也得另覓買主，一些甲骨于是就流到了古董業發達的山東濰紡。最早的外國人收藏「庫方二氏所藏甲骨卜辭」就是在這樣的條件下形成的。

　　方法斂（Rev. Frank H. Chalfant）一八六二年出生於美國費城；一八八七年年作為美國長老會（The American Presbyterian Mission）的傳教士來到中國，派駐山東濰縣。方氏不幸於一九一一年在青島遇禍，從此半身不遂；但仍孜孜不倦地研究甲骨，直至一九一四年在美國匹茨堡去世以前，親自摹寫了大量的甲骨片子；據說還留下了數量可觀的遺稿。

　　方氏開始收藏甲骨的時間大約在一九零三年左右。他當時是直接向當地古董

---

[1] 董作賓《甲骨學五十年》第十一頁。

[2] 最主要的甲骨學參考書目為董作賓、胡厚宣、黃然偉《甲骨年表正續合編》，和胡厚宣《五十年甲骨學論著目》。

[3] 王宇信《甲骨學通論》第二五六至二七一頁對國外的甲骨的收藏和著錄有比較簡明的介紹；關于歐洲美國的收藏情況還可以近一步參看李學勤、齊文心、艾蘭《英國所藏甲骨集》，雷煥章《法國所藏甲骨錄》《德瑞荷比所藏一些甲骨錄》中的整理文章。

商收購，對中國學者在他之前早已注意並收藏甲骨的情況不太了解；他認爲甲骨是河南朝歌城所出，先由古董商帶到北京，遇義和團之亂，于是將甲骨又帶到山東濰縣，留在他所熟知的一位中國朋友家。他自認爲是最早見到甲骨的人，並替設在上海的亞洲文會博物館買進了最早的一批，約四百片。他隨後又替愛丁堡的蘇格蘭皇家博物館，倫敦的大英博物館，美國匹茲堡的卡內基博物館和芝加哥的菲爾得自然歷史博物館陸續購買了一些甲骨。

方法斂一九零六年發表的〈中國早期文字〉被大家推認爲西方甲骨學研究的開始[4]。此文發表於美國匹茲堡出版的《卡內基博物館回憶錄》第四卷一號，全文共分四節：（1）從古代銘文看早期文字；（2）論《說文解字》；（3）《散氏銘》考譯，（4）甲骨上的古代刻辭。這是西方最早利用古代銘文研究中國文字的有價值的文章之一，特別是他首次向西方讀者公布了甲骨文的發現，並嘗試了甲骨刻辭的初步解讀。屆時，劉鐵雲已於一九零三年在上海出版了《鐵雲藏龜》。但方氏本人當時可能沒見到此書；《鐵雲》收錄了甲骨拓片一千零五八片，而方氏在文章中錯引爲八百片。

方法斂認爲中文是一種「象意音節」（ideographic-syllabism）文字；他提出研究中國文字必須熟悉中國人的思維方式，生產方法和社會習慣。此文涉及的材料範圍頗廣，甲骨文、金文、陶文、璽印貨幣文字都提到了。但由於鑒別真偽的能力不夠，他發表的十七片甲骨摹本，八片全系偽刻，兩片真偽混雜，僅有七片是真的。方氏考釋的水平也不高，主要是根據文字的形體進行猜測，有時猜對，可有時就難免離題千里，例如他把「𡆥」釋作「鳥」，「𡰪」釋爲「角」，把「旬亡禍」釋讀爲「𠃊父占」。作爲先驅者，這是可以諒解的。孫詒讓雖然於一九零四年就寫出了《契文舉例》，但並未正式發表印行；孫氏釋錯的字也比比皆是。而值的一提的是，方氏當時已經注意到甲骨綴合的問題，他曾將五塊殘片拼合成一片幾乎完整的龜版（附圖一）；他不無遺憾的說：「可惜這些（甲骨）的發現者在努力將碎片綴合起來之前就把它們分散開了，現在碎片如此之多，幾乎不太可能再將它們拼合。」[5]

方氏〈早期中國文字〉一發表就引起了西方學界的關注。卡內基博物館館長霍蘭德（W.J. Holland）在替方文做序中說：「方法斂先生在這篇論文中不光把自己局限在已知的材料範圍內，它是作者對自己和其他人收藏的河南出土的甲骨刻辭古物直接觀察的結果。隨著研究的深入，這些材料價值無窮。」[6]西方一些雜誌和學術刊物也隨著紛紛做了評述。[7]

---

[4] Chalfant,1906.

[5] Chalfant,1906,p.31.

[6] Holland,1906.

[7] 最早的一篇書評可能是登在《科學》（Sciences）雜誌（第二十四期，一九零六年）上，作者爲E.Morse.惜未見。另外一篇較早評論方法斂〈早期中國文字〉的書評發表在《皇家亞洲文會中

　　和方法斂一同收集甲骨的英國人庫壽齡（Samuel Couling）也是牧師。庫壽齡於一八五九年出生於倫敦，父親就是窮牧師；他先在一家保險公司工作，後來到布里斯脫大學學院讀神學；一九八三年畢業後到英國南方一個小鎮上做侵禮教會（The Baptist Church）牧師。一八八四年，庫氏志願參加侵禮教會的傳教團，來到了山東青州。他學習了中文，並可以用中文給教會學校的兒童上課。雖然是傳教士，庫氏的主要興趣是在學術研究上。一九零二年，他在愛丁堡大學取得了碩士學位。一九零四年，新成立的山西大學兩次邀請他去任教，他都沒去。可是四年以後，他辭掉了教會的職務，住到上海，給有錢人當家庭教師，並積極參與上海的學術活動。庫壽齡在當時的學術界頗有聲望，他編著了《中華百科全書》（Encyclopaedia Sinica），於一九一七年出版，成為暢銷書。庫壽齡還主編了《新中國評倫》（New China Review），專門發表漢學論文，從一九一九到一九二二年，共出了四期，他於一九二二年六月十五日在上海病逝；留下寡婦和一兒一女。

　　庫壽齡在山東當傳教士期間，和方法斂結識，兩人共同對甲骨感興趣，一起決定開始收藏。可是，庫氏沒有像方氏那樣專攻於甲骨的研究，關於甲骨的著述甚微，只是到了一九一四年二月二十號才在上海皇家亞洲文會北中國分會（The North China Branch of the Royal Asiatic Society）做了一次公開講演（方法斂剛於一個月前去世），題目是（河南出土甲骨），講演稿發表在當年的會刊上[8]。庫氏在講演中回顧了他和方法斂最早開始收藏甲骨的經過，並對甲骨用於占卜的文獻做了一些討論。那時，羅振玉已經確證了甲骨的真實出土點為安陽小屯。庫壽齡比較生動地描述了他們拚命收買甲骨字片，古董商乘勢抬價的情形；以及他和方二人同座在一張桌前，綴合甲骨碎片的愉快時光。庫氏還談到當時有商人做偽品出售賺錢，收藏家必須小心；可是他在文中發表的所有甲骨實物幾乎無一是真，特別是所謂的龜符龍節，全是贗品。至於他關於甲骨占卜可能跟龍蛇崇拜有關的推想，更是毫無根據。不過他順便提到甲骨文中的「𠙶」應該讀作「貞」，而不是「問」，倒是猜對了。庫壽齡第一次注意到了甲骨出土時的考古層位問題。講演中，他還抱怨了當時的皇家亞洲文會中國北方分會對甲骨研究缺乏興趣。

　　這裡應該對皇家亞洲文會中國北方分會略作介紹。此會於一八五八年在上海成立，最早的名稱為「上海文學與科學會」（The Shanghai Literary and Scientific Society），主要是由住在中國的傳教士組成。這些外國居民都意識到中華文明的精深博大，以及西方漢學的進步；他們要用自己身居異國的親身體驗和直接觀察來增進人類知識；這裡不妨引用一段他們在會刊發刊詞裡的話：「我們的根本目的是積累和了解事實，促進基督教文明的進步；我們都知道西方的歷史和哲學理論中仍然存在一些疑問，而只有這個帝國的新啟示能給這些懸而未

國北方分會會刊》上，見Pearson,1907.

[8] Couling,1914.

解的問題提供答案。[9]」這種積極進取的精神是西方殖民主義的有意義的一面。他們的求知態度使許多學問得到發展。「上海文學與科學會」從一八五九年改名為「皇家亞洲文會中國北方分會」。該會是當時漢學研究的重要陣地之一。庫壽齡曾於一九一四年至一九一六年當過該會幹事和會刊主編。方法斂最早買進的一批甲骨就藏於該會的博物館；可是這批甲骨遲遲未得發表，直到一九三四年十二月才由吉卜生（Harry E. Gibson）部分發表在上海出版的《中國科學美術雜誌》（簡稱《中國雜誌》）上[10]。

我們也應該提一提《中國雜誌》的歷史。此刊也是當時上海用英文出版較有名的漢學刊物；由蘇柯仁（Arthur de Carle Sowerby）和福開森（John C. Ferguson）主編。蘇柯仁為當過袁世凱兒子英文教師的蘇道味（Sowerby）之子，出生於太原，精通中文，曾在天津新學書院任教。蘇氏一身著述不少，主要是關於動植物。他和福開森一道於一九二三年創辦了《中國科學美術雜誌》，成為當時極負盛名的漢學刊物。福開森亦是美國傳教士，一八六六年出生；一八八八年來華，在南京創辦匯文書院（為金陵大學前身）。福氏名望極高，先後當過北洋政府總統顧問，國民黨政府行政院顧問。他寫了不少中國藝術方面的書籍；本人也收藏中國古董，包括甲骨。福氏的甲骨收藏來自劉鶚和徐梧生舊藏，由商承祚於一九三三年整理出版，有甲骨拓片三十七版，蘇柯仁和福開森主編《中國雜誌》，由蘇氏負責科學部分，福氏負責文學和藝術。

吉卜生是當時皇家亞洲文會中國北方分會博物館考古部主管。吉氏寫作頗勤。自一九三四至四零年間發表了近十篇論文和書評，大都登在《中國雜誌》和《皇家亞洲文會中國北方分會會刊》上面。吉氏文章比較通俗易讀；除了談文字學，還利用甲骨文研究祭祀祭牲，以及商代的交通和音樂。在一篇文章裡[11]，他不無得意地宣布了一項新發現：在他收藏的古代文物中有一件骨制的尺子（附圖二），他將此尺子與甲骨鑽鑿對比後，認為此尺必為商代貞人制骨時所用。如果這是真的話，對研究甲骨倒是一件了不起的事。他在博物館裡陳列了這件尺子和一些甲骨實物，供人觀摩。遺憾的是，這件骨尺至今下落不明。吉卜生的缺點是他極少引用中國學者的成果；還顛倒事實地說甲骨文最早是庫方二氏發現的，而中國學者是在此之後才對甲骨研究感興趣的；並且他毫無根據地把庫方二氏開始收藏甲骨的時間提到一九零零年[12]。

除了發表吉卜生寫的有關甲骨文的文章之外，《中國雜誌》還發表過蘇柯仁寫的〈古代中國馴養動物〉和〈中國藝術裡的鳥類〉[13]；這兩篇論文也用了甲骨

---

[9] "Preface",*Journal of the Shanghai Literary and Scientific Society 1*(June,1858).

[10] Gibson,1934.

[11] Gibson, 1938.

[12] Gibson, 1934, 1936.

[13] Sowerby, 1935a, 1935b.

文材料；文章的古文字表是吉卜生代爲繪製的。另外值得我們注意的是在該刊物的第三期上登載了盈亨利（J. H. Ingram）的一篇文章〈商朝文明和宗教〉[14]。盈氏是美國人，於一八八七年來華，在通州公理會醫院和北平協和醫院任教。他對文字學頗有興趣，曾幫助維爾德（G. D. Wilder）編撰《漢字分析字典》[15]。在這篇文章中，盈氏利用了甲骨文證據來談商代的祭祀和占卜，但他的一些觀點都有問題，例如說中國文字與索美爾文（Sumerian Linear Script）同源。在文章開頭盈氏聲稱明義士一九一七年發表的《殷虛卜辭》原是他的作品，頗令人吃驚。這件公案從來也未見任何人出來澄清。

明義士（James M. Menzies）是繼庫方二氏之後收藏和研究甲骨最重要的西方傳教士。明義士於一八八五年生於加拿大；他一九零五年從多倫多大學畢業，讀的是土木工程；本人是合格的土地測量員。明義士後又學習神學，一九一零年作爲長老會傳教士來到河南；先是在武安，後來到彰德府（安陽）傳教。明氏開始收藏甲骨的時間雖然較晚，但頗以發現小屯第一人自居。據他自己所言，一九一四年春，他騎馬在洹水南岸散步時，在棉花地裡發現了碎陶片；當地農民見其爲洋人，便向他兜售甲骨。明氏不知道羅振玉之弟羅振常已於他之前一九一一年到小屯收購甲骨。

明義士於一九一七年發表了《殷虛卜辭》[16]，此書收錄了二三六九片甲骨文摹本；由上海別發洋行印行。在〈序言〉中，明義士還提到了此書只是他龐大計劃的第一部，他將繼續寫作第二和第三部，討論中國古代文字的發展、以及宗教文化。此書剛一發表，明氏就回國參加歐戰，在法國的華工隊當翻譯。一九二零年，明氏重返中國，先後回到彰德傳教，又在北京美國人辦的華語學校教。這期間，他結識了當時正在殷虛發掘的中央研究院史語所考古組的中國考古學家；自己還抽空參加了美國加州大學在耶路撒冷的考古發掘。一九三二年至三七年，明義士被聘爲濟南齊魯大學教授。在齊魯任教期間，他潛心於甲骨文的研究，成就顯著；主要代表作品是他一九三三年寫的講義《甲骨研究》[17]。明義士亦爲在大學開設甲骨文專課的第一人。明義士用中文寫作發表，故他的研究多爲中國學者所知。他比較早就注意到了貞人謂稱問題，並根據字體把所謂的「歷組卜辭」定爲武丁時期，實屬卓見[18]。

---

[14] Ingram, 1925.

[15] Ingram, 1922.

[16] Menzies, 1917.

[17] 此書近由齊魯書社正式出版，并附了明義士之子明明德（Arthur Menzies）新寫的序，對明義士的身世做了頗爲詳細的介紹。

[18] 明義士在一九二七年就寫下了他的看法，但一直沒有公開發表。參見李學勤〈小屯南地甲骨與甲骨分期〉所附明義士〈殷虛卜辭後編序〉，《文物》一九八一年第五期。

　　明義士還曾在上海的皇家亞洲文會中國北方分會做過兩次英文講演[19]；一次是於一九三六年四月二十三日，題目「商朝和周朝的藝術」。他主要介紹了商周時期的青銅器的使用和紋飾，也介紹了骨牙器和玉器。他認為早期藝術表明了中國文化與近東文化有別，自有源頭；還認為商朝早期的都城應該在山東一帶尋找。明氏還糾正了瑞典漢學家高本漢（Bernhard Karlgren）誤把石頭雕刻的獸角解釋為男性生殖器象徵的理論[20]。第二次講演是在同年同月的三十號，題目是「商朝的文化宗教思想」，主要是從界骨文來探索商人關於「上帝」和「天」的崇拜；他認為雖然這些觀念已經存在，但當時還沒有偶像崇拜。在這兩次講演中，明氏向聽眾展示了他親自在河南收集的甲骨和其他文物。明義士於一九三七年因中日戰事惡化回國，在加拿大多倫多皇家博物館從事研究，並於一九四二年完成博士論文《商戈》。他還先後在美國戰時新聞局，美國國務院文化關係局工作過。明義士於一九五七年三月十六日病逝。他的收藏都捐給了多倫多皇家博物館。

　　西方研究甲骨文的頭二十年，主要生力軍是住華外國傳教士。他們大都精通中文，並且，由於地利之便，能夠親自接觸甲骨，或自己就是收藏家。但同時，我們也應當看一看當時歐美漢學界甲骨研究的情況。法國巴黎在二十世紀上半葉是歐美漢學研究的中心；甲骨文發現後，一批重要的漢學家很快就做出了反應。一九零八年，馬伯樂（Henri Maspero）在《法國遠東學院院刊》上發表了對方法斂〈中國早期文字〉的書評[21]；介紹了方氏論文的主要內容。沙畹（Edward Chavannes）緊接著於一九一一年在《古代亞洲》上發表了〈中國上古甲骨卜辭〉一文[22]；他綜合了羅振玉、林泰輔、方法斂諸家的觀點，討論了古代龜卜的傳統。關於時代，他同意羅振玉把甲骨定為商朝的遺物。沙畹本人是極著名的漢學家，曾將司馬遷的《史記》譯成法文。他多次到中國考察，對碑刻銘文頗有研究；曾幫助斯坦因（Marc Aurel Stein）整理從新疆帶回的中文文書。但沙畹本人沒有對甲骨文的考釋做出太大的貢獻。

　　考釋古文字難度較大，許多外國學者常常是望文生意。可要說西方甲骨學全是如此，也未免不公平。英國學者金璋（Lionel Charles Hopkins）是西方考釋研究甲文字最早而成績卓著的學者之一，我在此不妨多做些介紹。

　　金璋生於一八五四年；家庭環境良好，父親和哥哥都擅長寫作；金璋本人在英國有名的寄宿學校溫切思特（Wenchester）畢業後，於一八七四年到中國當翻譯生，從此一直在英國駐中國的領事館工作，一八九五年當了上海領事館的副領事，一八九七年到煙臺當領事，一九零一到一九零八年是天津領事館總領事；然後退休，回英國後住在鄉村。金璋終身未娶，一心從事甲骨文的研究；他一九五

[19] Menzies, 1936.

[20] Karlgren, 1933.

[21] Maspero, 1908.

[22] Chavannes, 1911.

二年三月十一號逝世，活到九十八歲。金氏去世後，他的甲骨收藏捐給了劍橋大學，藏於該校藝術考古博物館。

　　金璋對中國古文字的興趣開始很早。早在一八八一年，金璋就翻譯了戴侗的《六書通》[23]。他在天津當總領事的時候曾手摹了新學書院藏的甲骨，並發表在書院一九零八年的院報上。他見到方法斂關於甲骨的文章後，兩人從此開了長期通信關係。從一九零八年起，金璋委託庫方二氏代其收購甲骨學八百片左右。不幸的是，其中也混入了不少贗品。金璋一生所寫的研究甲骨文的文章不少，大約有四五十篇；可以說是西方學者中著述最豐的了。這些文章大都發表在《皇家亞洲文會（大不列顛與愛爾蘭）會刊》上。英國的皇家亞洲文會成立於一八二三年，是西方東方學的重要機構。金璋是該會的長期會員，曾經被選為理事和副主席。金璋第一篇發表於《皇家亞洲文會（不列顛與愛爾蘭）會刊》的關於甲骨文的文章是〈由最新發現看周朝的文字〉[24]；文章從「六書」角度討論了中國文字的特質。金璋把剛出土的甲骨文定為周朝文字。他並不是不知道中國學者認為甲骨是商朝遺物的意見；他提到了羅振玉和法國漢學家沙畹認為甲骨文是殷商文字的看法，但他堅持己見，主要根據是甲骨上的文字跟西周金文接近；不少人名也相同。其實，他用來比較的甲骨許多是模仿金文的偽刻。早期研究甲骨的外國學者常常上偽刻的當。金璋不幸亦在其列。他後來糾正了甲骨是周朝遺物的錯誤觀點。但他認為甲骨並非一時之作，而可能是幾百年長期積累的結果，例不乏先見之明。

　　金璋寫作內容頗廣；有討論商代王室祖先，宗教思想和占卜祭祀一類的；更多的是文字學的考釋。值得一提的是他於一九一七年就發表了〈商代王室研究，公元前一七六六至一一五四年〉[25]，幾乎與王國維寫〈殷卜辭中所見公先王考〉、〈續考〉同時。他一九四五年寫的〈薩滿－巫：即性之舞和多變之字〉一文[26]，從古文字的角度討論了「巫」、「無」、「舞」的關係，十分有趣。他的晚年的一篇文章是考釋甲骨文中常見的用辭「　　　」此句的含義，學者眾說紛紜；金璋認為這三個字的最後一個字應當讀作「蛛」（＝朱），指塗抹甲骨的顏色[27]；可備一說。

　　金璋可以說是西方漢學界考釋甲骨文字造詣最深的學者。他於一九一七至一九二七年間連續發表了〈象形文字考探〉長篇論文，共考釋了一百六十六個字辭[28]。他的方法是很傳統的訓詁學，主要是根據《說文》及古文字推比，同時也注

---

[23] Hopkins, 1881.

[24] Hopkins, 1911.

[25] Hopkins, 1917.

[26] Hopkins, 1945.

[27] Hopkins, 1947.

[28] Hopkins, 1917-1927.

意到古代音訓的問題。他討論的對象常常是中國和日本學者，例如羅振玉，王襄，高田忠周，郭沫若等；能夠在文字考釋上獨樹一幟，這在西方學者中是極少有的。

在利用考釋古文解釋古代思想時，法國學者的態度比較謹慎。伯希和(Paul Pelliot)就曾經批評了金璋在研究商代世系和祭祀時過分相信古代文獻的作法；他更傾向於「疑古派」的理論[29]，一九二五年，在法國的中國留學生張鳳(Tchang Fong)發表了《甲骨刻字考異補釋》(巴黎大學文學科博士程文)[30]，此書介紹了甲骨發現及研究概況，並對四十六已經認出的甲骨文常見字做了進一步發揮，還重新考釋了三個字。這些考釋今天看來大都有問題，例如把「 」讀作「違」，「 」釋爲「寶，保」，「 」讀作「馭」。馬伯樂很快就寫了關這部著作的評論，他特別批評了張鳳對文字的考釋缺乏音韻學的知識[31]。

馬伯樂廣博的漢學知識和深厚學力功底使得他可以同最優秀的中國學者直接討論，並提出批評。郭沫若三十年代發表的《甲骨文研究》和《中國古代社會研究》是近代學術史上的巨著。可馬伯樂在他寫的書評中卻加以批評；說郭氏喜歡跑野馬，論證時有過多的幻想。當然，馬伯樂也承認郭沫若的著作是「一部滿是重要事實與創獲的書」馬伯樂的書評由陸侃如譯爲中文，在《文學年報》上發；郭沫若親自作答[32]。這可以算得上是中西學術流史上的一段佳話。

德國漢學界對甲骨的發現和研究也很重視。我們特別應該提到的是德國女學者勃娜迪(Anna Bernhardi)跟金璋之間關於所謂「家譜刻辭」的一場論爭。勃娜迪是德國最早介紹甲骨的學者；她於一九一三年在《人類學報告》上發表〈中國古代卜骨〉[33]，就魏茲(Wirtz)收藏的甲骨做了介紹。魏茲是住在中國的德國人，大約在一九零九年左右，他於山東青島購得甲骨近三百片，等到了一九一二年，他的甲骨藏品增加到七百多。魏茲於一九一二年將他的收藏捐贈給柏林人類學博物館。勃娜迪的文章引起了廣泛注意。很快，穆勒(Herbert Mueller)從北平也寄來專文[34]，進一步介紹甲骨發現和研究的情況。可是，勃娜迪在後一年發表的一篇比較詳細的論文里[35]，提到大英博院收藏的一片所謂「家譜刻辭」可能是僞刻。金璋在此之前曾兩次著文，考釋了甲骨上發現的「家譜」[36]。見到勃娜迪的

[29] Pelliot, 1923.

[30] Tchang Fong, 1925.

[31] Maspero, 1927.

[32] 馬伯樂〈評郭沫若近著兩種〉，郭沫若〈答馬伯樂先生〉，載《文學年報》第二期，一九三六年。

[33] Bernhardi,1913.

[34] Mueller, 1913

[35] Bernhardi,1914.

[36] Hopkins,1912a,1912b.

文章，金璋立即做出回應，堅持這片甲骨刻辭不偽[37]，誰能料到，六七十年以後這片甲骨刻辭的真偽問題再一次成爲中國學者爭論的焦點[38]。

從三十年代開始，西方的甲骨學也進入了一個新的階段。從甲骨材料整理發表的角度來看，這期間最有成就的是美國的白瑞華(Roswell S. Britton)。白氏於一八九七年出生在中國，其父是美國浸禮會傳教士。他是燕京大學新聞系創辦人之一；早年研究中國報紙，後來轉研究甲骨。白氏的主要成就是整理出版方法斂留下來的甲骨摹本。方法斂於一九一四年去世後。他的手稿交給了芝加哥菲爾德博物館的勞佛爾(Berthold Laufer)，原打算寄到英國請金璋整理發表；但歐戰爆發，此計劃擱淺。一直等到勞佛爾本人也於一九三四年去世，稿子才轉交白瑞華手裡；由白氏先後整理出版了《庫方二氏藏甲骨卜辭》[39]，《甲骨卜辭七集》[40]，《金璋所藏甲骨卜辭》[41]。他還出版了《殷虛甲骨拓片》和《甲骨五十片》。白氏已經意識到了甲骨刻辭的偽造是研究甲骨的障礙之一。在編輯整理方法斂留下的摹本時，他盡量剔出了能辨認出的偽品；同時，還指出對偽品也應該研究。白氏是最早嘗試用現代照相技術發表甲骨文的學者；他於一九三五年在紐約出版了《殷虛甲骨相片》[42]。可惜他的方法不能說是完美無缺；例如，他爲了讓字跡清晰，在拍照前將甲骨弄濕，并對底片進行加工，這都影響了材料本身的科學性，還可能損壞原物[43]。白瑞華自己研究甲骨文的文章不多；他曾做過有關的學術講演[44]。應該提到的是，白瑞華對從科學角度研究甲骨有興趣，他與伯訥提—皮期萊(A. A. Benedetti-Pichler)合作，對甲骨上塗抹的顏色進行了化學檢測；首次討論了商代甲骨塗抹所用顏色的問題[45]。

從科學角度利用甲骨文進行研究，而做出了成績的還有魏特福(Karl A. Wittfogel)於一九四零年發表在《地理學評論》上的〈商代甲骨文中的氣象學記錄〉[46]。該文利用了當時所能找到資料，對甲骨文中的關於氣象的記錄做了系統的研究。魏氏討論了商代曆法的月份，以及每月中的自然現象和商人的活動。他認爲商人的季節感很強；商人的曆法建立在農業與王室活動上。魏氏還發現中原

---

[37] Hopkins, 1913.

[38] 胡厚宣堅持認爲此片刻辭爲偽，於一九七九年中國古文字學術研究會第二屆年會上宣讀了〈甲骨文＂家譜刻辭＂真偽問題再商榷〉；于省吾則持不同意見，著文〈甲骨文 ＂ 家譜刻辭＂真偽辨〉，胡于二氏的文章都登載於《古文字研究》第四輯，一九八零年。

[39] Bernhardi, 1935a.

[40] Bernhardi, 1938.

[41] Bernhardi, 1939a.

[42] Britton, 1935b.

[43] 參見Bounacoff, 1993.

[44] Britton,1939b.

[45] Britton.1937;Benedetti-Pichler,1937.

[46] Wittfogel, 1940.

一帶公元前三，四千年前的氣候要暖和的多。魏氏的研究具有一定的科學性；他本人是科學家，一九三八就做出了初步成績。後來又得到白瑞華的指點和中國學者王毓泉的具體幫助。

另外，這期間的俄國甲骨學研究也獨樹一幟。和英國美國比較，俄國所藏的甲骨不多；主要是蘇聯科學院歷史研究所存有的一批，約一百九十九片。這批甲骨是古文學家理查徹夫(N. P. Lichatcheff)贈送給蘇聯科學院的。據說，他於一九一一年通過俄國使館的沙津(M. C. Schekin)請當時的上海市長買的。但俄國當時沒有人研究甲骨，直到一九三二，才由年輕的學者布那柯夫(G. W. Bounacoff)開始研究整理這批甲骨。

布那柯夫是烏克蘭人，曾在列寧格勒的東方學院學習中文；他的碩士論文是從民族語言學的角度來研究中國親屬謂稱。他一九三二年進到蘇聯科學院莫爾語言思想研究所(Marr Institute of Language and Mentality)工作。一九三五年，蘇聯科學院出版了布那科夫的《中國河南甲骨》一書[47]。此書介紹了甲骨發現和研究簡史，以及俄藏的概況；最有用的是此書後附了一份詳盡的參考書目，共二百八十八條，幾乎包括了一九三三年以前的所有中西文跟甲骨研究有關的著作。

布那柯夫對商代甲骨文的闡釋也極富特色。他批評了傳統的以羅振玉為代表的甲骨文考釋方法，認為《說文》和周代金文與甲骨文參比會導致忽略甲骨文本身的時代特點；他對建立在這種考釋基礎上的商代社會文化研究頗持異議。他根據莫爾語言功能進化理論，提出了「指事」相當於手勢語言。他分析「王」字的功能語意變化，認為這個字最早指漁獵社會的頭領，後來分化為指氏族首領和宗教領袖；最後，進一步用來指一個社會在和平與戰時的領袖。商代甲骨文裡的「王」是指軍事領袖，而不是皇帝。布那科夫試圖應用馬克思主義的歷史唯物論來研究甲骨文，他把商代看作是氏族社會的末期，對研究所謂的「亞細亞生產方式」具有重要意義。布那科夫後來在第二次世界大戰中犧牲，英年早逝，為俄國漢學界的巨大損。

從三十年代起，安陽殷虛的考古發掘揭露了大量的新材料，并讓人可以從考古學的角度來研究甲骨。一些西方的學者都到殷虛考察，充分注意到了甲骨在究商代文明中的重要。例如，英國的葉茲(W. Perceval Yetts)於一九三三年和三五年兩次在《亞洲文會會刊》上著文介紹殷虛新發現[48]，他特意提到了董作賓關於新出土大龜四版的研究及其斷代學上的意義。德國的愛博華(W. Eberhard)也寫文章介紹殷虛考古的進展[49]。可這方面影響最大的要數美國學者顧立雅(Herrlee G. Greel)。顧氏是美國漢學界的一員大將；曾於三十年代初來華進修

---

[47] Bounacoff, 1935.參見Britton, 1936 .

[48] Yetts, 1933, 1935.

[49] Eberhard, 1933

，與董作賓等中國學者相識；後任芝加哥大學漢學教授。他一生著述很多，關於中國上古研究的代表作有《中國的誕生》[50]及《早期中國文化研究》[51]，對商代考古，特別是甲骨文的發現和研究頗有心得。他關於「天」字的解釋，與郭沫若的看法不謀而合；此文被翻譯成中文，在《燕京學報》上發表[52]。

這裡，值得一提的是顧立雅和當時美國漢學界的另外一位泰斗卜弼德(Peter A. Boodberg)之間的一場論戰。卜氏出生俄國貴族，俄國革命時曾避難哈爾濱，自學了中文；一九二零年移居美國，進入加州大學伯克萊分校攻讀東方語言學，畢業後留校任教，一直到一九七二年去世。

一九三六，顧立雅在漢學權威刊物《通報》上發表了〈中國意符文字的性質〉[53]，他認為中文與其他文字有別，漢字是一種意符文字，能夠直接將意思傳達給讀者。這種觀點本不新鮮。早在十六世紀，當歐洲傳教士第一次見到中文，就驚嘆於中國文字跟西方的音符文字完全不同。著名的意大利耶穌會傳教士利瑪竇(Matteo Ricci)就說中文與埃及象形文近似。當時普遍認為中文主要是通過字形來表達字義，跟發音關係不緊密[54]。顧立雅的看法是在傳統的理論基礎上加以引申，他利用了當時已經積累的古文字知識，并討論了中文沒有發展成為音符文字的主要原因。卜弼德見到顧氏的文章後，很快在《哈佛亞洲學刊》上發表了〈關於上古中文的幾點意見〉[55]，反對把中文當作與其他文字性質不同的「象形」或「意符」文；他所持的是當時另一派，主要是語言家的看法。卜弼德在他文章裡很不客氣地指名批評了顧立雅，顧氏立即做出回應，就卜氏的批評一一進行反駁[56]。卜弼德兩年以後，又在《通報》上再次發表了〈意符文字，還是偶像崇拜〉[57]，這次對顧立雅的攻擊更加厲害，弄得《通報》的主編伯希和出來打圓場，宣布《通報》不再支持此類論戰[58]，可是，這場論戰的餘緒延續不斷，直到今天，兩派之間的鬥爭仍然存在，且愈演愈烈[59]。

我現在對上面討論做一個簡單的概括：

歐美的甲骨學起步並不晚，最初二十年，研究甲骨文基本上是長期居住中國

---

[50] Creel, 1936, esp.pp. 21-31,158-3,174-84.

[51] Creel, 1938

[52] 顧立雅：〈釋天〉，《燕京學報》第十八期，一九三五年。

[53] Creel ,1936.

[54] 參見DeFrancis, 1984,pp.133-6

[55] Boodberg, 1940.

[56] Creel, 1938.

[57] Boodberg, 1940.

[58] 參見DeFrancis, 1984,pp.85-7.

[59] 參見Boltz, 1994. Boltz 是Boodberg 的學生，其觀點基本上還是遵從其師說，反對把漢字看作意符文字。

的外國傳教士和外交官，他們的主要貢獻除了在甲骨收集方面，也起了向西方漢學界介紹中國學者研究的作用。西方學者的特點是，由於他們的宗教和科學背境，對甲骨文中的祭祀，以及動植物有很大的興趣；某些利用社會學理論和科學手段研究甲骨的，成績卓著。後來，一批職業漢學家的出現，對甲骨學研究的深入起到了影響，他們重視考古材料，并對漢字性質進行深究。更有的以現代科學手段為輔，另辟新徑。可是，甲骨學的一些重要方面，例如分期斷代卻一直沒有什麼大的突破。在文字考釋上，西方學者中除了中文修養好的以外(例如英國的金璋，在文字考釋上有一定的成就)，大部分都是依字形推測，望文生意。

　　如果略做分期的話，我們可以大致依照董作賓先生在《甲骨學五十年》中的分法，把西方的甲骨研究劃為前後兩期：從最初的業余所為轉向職業化；從單槍匹馬轉為國際合作。值得說明的是，這個分期并不絕對，許多學者是從傳教士轉為職業漢學家，不少人穿梭於中國和歐美之間，讓人感嘆的是，由於這門學問的難度較大，真正研究甲骨文的人數極少，在西方漢學界算是冷門。回顧歷史，凡是做出一定成績的西方學者，或是直接得到了中國學者的幫助，或是與中國學者有所交流，這充分顯示了西方甲骨學的下一步前景仍然是中西學界的密切合作與直接對話。

中文引用書目：

于省吾：〈甲骨文"家譜刻辭"真偽辨〉，《古文字研究》第四輯，一九八零年，第一三九至一四六頁。

王宇信：《甲骨學通論》，北京中國社會科學出版社，一九八九年。

李學勤：〈小屯南地甲骨與甲骨分期〉，《文物》一九八五年第五期，第二十七至三十七頁。

李學勤，齊文心，艾蘭(S. Allan)：《英國所藏甲骨集》，北京中華書局，一九八五年～一九九一年．

胡厚宣：《五十年甲骨學論著目》，北京中華書局，一九五二年。

胡厚宣：〈甲骨文"家譜刻辭"真偽問題再商榷〉，《古文字研究》第四輯，一九八零年，第一一五至一三八頁。

馬伯樂(Maspero)：《郭沫若近著兩種》，《文學年報》第二期，一九三六，第六十一至七十一頁。

明義士(Menzies)：《甲骨研究》，濟南齊魯書社，一九九六年；(原《甲骨研究初

編》，齊魯大學講義，一九三三年)。

郭沫若：〈答馬伯樂先生〉，《文學年報》第二期，一九三六年，一至四頁。

董作賓・胡厚宣・黃然偉：《甲骨年表正續合編》　中央研究院歷史語言研究所
　　單刊乙種乙種，一九九二年。

董作賓：《甲骨學六十年》，臺北藝文印書館，一九五五年。

雷煥章(Lefeuvre)：《法國所藏甲骨錄》，臺北利氏學社，一九九七年。

雷煥章(Lefeuvre)：《德瑞荷比所藏一些甲骨錄》，臺北利氏學社，一九九七年・

顧立雅：(Creel)：〈釋天〉，《燕京學報》第十八期，一九三五年，第五十九至七
　　十一頁。

西文引用书目:

Boltz, William G.
1994: *The origin and early develoment of the Chinese writing system*, New Haven: American Oriental Society.

Benedetti-Pichler, A. A.
1937: "Microchemical analysis of pigments used in the fossae of the incisions of Chinese oracle bones", *Industrial and Engineering Chemistry, Analytical Edition* 9, pp. 149-52.

Bernhardi, Anna
1913: "Über frühgeschichtliche chinesische Orakelknochen", *Zeitschrift fur Ethnologie* 45-6, pp. 232-8.
1914: "Frühgeschichtliche Orakelknochen aus China", *Baessler-Archiv* 4, pp. 14- 28.

Boodberg, Peter A.
1937: "Some proleptical remarks on the evolution of archaic Chinese", *Harvard Journal of Asiatic Studies* 2, pp. 329-72.
1940: "'Ideography' or Iconolatry", *T'oung Pao*, 35, pp. 266-88.

Bounacoff, G. W.
1935: *The oracle bones from Honan (China)* (in Russian, with English and Chinese abstracts), Leningrad/Moscow: The Academy of Sciences Press.
1936: "New contributions to the study of oracle bones", *T'oung Pao*, 32, pp. 346- 52.

Britton, Roswell S.
1935a: *Yin Bone Photographs*, New York, 1935
1935b: *The Couling-Chalfant Collection of Inscribed Oracle Bone*, Shanghai
1936: "Russian contribution to oracle bone studies", *Journal of the North China Branch of the Royal Asiatic Society* 67, pp. 206-7.
1937: "Oracle-bone color pigments", *Harvard Journal of Asiatic Studies* 2-1, pp. 1-3.
1938: *Seven collections of Inscribed Oracle Bone*, New York
1939a: *The Hopkins Collection of the Inscribed Oracle Bone*, New York
1939b: "Three Shang inscriptions", *Journal of the American Oriental Society* 59, p. 398.

Chalfant, Frank H.
1906: "Early Chinese Writing", *Memoirs of the Carnegie Museum* 4-1, pp. 1-35.

Chavannes, E.
1911: "La divination par l'écaille tortue dans la Haute Antiquité Chinoise", *Journal Asiatique* 17, pp. 127-37.

Couling, Samuel
1914: "The Oracle Bones from Honan", *Journal of the North China Branch of the Royal Asiatic Society* 45, pp. 65-75.

Creel, H. G.
1936: *Birth of China*, London: Peter Owen Ltd.
1938: *Studies in early Chinese culture*, London: Kegan Paul, Trench, Trubner & Co.
1936: "On the nature of Chinese ideography", *T'oung Pao* 32, pp. 85-161.
1938: "On the idiographic element in ancient Chinese", *T'oung Pao* 34, pp. 265- 94.

DeFrancis, John
1984: *The Chinese language: fact and fantasy*, Honolulu: University of Hawaii Press.

Eberhard, W.
1933: "Zweiter Bericht über die Ausgrabungen bei An-yang, Honan", Otto Kummel and William Cohen, eds. *Ostasiatische Zeitschrift*, Berlin/Leipzig, pp. 208-13.

Gibson, Harry E.
1934: "The picture writing of Shang", *The China Journal of Sciences and Arts* 21-6, pp. 277-84.
1935: "Divination and ritual during the Shang and Chou dynasties", *The China Journal of Sciences and Arts* 23-1, pp. 22-5.
1936: "The inscribed bones of Shang", *Journal of the North China Branch of the Royal Asiatic Society* 67, pp. 15-24.
1937: "Music and musical instruments of Shang", *Journal of the North China Branch of the Royal Asiatic Society* 68, pp. 8-18
1938: "Domestic animals of Shang and their sacrifice", *Journal of the North China Branch of the Royal Asiatic Society* 69, pp. 9-22.

Holland, W. J.
1906: "'Prefatory notes' , F. Chalfant: Early Chinese writing", *Memoirs of the Carnegie Museum* 4-1, pp. 1-2.

Hopkins, L.C.
1881: *The six scripts or the principles of Chinese writing*, (new edition), Cambridge University Press, 1954.
1911: "Chinese writing in the Chou dynasty in the light of recent discoveries", *Journal of the Royal Asiatic Society of Great Britain & Ireland* 1911, pp. 1011-34.
1912a (with R. L. Hobson): "A royal relics of ancient China", *Man* 27, pp. 49-52
1912b: "A funeral elegy and a family tree inscribed on bones", *Journal of the Royal Asiatic Society of Great Britain & Ireland* 1912, pp. 1022-8.
1913: "A Chinese pedigree on a tablet-disk", *Journal of the Royal Asiatic Society of Great Britain & Ireland* 1913, pp. 905-10.

1917: "The sovereigns of the Shang dynasty, B. C. 1766-1154", *Journal of the Royal Asiatic Society of Great Britain & Ireland* 1917, pp. 69-89.

1917-28: "Pictographic reconnaissances", *Journal of the Royal Asiatic Society of Great Britain & Ireland* 1917, pp. 775-813;1918, pp. 388-431;1919, pp. 369-88; 1922, pp. 49-75; 1923, pp. 383-91; 1924, pp. 407-34; 1926, pp. 461-86; 1927, pp. 769-89; 1928, pp. 327-37.

1945: "The Shaman or Chinese Wu: his inspired dancing and versatile character", *Journal of the Royal Asiatic Society of Great Britain & Ireland* 1945, pp. 3-16.

1947: "A cryptic message and a new solution", *Journal of the Royal Asiatic Society of Great Britain & Ireland* 1947, pp. 191-98.

Ingram. J.

1922 (with G. D. Wilder): *Analysis of Chinese characters*, North China Union Language School.

1925: "The civilization and religion of the Shang dynasty", *The China Journal of Sciences and Arts* 3, pp. 473-545

Karlgren, B.

1930: "Some fecundity symbols in anicient China", *Bulletin of Museum of Far Eastern Antiquities* 2, pp. 1-66

Maspéro, H.

1908: "Review: Frank H. Chalfant: Early Chinese writing", *Bulletin de l'École Française d' Extrême Orient* 8, pp. 264-7.

1927: "Review: Tsang Fong: Recherches sur les Os du Ho-Nan et quelques caractères de l' écriture ancienne", *Journal Asiatique* 210, pp. 127-9.

Menzies, James M.

1917: *Oracle Records from the Waste of Yin*, Shanghai: Kelly and Walsh.

1936: "The art of the Shang and Chou dynasties" and "Culture and religious ideas of the Shang dynasty", *Journal of the North China Branch of the Royal Asiatic Society* 67, pp. 208-11.

Mueller, H.

1913: "Mitteilungen zur Kritik der frühgeschichtlichen Chinesischen Orakelknochen", *Zeitschrift für Ethnologie* 6, pp. 939-41.

Pearson, G. W.

1907: "Review: F. Chalfant: Early Chinese writing", *Journal of the North China Branch of the Royal Asiatic Society* 38, pp. 255-7.

Pelliot, Paul

1923: "Un nouveau périodique oriental: Asia Major", *T'oung Pao* 22, pp. 358-9.

Sowerby, Arthur de Carle

1935a: "The domestic animals of ancient China", *The China Journal of Sciences and Arts* 23-6, pp. 233-43.

1935b: "Birds in Chinese art", *The China Journal of Sciences and Arts* 23-6, pp. 326-39.

Tsang Fong

1925: *Recherches sur les Os du Ho-Nan et quelques caractères de l' écriture ancienne*, Paris: Librairie orientaliste Paul Geuthhner.

Wittfogel, Karl A.

1940: "Meteorological records from the divination inscriptions of Shang", *The Geographical Review* 30-1, pp.

Yetts, W. P.

1933: "The Shang-yin dynasty and the An-yang finds", *Journal of the Royal Asiatic Society of Great Britain & Ireland* 1933, pp. 657-85.

1935: "Recent finds near An-yang", *Journal of the Royal Asiatic Society of Great Britain & Ireland* 1935, pp. 467-81.

付圖一： 方法斂〈中國早期文字〉插圖十二

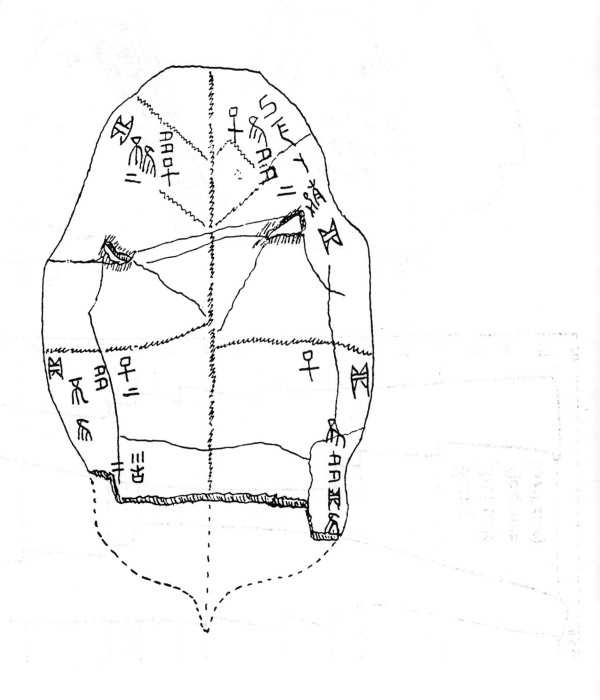

附圖二： 吉卜生發現的商代骨尺

(Gibbson 1938,pp.10,11)

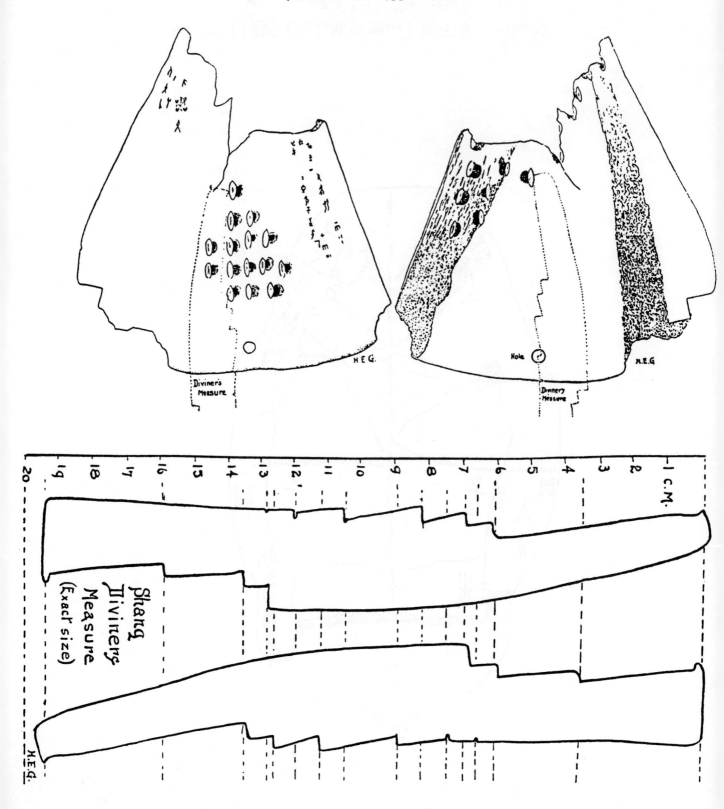

甲骨文發現一百周年學術研討會　1998.5.10-12
臺灣師範大學國文系‧中央研究院歷史語言研究所合辦

《甲骨文字詁林》補遺

陳偉武[*]

提要：

　　于省吾先生主編的《甲骨文字詁林》，1996年5月由北京中華書局正式
出版，是甲骨文被發現以來九十年間有關考釋成果的高度總結。通讀此書
之後，筆者不自量力，嘗試評論《詁林》，藉以求教於甲骨學界諸先進。

　　本文分三部份：一、《詁林》的內容與體例，如評介部首的分合及姚
孝遂先生的按語等；二、《詁林》在甲骨文工具書編纂史上的地位，姚序
稱此書以李孝定先生《甲骨文字集釋》為基礎，本文重點比較《集釋》與
《詁林》之同異，兼及其他甲骨文字書；三《詁林》不足之處，如沒有“
凡例”，且成於眾手，取捨詳略，間亦失當。

關鍵詞：甲骨文字詁林

　　于省吾先生主編、姚孝遂先生撰寫按語的《甲骨文字詁林》的正式出版[1]，
在古文字學陣地上又樹立起一座豐碑。此書在李孝定先生《甲骨文字集釋》的
基礎上，集錄了九十年來甲骨文字考釋的主要成果，就甲骨文研究的是非得失
作了一次系統的科學總結。已有學者對《詁林》的學術意義予以高度評價[2]。姚
孝遂先生在《詁林‧序》中說：「根據思泊師生前擬定的原則，我們在采錄諸
家之說時是有選擇的。對於那些缺乏依據，但憑揣測、毫無參考價值者，一概
摒而不錄……在這裡需要鄭重聲明的是：由於我們的見聞有限，有一些卓越的
見解我們疏漏失收也是難免的。進一步加以補苴，則有待於異日。」蒙姚先生
啓迪，筆者拜讀《詁林》，頗措意於未錄之說，比勘爬梳，分類羅列，草成此

---

[*]陳偉武，廣州中山大學教師。
[1]于省吾主編：《甲骨文字詁林》，北京：中華書局，1996年。以下簡稱《詁林》。
[2]馮勝君：〈《甲骨文字詁林》述評〉，《古籍整理出版情況簡報》，1997年第9期（總322期
）。

文，是爲補遺。

一、未錄先有之說

　　一字有一家或諸家考釋，《詁林》俱未錄，僅有按語。例如：

倻　　金祥恆釋「奴」[3]。《詁林》0496號字頭隸作「似」。

(字)　張秉權釋「妖」[4]；李孝定亦釋「妖」[5]；徐中舒等以爲「委」字[6]。《詁
　　　林》0467號字頭隸作「妖」。

洺　　董作賓首釋「洛」[7]；朱芳圃謂即指洛水[8]；李孝定從董說，指出卜辭中
　　　「洛」用作人名。《詁林》0809號字頭失錄董、朱之說，有按語說：
　　　「卜辭『洛』爲地名。《存》二、九七四：『癸丑⋯在洛⋯㯷貞⋯獸
　　　王⋯吉。』當即指洛水。李孝定《集釋》以爲人名，非是。」。

(字)　齊文心釋爲「冰」[9]；徐中舒等釋「㳚」，以爲地名。《詁林》1307號
　　　字頭隸作「㳚」，按語謂疑爲地名。

困　　郭沫若首釋「困」[10]，李孝定、徐中舒等從之。《詁林》1416號字頭隸
　　　作「困」，按語以爲祭名。

林　　李孝定釋「林」，謂字在卜辭爲地名，或爲方國之名；張秉權認爲「
　　　林」在卜辭用爲人名，亦爲地名[11]；徐中舒等指出既用爲地名、方國名

[3] 金祥恆：〈釋「妝」〉，《中國文字》，第12期。本文頻頻引用諸家之說，恕不一一稱先生
　　。

[4] 張秉權：《殷虛文字丙編考釋》，第331頁，臺北：中央研究院歷史語言研究所，1957年。以
　　下引張先生說，除特別注明者外，均見此書。

[5] 李孝定：《甲骨文字集釋》第12冊，第3711頁，臺北：中央研究院歷史語言研究所，1965年
　　。以下引李先生說，均見此書，不再一一注出。

[6] 徐中舒主編：《甲骨文字典》，第1314頁，成都：四川辭書出版社，1988年。以下引「徐中
　　舒等」之說，均見此書。

[7] 董作賓：〈新獲卜辭寫本後記〉，《安陽發掘報告》，第1期，1929年。

[8] 朱芳圃：《甲骨學商史編》，第8頁，上海：中華書局，1935年。

[9] 齊文心：〈殷代的奴隸監獄和奴隸暴動〉，《中國史研究》，1979年第1期。

[10] 郭沫若：《殷契粹編考釋》，第14頁，東京：文求堂，1937年。

[11] 張秉權：〈甲骨文中所見人地同名考〉，《慶祝李濟先生七十歲論文集》下，第753頁，臺北

，又用爲人名。《詁林》1424號字頭隸作「林」，按語謂：「卜辭『林』爲地名及方國名」。

張秉權釋「湄」；徐中舒等釋「漉」，疑爲地名。《詁林》1712號字頭隸作「溤」，按語謂：「當是『麋』之繁體，唯不明何以增『水』於下。」。

《詁林》1827號字頭僅有按語，指出：「……陳夢家《綜述》五七一隸『𪚥』爲『蚩』，謂：『義不明』。字既不從『虫』，亦不從『之』，不得隸定作『蚩』。」此字郭沫若以爲殆「龍」字異構，假作「寵」[12]；金祖同亦釋「龍」，疑是地名[13]；董作賓釋「䶬」[14]；胡厚宣釋「礱」[15]；饒宗頤釋「㞢龍」合文，讀爲「有龍」[16]；李孝定亦釋「䶬」，謂假爲「寵」而與「龍」終究有別。上列諸說《詁林》均未錄。

一人釋字有前說後說，《詁林》有時僅錄後說，不及前說，例如：

《詁林》2042號字頭錄有陳夢家《綜述》四七九頁之說，謂：「帚即寢的省文」，而陳氏前嘗釋「寢」字，以「寢」、「㝲」爲一字異體[17]；《詁林》未錄。

《詁林》3395號字頭下首錄陳夢家《綜述》釋爲「勺」，未錄陳夢家更早所釋[18]。

《詁林》2459號字頭下錄于省吾《釋林》之說，而于氏前嘗釋「蔑」字，謂其從戈苋聲，苋即眉之古文[19]。《詁林》未錄。

《詁林》0079號字頭下兩次錄趙錫元之說（1978年、1982年）而趙氏1956年指出：眾是殷代農業生產的擔當者，也是家長制家庭公社的成員

：清華學報社，1967年。

[12] 郭沫若：《卜辭通纂考釋》，第206頁，東京：文求堂，1933年。

[13] 金祖同：《殷契遺珠釋文》，第41頁，中法文化委員會，1939年。

[14] 董作賓：《殷曆譜》，第47頁，中央研究院歷史語言研究所專刊，1945年。

[15] 胡厚宣：〈殷卜辭中的上帝和王帝〉，《歷史研究》，1959年第9~10期。

[16] 饒宗頤：《殷代貞卜人物通考》，第243頁，香港：香港大學出版社，1959年。

[17] 陳夢家：〈商代的神話與巫術〉，《燕京學報》，第20期，1936年。

[18] 陳夢家：〈甲骨斷代與坑位〉，《考古學報》，1951年第5期。

[19] 于省吾：〈釋「蔑歷」〉，《東北人民大學人文科學學報》，1956年第2期。

，而不是統治階級[20]。《詁林》未錄。

一字有諸家考釋，《詁林》未錄先有之說，僅錄後出之說。例如：

「兌」字 羅振玉已釋「兌」[21]，陳夢家釋「兌」讀與「祝」同[22]，郭沫若釋「兌」讀爲「悅」[23]，魯實先釋「兌」，謂爲「銳」、「閱」之初文[24]。以上諸家所釋均早於《詁林》0043號字頭下所錄晁福林說與趙誠說。

「須」字 《詁林》0045號字頭下錄金祥恆、李孝定、于省吾諸說，而張秉權先是疑爲「須」字，繼而徑釋「須」，謂爲人名。此說早於《詁林》所錄諸家，今失錄。

「因」字 《詁林》0246號字頭下錄王襄等人之說，其實，羅振玉釋「因」早於王說，《詁林》失錄。錄陳初生說以「因」爲「茵」之本字，實本於李孝定說，亦失錄。

「乳」字 《詁林》0392號字頭下謂金祥恆《續甲骨文編》收此作「乳」，錄李孝定說謂：「金氏收爲乳可從」。而董作賓已釋「乳」，早於金說[25]。

「洛」字 羅振玉釋「洛」，謂：「從女客，此字不見於許書，或省宀，或省口。」董作賓釋爲「格」[26]。均早於李孝定說，《詁林》0488號字頭下僅錄李說。

「娘」字 張秉權釋「娘」，《詁林》0521號字頭下未錄，僅錄後出之李孝定說。

「冒」字 陳邦懷釋「冒」，讀作「婺」[27]。《詁林》0609號字頭下不錄陳說，而錄孫常敘釋「冒」之說，其實，孫說是與陳氏等商榷的，雖同釋「冒」，但不同意讀作「婺」。

---

[20] 趙錫元：〈試論殷代的主要生產者「眾」和「眾人」的社會身分〉，《東北人民大學人文科學學報》，1956年第4期。

[21] 羅振玉：《殷虛書契考釋》卷中，第54頁，石印本，1914年。以下引羅說均見此書，不具注。

[22] 陳夢家：〈古文字中之商周祭祀〉，《燕京學報》，第19期。

[23] 郭沫若：《殷契粹編考釋》，第148頁。

[24] 魯實先：〈殷契新詮之一〉，《幼獅學報》，第3卷第1期。

[25] 董作賓：〈從麼些文字看甲骨文〉，《大陸雜志》，第3卷第1~3期，1951年。

[26] 董作賓：〈再談殷代氣候〉，華西大學《中國文化研究所集刊》第5卷，1946年。

[27] 陳邦懷：《殷代社會史料徵存》卷1，第5~6頁，天津：天津人民出版社，1959年。

《詁林》0682號字頭下錄丁山、郭沫若、于省吾、楊樹達、李孝定諸家之說釋為「珥」、「組」，並加按語說：「字當釋『聯』……隸可作『組』。」此說與蔡運章說冥合，蔡氏認為契文即為「聯」之初文或省體[28]。

《詁林》0697號字頭下錄于省吾、陳漢平說均釋「洱」，而張秉權釋「洱」早於上引二家之說。

高去尋釋「口」[29]，早於《詁林》0717號字頭下所錄金祥恆、李孝定、饒宗頤諸家考釋。

郭沫若釋「會」[30]，金祥恆以為「龠」之省體[31]。《詁林》0742號字頭下不錄郭、金二說，僅錄後出之趙誠說。

郭沫若釋「倉」[32]；唐蘭隸作「牄」，謂與「會」、「倉」同意[33]；朱芳圃亦釋「倉」，以為「匫」之本字[34]；李孝定《集釋》隸作「匫」，謂即「倉」之古文。諸說均早於《詁林》0744號字頭下所錄考古所說，今失錄。

魯實先釋「杳」，以為方名[35]。《詁林》0778號字頭下未錄，僅錄後出之于省吾說等。

商承祚釋「豊」，以為即「豊」字省文[36]，王國維亦釋「豊」，謂象二玉在器之形[37]。《詁林》0793號字頭下未錄商、王之說，僅錄後出之丁山說等。

王襄釋「夆」[38]；董作賓釋「條」[39]；張秉權亦釋「條」，謂與「條」同

[28] 蔡運章：〈釋「聯」〉，《河南省考古學會論文選集》（《中原文物》特刊），第105~107頁，1981年。

[29] 高去尋：〈殷墟出土的牛距骨刻辭〉，《考古學報》，1949年第4期。

[30] 郭沫若：《殷契粹編考釋》，第70頁。

[31] 金祥恆：〈釋龠〉，《中國文字》，第14期。

[32] 郭沫若：《卜辭通纂考釋·別二》，第14頁。

[33] 唐 蘭：《天壤閣甲骨文存考釋》，第62頁，北京：輔仁大學出版社，1939年。

[34] 朱芳圃：《殷周文字釋叢》，第105頁，北京：中華書局，1962年。

[35] 魯實先：〈說文正補之一〉，《大陸雜志》，第37卷第11、12期合並號，1968年。

[36] 商承祚：《殷虛文字類編》卷5，第7頁，決定不移軒刻本，1923年。

[37] 王國維：〈釋禮〉，《觀堂集林》卷6，第15頁，1923年。

[38] 王 襄：《簠室殷契類纂》卷5，第27頁，天津博物院石印本，1920年。

[39] 董作賓：《殷虛文字外編》卷11，第101頁，臺北：藝文印書館，1956年。

字。《詁林》0849號字頭下未錄，僅錄後出之李孝定說等。

張秉權釋「肘」，《詁林》0908號字頭下未錄，僅錄後出之于省吾說等
。

董作賓已釋此體爲「祭」[40]，《詁林》0916號字頭下失錄，僅錄後出之
孫海波說等。

羅振玉釋「帝」讀爲禘祭之「禘」；葉玉森釋「帝」，謂象積薪置架形
[41]。《詁林》1132號字頭下未錄羅、葉之說，而所錄嚴一萍說謂：「帝
者加架插薪而祭天也」，實本於葉說。

許敬參首釋「鬻」，謂即「祳」之初文[42]。《詁林》1173號字頭下未錄
許說，僅錄後出之孫海波說等。

《詁林》1181號字頭下錄王襄、陳夢家、饒宗頤、于省吾諸家釋「霽」
，錄沈建華說釋「雹」，錄徐中舒說釋「霝」；按語謂當釋「雹」。
其實，胡厚宣早年釋此字爲「霝」[43]，早於徐說，後改釋爲「雹」[44]，早
於沈說，《詁林》並未錄。

王襄釋「乙」[45]，《詁林》1210號字頭下未錄，僅錄後出之唐蘭說等。

羅振玉釋「潢」，《詁林》1321號字頭下未錄，僅錄後出之王襄說等。

羅振玉首釋「莫」，《詁林》1393號字頭下未錄，僅錄後出之王襄說等
。

此字諸家考釋紛紜，或釋「春」，或釋「條」，或釋「世」，或釋「載
」。馮勝君指出：「（《詁林》）1405號字頭錄有郭沫若對此字『是否
即春，尙當存疑』的意見，引自《卜辭通纂》13頁。但此書1983年由科
學出版社重印時，郭老已在該頁眉批中將此字釋爲『者』，此說經劉
釗先生詳加論證，在學術界已頗有影響，編者失錄。」[46]。溫少峰與袁

---

[40] 同注7。

[41] 葉玉森：〈殷契鉤沉〉，《學衡》，第24期，1933年。

[42] 許敬參：《殷虛文字存真考釋》，第78頁，河南博物館石印本，1933年。

[43] 胡厚宣：〈戰後殷虛出土的新大龜七版〉，上海：《中央日報》，1947年3月12日，《文物周
刊》，第23期。

[44] 胡厚宣：〈殷代的冰雹〉，《史學月刊》，1980年第3期。

[45] 王 襄：《簠室殷契徵文考釋》，「帝系」，第4~5頁，天津博物院石印本，1925年。

[46] 同注2。

庭棟釋「者」[47]，《詁林》亦未錄，僅錄劉釗說釋「者」（1986年）。

董作賓釋「楚」[48]，《詁林》1427號字頭下未錄，僅錄後出之孫海波說等。

葉玉森釋「鷹」[49]，《詁林》1656號字頭下失錄，僅錄後出之饒宗頤、李孝定二家之說。

羅振玉釋「燕」，謂象燕箭口布翅枝尾之狀，卜辭借為燕享字。《詁林》1805號字頭下未錄羅說，僅錄後出之王襄說。

陳夢家釋「寇」，謂象於室內以殳擊蛇，並疑即「毆」字[50]。《詁林》1860號字頭下未錄，僅錄後出之于省吾說等。

陳邦懷釋「杺」，以為殷先公之稱[51]。《詁林》1937號字頭下未錄，僅錄後出之于省吾說等。

羅振玉釋「裘」；葉玉森亦釋「裘」，以為地名[52]。《詁林》1955號僅錄後出之孫海波、李孝定二家之說，按語指出：「裘」「在卜辭為地名。釋契諸家或混莽、希等字為求，均誤。」

孫詒讓釋「亘」[53]；王襄釋「亘」[54]；容庚釋「亘」[55]。以上諸說，《詁林》2285號字頭下均未錄，而錄後出之吳其昌說等。

羅振玉釋「遣」，《詁林》3007號字頭下未錄，僅錄後出之王襄說等。

羅振玉釋「旁」，謂與金文同。《詁林》3120號字頭下未錄，而錄後出之孫海波說等。

張秉權釋「係」，《詁林》3160號字頭下未錄，僅錄後出之饒宗頤說等。

羅振玉釋「甲」，謂：「古金文均作十」。《詁林》3466號字頭下僅有

---

[47] 溫少峰、袁庭棟：《殷墟卜辭研究－科學技術篇》，第92頁，成都：四川社會科學出版社，1983年。

[48] 董作賓：〈帚矛說─骨臼刻辭的研究〉，《安陽發掘報告》，第4期，1933年。

[49] 同注41。

[50] 同注17。

[51] 陳邦懷：《殷代社會史料徵存》卷2，第5~6頁。

[52] 葉玉森：《殷虛書契前編集釋》卷7，第5頁，1934年。

[53] 孫詒讓：《契文舉例》卷1，第9頁，吉金庵叢書，1917年。

[54] 王襄：《簠室殷契類纂》卷13，第59頁。

[55] 容庚：《殷契卜辭釋文》，第5頁，北平：哈佛燕京學社，1933年。

按語，3683號字頭下未錄羅說，而錄後出之丁驌說等。

　　古文字考釋雖無專利可申請，不過，早出的成果理應得到必要的尊重，《詁林》旨在匯集百家之說，於先有之說更應充分反映。一人考釋某字有前說後說，如果失錄前說，那麼可能忽略了其獨創性；如果失錄其後說，則無法反映其最終見解。因此，只要不是完全雷同，前說後說均宜兼收並蓄，事實上，《詁林》總體上也正是這樣做的，只是偶有疏漏罷了。假若有甲、乙、丙三家考釋一字，《詁林》有時無論正誤，僅錄乙說和丙說，而乙說或丙說提及甲說。《詁林》未錄甲說，如：

0089號字頭下錄屈萬里說引羅振玉釋「休」。

0209號字頭下錄吳其昌說引孫詒讓釋「央」；錄丁山說引董作賓釋「央」。

0722號字頭下錄葉玉森、于省吾、李孝定諸家之說均引郭沫若釋「言」。

0735號字頭下錄張政烺說引王襄釋「魯」。

0803號字頭下按語引羅振玉釋「之」，認爲：「羅振玉據甲骨文說『之』字之
　　　　形義是正確的」。

0949號字頭下錄張秉權說引王襄釋「鑿」。

1142號字頭下錄商承祚說、孫海波說引唐蘭釋「星」。

1186號字頭下錄葉玉森說引羅振玉釋「雪」。

1389號字頭下錄裘錫圭說引嚴一萍釋「芳」。

1703號字頭下按語引羅振玉釋「兔」。

1709號字頭下錄李孝定說引唐蘭釋「粿」。

3227號字頭下錄葉玉森說引孫詒讓釋「乍」。

3267號字頭下錄李孝定說、裘錫圭說均引徐中舒釋「力」。

　　以今天的學術水平來衡量，上列被引用之說都是可以信從的，而引用者在引用時往往片言隻語，語焉不詳，因此，被引用之說均宜表而出之，以免這些先有的優秀成果被埋沒。考釋文字的先有之說，即使從今天的眼光看來是錯誤的，也有其借鑒意義。《詁林》所錄的某家之說或按語引及，有時亦未單獨錄出，例如：

1317號字頭下錄郭沫若說引董作賓釋「酬」。

1561號字頭下僅錄王襄說與考古所說，並未錄羅振玉說，而按語指出：「羅振
　　　玉以 𥝭（絆）、羌諸字混入羊字，非是。」可補錄羅說，或注參見1574
　　　號字頭下。
1711號字頭下錄葉玉森說、郭沫若說、李孝定說均引羅振玉說釋「阱」。

　　誠如姚孝遂先生在《序》中所說：「本書所收錄的有關考釋，其中仍然有
一部分是缺乏根據的臆測妄斷。有這麼一點點作爲反面教材，倒也不算壞事。
」適當錄出先有之誤說，一些批評性的意見才不至於無所附麗，以免讀者如墜
五里霧中。

二、　未錄較爲重要之說

　　前文羅列《詁林》未錄之說，主要著眼於時間因素，補述諸家考釋中最早
正確考釋而被忽略者。還有一些較爲重要的觀點，《詁林》未錄，下文亦略作
補錄。
　　諸家釋字，有時未必重在字形考定，而是貴於字義剖析，或闡釋某字在卜
辭中的用法。例如：

　𦚢　　商承祚釋「俎」，謂：「象操刀割肉也」[56]。《詁林》3280號字頭下未
　　　　錄，僅錄王襄之誤釋等。按語謂：「卜辭『𦚢』乃『俎』之繁文，通
　　　　用無別」。
　𡳿　　郭沫若釋「出」，謂：「殷人於日之出入，均有祭」[57]。《詁林》0805
　　　　號字頭下未錄。
　𣎴　　董作賓釋「女」，謂：「皆當爲母，即毋；女、母、汝本爲一字，音當
　　　　如母，此假爲無、勿、莫，禁止之辭，即後起之毋」[58]。《詁林》0422
　　　　號字頭下未錄。
　𤔲　　張政烺釋「𡊮」，謂契文「𡊮」即《禮記》之「抔」、《說文》之「捊

---

[56] 商承祚：《殷虛文字類編》卷14，第2頁。
[57] 郭沫若：《殷契粹編考釋》，第7頁、14頁。
[58] 董作賓：〈安陽侯家莊出土之甲骨文字〉，《考古學報》，1936年第1期。

」，說見著名的〈卜辭裒田及其相關諸問題〉一文[59]。《詁林》1212號「圣」字下、3339號「皇」字下均未錄張說。倒是0078號「眾」字下、0213號「立」字下、1780號「雉」字下、3227號「乍」字下引及張氏此文，不過與「望」字無直接關係。

李學勤釋「敦」，指出為沁水西岸的狩獵地[60]。《詁林》1986號字頭下未錄。

李學勤釋「硪」，謂讀為「俄」，義為斜[61]。《詁林》2258號字頭下未錄。而此說似較《詁林》所錄董作賓說（讀「硪」為「峨」）及李孝定說（如字讀）稍勝。

裘錫圭以為字從「大」從「口」，表示把嘴張大的意思，也就是《莊子》所謂「口呿而不合」之「呿」字初文，即離去的「去」字[62]。《詁林》0214號字頭下錄王襄等說，未錄裘說。按語說：「卜辭來去之去從大從口，商承祚以為笒之本字，非是。」

裘錫圭從羅振玉釋「抑」，謂用作句末疑問語氣詞，有時也用為國族名或人名[63]。《詁林》0359號字頭下未錄。

徐中舒等釋「反」，認為象以手攀崖之形。《詁林》0938號字頭下未錄。

楊升南釋「左」，謂卜辭中或指「軍隊左師」[64]。《詁林》0906號字頭下未錄。

葉玉森釋「妻」，郭沫若、李孝定均從之，見《詁林》0439號字頭下所錄。董作賓謂葉說甚是[65]，《詁林》未錄。而0440號字頭下錄陳煒湛1983年之說，指出契文「妻」字象以手抓取女子頭髮，強搶女子為妻，是上古搶婚風俗在文字上的遺跡。其實，陳氏另有專文考釋「妻」字

---

[59] 張政烺：〈卜辭裒田及其相關諸問題〉，《考古學報》，1973年第1期。

[60] 李學勤：《殷代地理簡論》，第20~30頁，北京：科學出版社，1959年。

[61] 李學勤：〈論「婦好」墓的年代及其有關問題〉，《文物》，1977年第11期。

[62] 裘錫圭：〈談談古文字資料對古漢語研究的重要性〉，《中國語文》，1979年第6期。

[63] 裘錫圭：〈關於殷墟卜辭的命辭是否問句的考察〉，《中國語文》，1988年第1期。

[64] 楊升南：〈略論商代的軍隊〉，見胡厚宣等《甲骨探史錄》，第344~345頁，北京：生活讀書新知三聯書店，1982年。

[65] 董作賓：〈甲骨文斷代研究例〉，《慶祝蔡元培先生六十五歲論文集》（上），中央研究院《歷史語言研究所集刊》外編，1935年。

，遠較前說精詳[66]，《詁林》亦未錄。

㊉　葉玉森釋「盜」[67]；郭沫若釋「般」[68]；溫少峰與袁庭棟釋「䑓」[69]；陳
　　煒湛補證葉說，亦釋「盜」，指出此字本義指盜舟，契文原從舟，至
　　小篆訛變而從皿，構字方式亦由會意轉爲形聲[70]。《詁林》3131號字頭
　　僅錄郭說等，而未錄葉、陳之說及溫、袁之說。

㊉　《詁林》1587號字頭下錄有葉玉森等諸家之說，並加了按語：「于先生
　　論『犪』之形音義甚詳，其讀金文『犪』爲『協』，無疑是正確的。
　　但解釋從『犬』之由爲用以守器，恐有未然，不如闕疑。」《詁林》
　　錄有李孝定說，推測此字象群犬並耕之形，當是犁耕之初字。譚步雲
　　從李說釋「犁」，詳論其字只能作犬拉耒解釋，後來分化出「𤛠」、「
　　犁」、「黎」等字[71]。《詁林》未錄譚說。

三、　未錄編者自家成果

　　《詁林》的編纂者是一個由老中青三代古文字學家組成的群體，精英薈萃
，著作繁富，乃至《詁林》有時未錄編者自家成果。例如：

㊉　郭沫若認爲「眾」爲奴隸無疑[72]。後來《中國史稿》又進一步強調這一
　　觀點。于省吾釋「眾」，指出其身分不是奴隸[73]。此說早於《詁林》
　　0079號字頭下所錄趙錫元、陳福林、裘錫圭及姚孝遂諸家之說，今失錄
　　。

---

[66] 陳煒湛：〈釋甲骨文「妻」「盜」二字〉，《語言文字研究專輯》（下），第184~186頁，
　　上海：上海古籍出版社，1986年。

[67] 葉玉森：《殷虛書契前編集釋》卷6，第32頁。

[68] 郭沫若：《殷契粹編考釋》，第153頁。

[69] 溫少峰、袁庭棟：《殷墟卜辭研究－科學技術篇》，第289頁。

[70] 同注66，第186~188頁。

[71] 譚步雲：〈釋犪—兼論犬耕〉，《農史研究》，第7輯，農業出版社，1988年。

[72] 郭沫若：《中國古代社會研究》，第268頁，上海：中亞書局，1929年。

[73] 于省吾：〈從甲骨文看商代社會性質〉，《東北人民大學人文科學學報》，1957年第2~3期
　　合刊。

𧾷 于省吾釋卜辭「逆羌」爲「以羌爲牲而迎之致祭」[74]。《詁林》0270號字頭下未錄。

示 于省吾認爲「示的廟號非後人所定」[75]。《詁林》1118號字頭下未錄。

驒 嚴一萍與金祥恆釋「馻」[76]；于省吾釋「馻」，謂在卜辭中用爲馬名；裘錫圭亦釋「騽」，訓馬疾馳。《詁林》1644號字頭下俱未錄，僅有按。而于說及裘說均錄於0778號「杳」字條之下，宜注參見。

宎 此體或作宎，諸家均隸作「宎」，李孝定《集釋》以爲《說文》所無，魯實先以爲「矢」之繁構[77]；姚孝遂首釋「室」[78]。《詁林》2043號字頭下未錄姚說。

魚 姚孝遂釋「魚」，讀爲「魯」，訓嘉善[79]。《詁林》1812號字頭下未錄。

合 姚孝遂釋甲骨刻辭「今來戈」是指「今戈」和「來戈」，正陳夢家《綜述》之誤[80]。《詁林》1968號字頭下未錄。

回 趙誠釋「㬎」，謂：「象雲層中有日光散射之形」[81]。其隸定從于省吾，釋義從羅振玉。《詁林》1137號字頭下未錄。

妠 李孝定釋「妠」，徐中舒等「御」。《詁林》0505號字頭下未錄。而編者之一王貴民釋「卪」，謂即後來的「御」字，當祭名用[82]。《詁林》亦未錄王說，僅有按語。

芺 王貴民釋「芺」[83]。《詁林》1389號字頭下未錄，僅錄嚴一萍說等。

---

[74] 于省吾：《甲骨文字釋林·釋逆羌》，第47頁，北京：中華書局，1979年。

[75] 于省吾：〈略論甲骨文「自上甲六示」的廟號以及我國成文歷史的開始〉，《社會科學戰線》創刊號，1978年。

[76] 嚴一萍、金祥恆：〈讀《京都大學人文科學研究所藏甲骨文字》〉，《大陸雜志》，第19卷第3期。

[77] 同注35。

[78] 姚孝遂：〈《殷墟卜辭綜類》簡評〉，《古文字研究》，第3輯，第191頁，1980年。

[79] 姚孝遂：〈讀《小屯南地甲骨》札記〉，《古文字研究》，第12輯，第112頁，1985年。

[80] 同注79，第123頁。

[81] 趙 誠：〈甲骨文詞義系統探索〉，見胡厚宣主編《甲骨文與殷商史》，第2輯，第15頁，上海：上海古籍出版社，1986年。

[82] 王貴民：〈說卪史〉，見《甲骨探史錄》，第304~323頁。

[83] 王貴民：〈就甲骨文所見試談商代的王室田莊〉，《中國史研究》，1980年第3期。

未錄姚先生之說，姚先生尙可在按語有所彌補；未錄其他先生之說，徒有遺憾嘆惋而已。

《詁林》未錄之說有種種不同情況，根據姚孝遂先生《序》中所示，實可大別爲兩類，即屬於不錄之說與失錄之說，相信大部分是失錄之說，只是不易釐清，本文姑且統稱未錄之說。對古文字考釋成果加以綜理總結，正本清源，事屬至難，編纂《詁林》的古文字學家們知難而上，完成了學術界企盼已久的大工程，讓讀者一編在手，如牢籠群籍，如坐擁書城，也爲甲骨學史、古文字學史的深入研究準備了豐富的資料。當然，若有機會對《詁林》重加修訂，使之更臻美善，將是人們所樂於看到的。于老和姚孝遂先生，都是筆者非常崇敬的前輩，他們嘔心瀝血，慘澹經營，雖成其功，竟未及見《詁林》面世。作爲後學小子，撰此小文，補苴罅漏，聊寄緬懷之意，苟有唐突之處，佛頭著糞，罪過，罪過。

1998.6.8校畢

甲骨文發現一百周年學術研討會記要
A Symposium
on
Oracle Bone Inscriptions
On
The 100th Anniversary of
Their Discoveries

師大國文系教授　李旭昇

The Department of Chinese Language and Literature National Taiwan Normal University

Chi Hsiu-sheng

　　由教育部顧問室委辦，中華發展基金管理委員會贊助，國立灣師範大學國文學系主辦，中央研究院歷史語言研究所協辦的「甲骨文發現一百周年學術研討會」在八十七年五月十日順利召開，經過三天的研討，在五月十二日滿閉幕。以下是研討會相關的報告及記要。

　　甲骨文的發現，一般舊說是在清光緒二十五年（歲在己亥，西元一八九九年），這個說法最早是由劉鶚在一九〇三年出版的《鐵雲藏龜·自序》中說的：「龜版己亥歲出土在河南湯陰縣屬之牖里城。」羅振玉在一九一〇年出版的《殷商貞卜文字考·自序》中也說：「光緒己亥，予聞河南之湯陰發現古龜甲獸骨。」但事實上不是這麼簡單，劉、羅二人這時連甲骨真正的出土地都還不知道，所以一八九九年只能說是他們知道甲骨的年代，而不是甲骨真正被發現的年代。事實上，甲骨在一八九九年以前很早就已經有發現了（石璋如院士在開幕致詞中也提到了這一點），小屯村一帶隋唐時就有掘墓葬時發現甲骨，但是不被人注意，往往又填了回去。到了清末也常有農民在種田時挖出甲骨，但都隨手棄置或填井（參董作賓先生《甲骨學六十年》第十八頁，藝文印書館）。一九三一年汐翁在北京《華北日報·華北畫刊》第八十九期刊登的〈龜甲文〉中說甲骨文出土於一八九八年；一九三五年王襄在《河北博物院半月刊》第八十五期〈題易穭園殷契拓冊〉中說甲骨文是在光緒戊戌（一八九八年）冬十月由古董商告訴孟定生（廣慧）和王襄，孟定生「意為古簡」，「翌年秋，攜來求售，名之曰龜版。人世知有殷契自此始。」（參孟世凱《殷墟甲骨文簡述》、吳浩坤·潘悠《中國甲骨學史》、李先登〈孟廣彗舊藏甲骨選介〉——登在《古文字研究》第八輯）。由此看來，

甲骨文是在那一年被發現的，學術上還頗不易斷定，但是一八九八年也是可信的說法之一。我們選在一九九八年召開甲骨文發現一百周年學術研討會，並不代表我們認定這是唯一的正確說法，主要原因其實是大陸在一九九九年要召開甲骨文發現一百周年學術研討會，我們不希望兩岸在同一年召開這個盛會，讓甲骨學者趕場或爲難，因此決定提前一年舉辦。一方面有歷史考證的依據，一方面也可以把十九世紀末興起的新顯學－－甲骨文的熱度炒高些。中國人過生日是算虛歲的，如果不贊成甲骨文是發現於一八九八年的學者，不妨把這場一百周年盛會當作是傳統的過虛歲生日。

　　大會於五月十日在中央研究院活動中心第一會議室開幕，由史語所杜正勝所長和師大文學院賴明德院長共同主持。李遠哲院長曾說過甲骨文是我國學者有希望拿到諾貝爾獎的學科，可惜李院長這一天早有安排，所以由副院長代表致辭，師大方面由副校長簡茂發代表校長致辭，並由石璋如院士報告甲骨文發現的軼聞。隨後展開研討會，前兩天在中研院舉行，第三天在師大舉行，研討會後並舉行一場座談會，由提論文的學者與會師生共同討論。閉幕典禮由師大國文系蔡宗陽主任和史語所林素清主任共同主持。

　　大會全部發表論文二十一篇，除了日本學者伊藤道治先生未能到會、鄭振香先生、吳振武先生文到人未到之外，其餘學者都順利到會發表討論，二十一篇論文的作者、題目如下（依發表順序爲次）：

　　裘錫圭：甲骨文中的見與視（雷煥章先生特約討論）

　　鍾柏生：歷史語言研究所購甲骨文選釋(二)（周鴻翔先生特約討論）

　　夏含夷：殷墟卜辭的微細斷代法——以武丁時代的一次戰役爲例（朱歧祥先生特約討論）

　　許進雄：第三期兆側刻辭（夏含夷先生特約討論）

　　王仲孚：湯亳地望與歷史教學——殷商史尚待解決的問題之一（葉達雄先生特約討論）

　　雷煥章：兩個不同類別的否定詞「不」和「弗」與甲骨文中的「賓」字（裘錫圭先生特約討論）

　　周鴻翔：十進制及干支起源（張建葆先生特約討論）

　　蔡哲茂：論《尚書・無逸》「其在祖甲，不義惟王」（汪濤先生特約討論）

　　陳昭容：關於「甲骨文被動式」研究的檢討（魏培泉先生特約討論）

　　季旭昇：說朱（許錟輝先生特約討論）

　　汪濤：甲骨學在歐美——1900-1950（雷煥章先生特約討論）

　　朱歧祥：說羌——評估甲骨文的羌是夏遺民說（王明珂先生特約討論）

　　李宗焜：《甲骨文字編》芻議（季旭昇先生特約討論）

　　彭邦炯：書契缺刻筆畫再探討（李宗焜先生特約討論）

劉一曼：殷墟花園莊東地甲骨坑的發現及主要收獲（石璋如先生特約討論）

楊升南：從「鹵小臣」說到武丁對西北征伐的經濟目的（王仲孚先生特約討論）

鄭振香：甲骨文斷代研究對殷墟考古的意義（作者未涖會）

鄭杰祥：殷墟卜辭所記商代都邑的探討（鍾柏生先生特約討論）

黃天樹：午組卜辭研究（蔡哲茂先生特約討論）

陳偉武：《甲骨文字詁林》補遺（李宗焜先生特約討論）

吳振武："戈字的形音義（作者未涖會）

　　十一日下午先大會安排參觀史語所藏甲骨，然後由成大教授沈寶春、成大圖書館蔡文達館長、資訊組王元興主任展示成大完成的「『甲骨文全文檢索與影像處理系統』第一階段工程」，這個工程把《殷墟甲骨刻辭摹釋總集》全文輸入電腦，做成檢索，研究者可以在網路上輕輕鬆鬆地檢索到所要的甲骨文例；此外，成大也把《甲骨文合集》全部輸入電腦，影像密度為 300-400DPI，實際效果相當理想。這個資料庫的網址是：//WWW.LIB.NCKU.EDU.TW 。

　　三天的會議在與會學者熱烈的討論之中，圓滿地閉幕，為甲骨文發現一百周年劃下了一個美好的句點。大會在開會期間發了成冊的會前論文，在會後將會把學者的修正稿重新整理，正式出版。（已刊於《漢學通訊》）